蘇州歷代園林錄

魏嘉瓚 編著

文史哲出版社印行

國立中央圖書館出版品預行編目資料

蘇州歷代園林錄 / 魏嘉瓚編著. -- 初版. -- 臺
北市：文史哲，民83
面 ； 公分
參考書目：面
含索引
ISBN 957-547-912-2(平裝)

1. 庭園 - 江蘇省

929.9221 　　　　　　　　　　　83011087

蘇州歷代園林錄

編 著 者：魏　　嘉　　瓚
出 版 者：文 史 哲 出 版 社
登記證字號：行政院新聞局局版臺業字五三三七號
發 行 人：彭　　正　　雄
發 行 所：文 史 哲 出 版 社
印 刷 者：文 史 哲 出 版 社
　　　　　臺北市羅斯福路一段七十二巷四號
　　　　　郵撥○五一二八八一二　彭正雄帳戶
　　　　　電話：(○二)三五一一○二八
定價新臺幣四○○元
中 華 民 國 八 十 三 年 十 二 月 初 版

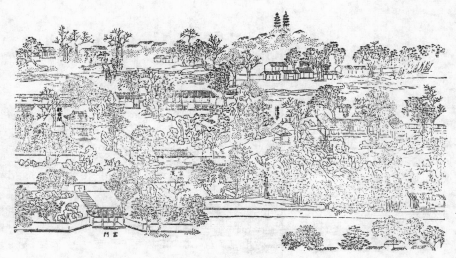

滄浪亭（選自《南巡盛典》）

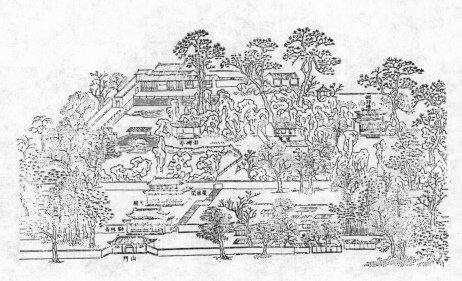

獅子林（選自《南巡盛典》）

虎丘（選自《南巡盛典》）

香雪海司徒廟（選自《南巡盛典》）

靈岩山（選自《南巡盛典》）

高義園（選自《南巡盛典》）

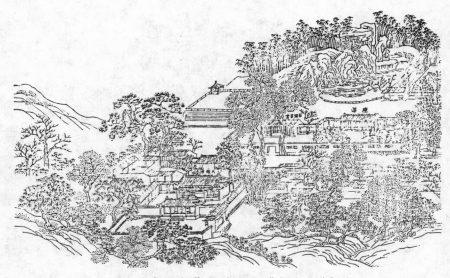

治平寺石湖草堂（選自《南巡盛典》）

寒山別墅（選自《南巡盛典》）

嘉慶二年〈桃花仙館圖〉（選自《墨亭新賦》）

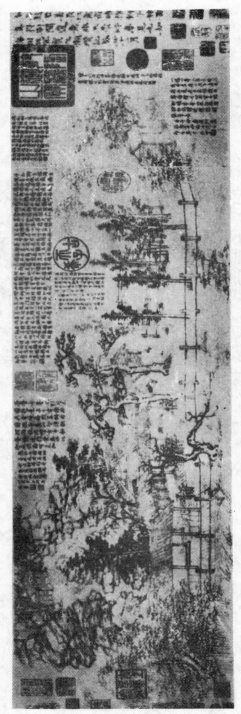

元・倪瓚（1301-1374）〈獅子林圖〉

▲明・文徵明（1470-1559）〈拙政園小飛虹圖〉

▼郭蘭枝臨沈石田〈東莊圖・耕息軒〉

▲清・翟大坤（?-1804）〈劉恕園圖〉

▼清・〈怡園・藕香榭圖〉

序

　　園林和建築一樣，都是人類為改造自己生活環境所作的一種創造性活動，這其中既包含人們的物質生活，也包含其精神生活，因而都屬於環境藝術的範疇。所不同者，建築創造的最終目的，主要是構成某種室內環境；而園林的最終目的則主要是構成某種室外環境，而且比較起來，更加側重於精神生活的需要。

　　中國的古典園林，也像中國古典建築一樣，由於特定的社會條件、歷史條件和文化條件，在長期的發展過程中自成體系，形成了獨特的、與西方很不相同的思路和風格。這主要表現在以下三個方面：

　　首先是審美情趣上的差異。西方古典園林所追求的是人工美。布局方整規則，筆直的道路和水漕，幾何形的水池和噴泉，平整的草地配以圖案的花池花壇，樹木的栽植不僅整齊而規則化，甚至連樹形都修剪成幾何形體。中國園林則追求自然的情趣，是自然山水景色的縮影、提煉和集中表現，講究《園冶》所說的「雖由而作，宛自天開」。但在西方譬如英國，也曾出現過自然風景園林。這一方面是十八世紀歐洲文學藝術上浪漫主義思潮的影響，人們熱衷於田園風趣，想要打破規整格局的束縛，而崇尚自然，這種傾向成為一時風氣；另一方面，正巧在這同一個時期，英國來華的外交官和園林設計家分別回去寫文章著書，宣揚中國園林之美，在歐洲引起了頗大的影響，因而它是兩種影響湊合在一起的結果，但是歐洲人並未真正認識中國園林的靈魂和精髓。英國

式自然風景園實際上是英國鄉間牧場風光的縮影，與中國園林仍不是一回事。

其次是格局上的差異。西方的古典園林在格局上往往是建築物的延伸和陪襯。它與建築一樣，講究軸線對稱，成為一個完整的、主次分明的構圖，並常給人一覽無餘的感覺。中國園林則不採用建築的那種軸線對稱的格局。它不是建築物的從屬品，常常是園中有建築（亭、臺、樓、閣），建築中又有園（庭院），兩者互相滲透，融為一體。格局上講究在有限的小範圍內容納大的山水景觀；不是一覽無餘，而是劃分為多個不同主調的景區，景區與景區之間既有所屏障又有所溝通，並互為因借，形成豐富的層次，給人以空間上不盡之感。觀賞其間，步移景異，有如置身於連續不斷的山水畫卷之中。因是之故，中國園林可以說是立體的中國式山水畫。歷史上很多畫家如王維等都有過造園活動。吳門畫家如倪雲林、文徵明、唐寅等也都在蘇州園林中顯過身手。繪畫藝術的思想、理論和審美觀，很自然地會滲透到園藝術之中，也許正是造成上述這種特色的一大原因。

第三是著眼點的不同。西方園林往往著眼於形體本身，著眼於它的物質境界。而中國園林則追求其神韻和詩意，更多地著眼於精神境界。為此目的，總是把文學手段引入於園林之中，成為它不可缺少的組成部份。就像中國畫上題寫詩句，以點明畫的詩意一樣，中國的園林也總是利用匾額、楹聯、碑碣等題寫詩句，把造園者所要表達的園林意境傳給觀賞者，以加強園林藝術的感染力。這是中國園林獨有的、區別於其它園林的一大特色。即如本書而言，書中記述的中國園林，雖然有不少早已湮沒，難以追尋它們的本來面目，但作者引用了大量的當時文人雅士對它們的吟詠。其中不但頗有值得一讀的好詩，而且由於詩情畫意本來就

是中國園林的靈魂所在，透過這些詩文也可以想像它們的神韻和風采。這未始不是研究古代園林的一種途徑。

中國園林的上述三個特點，在這本書中體現得相當充分。這是因爲嘉瓚先生在蘇州掌管文化工作多年，不僅對蘇州的地方文化、文物掌故、鄉土風情知之甚詳，而且對蘇州園林有深入理解的緣故。

看來園林之盛，一在於有相當的財富積累，二在於有很好的文化累積。吳郡兩者兼備，所以歷史上才有如此衆多的造園活動，所以今天遺留如此數量的高水平的園林實例，所以歷史上著名的造園理論家如計成、文震亨、李漁等都出於此郡。蘇州園林的藝術成就幾乎可以成爲中國古典園林水準的代表，甚至皇家園林也向它師法仿效；近三四十年來更成爲國內園林學家紛紛研究的對象，決非偶然。

與其他著作相比，這本書從另一個角度對蘇州園林作全面的、歷史的介紹，博引旁徵，內容相當詳實豐富。除程度不同地對各園的沿革、內容、藝術特色以及建築、山石、水池、花木的布置狀況等，儘可能詳加記述外，有的還對園主人作了考証。粗看起來，這似乎對園林藝術本身並無直接關係。其實不然，有些歷史悠久的名園更軼了很多主人。新主人出於他自己生活上、情趣上的需要，難免對它進行增補、修葺或改裝。這些人文化素養、生活情趣、審美觀念不盡相同，這種改變也可能改好，也可能變壞。我以爲若要眞正深入地研究蘇州園林的歷史演化，研究現存名園現狀之所以然，這個問題未始不是值得認眞思考的。這本書爲這方面提供了豐富的研究資料。從這個意義上說，也是在園林研究中做了一件很好的工作。

戴念慈　1991年5月

自 序

　　筆者客居吳門，熱愛蘇州的山水風物。始在政協供職，廣與鄉賢名流交游，每晤談，多及蘇州歷史、文化。後就任文化局，從事文物工作，乃廣泛涉獵地方史志及前賢詩文專集，遇有文物資料，輒口誦筆錄。園林，爲蘇州文物精華，積累資料尤富。

　　蘇州園林，起始於春秋，發展於唐宋。全盛於明清。其中私家園林尤勝，俊雅秀麗，精巧玲瓏，是點綴在「天堂」的藝術珍品。人謂「江南園林甲天下，蘇州園林甲江南」，誠非過譽之辭。

　　歷來關於蘇州園林的著述，不可謂少，然研究現存園林者多，研究歷史園林者鮮。歷代書刊亦有述及歷史上園林者，但不足見其全貌。有感於此，即整理案頭資料，編就是書，以作蘇州園林書籍之補缺。蘇州歷代第宅園林，史志記載有一千處之多，本書收錄有園貌介紹者近八百處。史志無園貌記述，僅有某宅、某堂、某亭、某別業之名者，本書一般不錄。筆者以爲，這是迄今爲止匯集蘇州歷代園林較系統的一本書，足以顯現蘇州園林之大觀。書中照片，一是前人園林繪畫；再是歷代史志書刊中的園林插圖，有些爲其他園林書籍未曾披露者。這些資料，對全面了解蘇州園林的歷史狀況，推動今日園林的保護和建設，當會有所裨益。誠如斯，則筆者爲能對蘇州歷史文化名城建設，弘揚吳文化優秀遺產略盡綿薄而深感快慰。

　　蘇州園林源遠流長，或經一代而圮廢，或建而毀、毀而建，歷代更迭相沿。本書所錄園林以朝代先後爲序。一代而廢者，放

在當時朝代介紹；歷代相沿者，在始建朝代敘述，且一並介紹歷代沿革狀況；有的園林保留至今，對今日園景，諸多書刊多有介紹，本書一般不復詳述。

本書所收園林，除在市區者外，還包括吳縣、吳江縣、太倉縣、昆山市、常熟市、張家港市的園林。這六縣（市）自春秋時起即爲吳國領地，以後歷代沿革，名稱有所改異，而六縣（市）地面卻始終歸蘇州管轄。因此，歷代蘇州造園之藝，亦播及、影響縣（市）區。而且有不少縣（市）區園林就是蘇州的達官貴人、文人雅士建在鄉間的別墅，這裡一併收錄，更可見蘇州歷代園林之興盛及其特色。爲行文簡便，介紹園址所在時，蘇州市區內園林，只言某街、某巷、某地；縣（市）區園林，則冠以縣（市）區名稱。

本書屬資料匯編，主要取材於我市圖書館、博物館所藏古籍，也吸收了蘇州市文管會、吳縣文管會等有關部門和園林研究者的調查研究成果。還有一些同仁、友好給我以諸多幫助，在此一併致謝。原城鄉建設部副部長、建築設計與理論專家、中國科學院學部委員戴念慈先生對本書編寫極爲關心，並欣然作序；著名書法家費新我先生爲本書題簽；蘇州國畫院副院長孫君良先生爲本書設計封面。諸位先生的勞作，爲本書增色，筆者尤爲感謝。

筆者係文化行政幹部，白天公務纏身，夜晚伏案讀寫，時間、精力都極有限。加之水準所囿，成書又較匆忙，粗疏之處恐所難免，懇請專家和讀者不吝賜教。

序成之際，成詩一首，錄綴於後，可和序言相輔，益見筆者編述之意。

　　　　吳地園林甲五洲，春花秋月任悠遊。

　　　　西施廊下蟾留影，短簿祠中石點頭。

欲過「辟疆」弔勝跡，且從「漁隱」問垂釣。

風華未許隨流水，一卷編成好探幽。

魏嘉瓚 一九九一年端午節後一日
識於吳門「歌風居」燈下

蘇州歷代園林錄

目　錄

引　言

　　我國的古典園林，起源於西元前十一、二世紀殷周之際的「園」和「囿」，迄今已有約三千年歷史。這可以從《詩經》等古代典籍中找到證明，《詩經》中共有六處寫到「園」，其中「遊於北園，四馬既閑」，（《秦風・駟驖》），「樂彼之園，爰有樹檀」（《小雅・鶴鳴》），是寫園中遊樂；「王在靈囿，麀鹿攸伏」（《大雅、靈臺》），是寫囿中田獵。這說明彼時之「園」、「囿」，已經具有遊樂觀賞性質。至春秋時期，苑囿（「苑」，是無牆之「囿」）的娛樂性質更爲明顯。《呂氏春秋》；「昔先聖王之爲苑囿園池也，足以觀望勞形而已矣」，這把苑囿的性質說得非常清楚。《家語》；「齊君爲國，奢乎臺榭，淫乎苑囿」，亦可證明。當時北方諸國，各有苑囿，如周文王的「靈囿」，秦國的「射囿」、「具囿」、「五苑」、「上林」，齊國的「鹿囿」，趙國的「鹿苑」、「趙囿」，魏國的「梁囿」、「溫囿」，韓國的「桑林苑」，鄭國的「原囿」等等。

　　江南一帶建國的歷史，晚於北方。本來，在五、六千年前新石器時期，這裡有土著居民聚族而居，至西元前十一世紀商朝末年，泰伯仲雍南來，在梅里平墟建立「勾吳」，這是楚國的附庸小國。到了泰伯二十世孫諸樊，將吳都遷至今日之蘇州地面，興建了一座小城「吳子城」。西元前五一四年，吳王闔閭即位，他雄才大略，一心崛起於東南，於是授命相國伍子胥擴建「子城」，定名爲「闔閭大城」，這就是今天蘇州城的前身。

　　蘇州地處江南水鄉，東鄰大海，西濱太湖，北枕長江，南連平原，河道縱橫交錯，湖蕩星羅棋布，青山綠水，稻香魚肥，被譽為「錦繡江南，魚米之鄉」。這裡的文化也一向發達，素為人文薈萃之地。園林是綜合藝術，受經濟、政治、文化的制約和影響。蘇州自然條件優越，為園林的興建提供了方便。因此，儘管吳國的歷史晚於北方的夏商周，但它一建國，宮庭苑囿和離宮別館的建造，其規模和奢華程度都可和北方相媲美。唐朝詩人韋應物在《閶門》詩中寫道：「獨鳥下高樹，遙知吳苑園。淒涼千古事，日暮依閶門。」即詠出蘇州園林之古老。後來，私家園林的興建亦較早。北方私家園林，始於西漢董仲舒，史載董仲舒下帷講授，三年不窺園。而蘇州私家園林，始於東漢，時吳大夫笮融建有「笮家園」。東晉時的「顧辟疆園」則是當時名聞南北的私園。以後隋煬帝開鑿大運河，溝通了南北交通，推動了蘇州的繁盛。至南宋，江南成為全國政治、經濟中心，明清兩代蘇州經濟文化更加繁榮。因此歷代達官貴人，文人雅士，多喜在此造園卜居，遊樂棲遲，私家園林逐漸蔚為大觀。

　　我國園林，大致可分為皇家園林、寺廟園林、私家園林和公園諸類，這些園林在蘇州園林史上都曾出現。粗略統計一下，兩千多年來，在史志書籍中提及名字的園林，約有一千處。探尋一下它們的發展軌跡，大致是：春秋之際主要是苑囿和離宮別館；魏晉南北朝時期宗教盛行，許多寺廟道觀建築都具有園林特色；自五代以後，尤其是明清兩代，私家園林聯翩建立，逐步形成了蘇州古典園林的獨特風格。其中許多園林歷經修葺，留存至今，成為蘇州歷史文化的瑰寶。但是，對歷史上出現的園林構築和沿革情況，多無完整的文字記載。本書從史志、筆記、文集、詩詞和有關園林著作中稽古鉤沉，歸納整理，錄出歷代園林近八百處，

並詳略不等地對其園林景觀和沿革情況加以介紹，以求展現歷代蘇州園林風貌，以乞借古鑑今，推動今天園林事業的發展，爲弘揚民族優秀文化作些微貢獻。

春秋戰國時期（前770——前221）

吳國建都蘇州之後，吳王闔閭重用孫武和伍員，整軍經武，冶銅煉鐵，鑄造兵器、農具、開鑿河道、興修水利，社會經濟日益發展，軍事力量迅速壯大，西破強楚，北威齊晉，南伐於越，「威行海外三千里，霸占江南第一都」，顯名於諸侯，稱雄於東南。司馬遷在《史記‧貨殖列傳》中寫道：「夫吳自闔閭、春申、王濞三人，招致天下之喜遊子弟，東有海鹽之饒，章山之銅，三江五湖之利，亦江東一都會也。」由此可見當時蘇州之繁盛。

爲了給自己創造治國和遊樂的優美環境，吳國國王，尤其是闔閭和夫差兩代國君，內治城池宮室，內治城池宮室，外修苑囿別館。據統計，當時苑囿別館有三十多處。這些建築具有早期園林的特點，開蘇州園林之先河，爲蘇州園林之濫觴。可以說，蘇州園林和蘇州古城是同步產生和發展的。

夏駕湖

爲吳國最早的苑囿，在今蘇州城內吳趨坊一帶。《吳地記》：「夏駕湖，壽夢盛夏乘駕納涼之處。鑿湖爲池，置苑爲囿。」「夏駕湖」之名亦由此而來。壽夢，爲泰伯第十九世孫，《史記》：「壽夢立而吳始益大，稱王。」以後闔閭、夫差也都以此爲遊樂之所，並不斷有所修建。又據《吳郡志》載：宋時湖已不存，只於西城下存外濠，即漕河，河西悉爲民田，民猶於湖旁種菱，甚美，謂之「夏駕湖菱」。宋人楊備《夏駕湖》詩寫道：「湖面波

光鑑影開，綠荷紅菱繞樓臺。可憐風物還依舊，曾見吳王六馬來。」在元人鄭元祐筆下，是「吳王城西夏駕湖，至今草木青扶疏。想見吳王來避暑，後宮濯濯千芙蕖。酣紅鸁翠總殊絕，誰似西施天下無。」約在清初，「夏駕湖」完全湮沒爲平地。

梧桐園和吳宮「後園」

闔閭十年，吳國三戰破楚之後，立夫差爲太子，讓其留守於楚，闔閭則班師回都，「自治宮室」。吳王夫差更是「好起宮室，用工不輟」（《吳越春秋》），「好罷民力以成私好，縱過而翳諫，一夕之宿，臺榭陂池必成，六畜玩好必從」（《國語·楚語下》），而且在構造時，「巧工施校，制以規繩，雕治圓轉，刻削磨礱，分以丹青，錯畫文章，嬰以白璧，鏤以黃金，狀類龍蛇，文彩生光。」（《吳越春秋》）足見雕飾之美。難怪司馬遷於西元前一一六年到蘇州進行考查，贊嘆道：「宮室盛矣哉！」

吳宮爲吳王治事之所在，內有「前園」和「後園」。夫差於十三年，興兵伐齊，道出胥門，過姑胥之臺，忽然白天假寐，夢見「前園橫生梧桐」，醒來不知吉凶，找人占卜，太宰嚭說：「前園橫生梧桐者，樂府鼓聲也。」以此慫恿夫差伐齊；公孫聖則說：「前園橫生梧桐者，梧桐心空，不爲用器，但爲盲僮，與死人俱葬也。」以此反對夫差伐齊。由此可知，夢雖荒誕，而宮有「前園」卻可確認。後人稱之爲「梧桐園」。如《吳郡志》：「梧桐園，在吳宮，本吳王夫差園也。一名琴川，語云（梧宮秋，吳王愁）」；《吳門表隱》：「梧桐園，吳王夫差所建。」明高啓《梧桐園》詠道：「桐花香，桐花冷。生宮園，覆宮井。雨滴夜，風涼秋。鳳不來，吳王愁。」周南老有詩詠道：「碧團宮園樹，曾宿朝陽鳳。花開襲香霏，葉密樓纖蓊。雨雜瑯珮聲，風生金石

弄。初秋一葉飛，深宮愁已動。前園忽橫生，怪入夫差夢。知非樑棟材，盲童斯俑從。」

關於「後園」，《吳越春秋》亦有明載，夫差十四年，「太子友知子胥忠而不用，太宰嚭佞而專政，欲切言之，恐罹尤也，乃以諷諫激於王。清旦懷丸持彈，從後園而來，衣洽履濡，王怪而問之曰：『子何為洽衣濡履，體如斯也？』太子友曰：『適遊後園，聞秋蜩之聲，往而觀之⋯⋯』。」從下文看，這後園是高樹參天，綠蔭匝地。杜牧有「吳王宮殿柳含翠」的詩句即詠此。

據盧熊《蘇州府志》，吳宮至秦時猶存，守宮吏以火視燕窟，遂火燒，遺跡雖已無存，但其地未改。漢代朱買臣載其故妻到太守舍，置園中，給食之，即此地。這說明吳宮之園，漢時仍存。

華林園

《吳地記》謂吳王闔閭建，在長洲縣華林橋。

消夏灣

在洞庭西山，為吳王避暑處。據《百城煙水》記載，中多菱茨蒹葭，煙水魚鳥，別具幽致。范成大詩云：「縱有暑光無著處，青山環水水浮空。」可謂曲盡其勝。袁學瀾謂「遊人放棹其間，納涼延爽，三面峰環，一門水匯，花香雲影，皓月澄波，真是絕塵勝境。」（《消夏灣并序》）史弼翁有詩詠道：「洞庭真人居，翠岫多清風。吳王使霸氣，避暑此離宮。崖斷緣入水，乘流玩無窮。朝暮一軒楹，開折千光容。追涼競歌舞，日厭山雲中。別來幾千歲，哀嘆聞絲桐。君擁如花人，誰道女興戎。梧宮忽已秋，玉簟傷飛空。」

長洲苑

在蘇州西南山水之間。今難確指。《吳郡圖經續記》謂「吳
故苑名，在郡界」，爲吳王闔閭和夫差苑囿。至漢代修葺，益爲
繁盛，據《吳郡志》：「枚乘說吳王濞云：漢修治上林，雜以離
宮，佳麗好玩，圈守禽獸，不如長洲之苑。」「上林苑」是歷史
名苑，原爲秦時舊苑，漢武帝時擴建，廣袤數百里，有山有水，
宮中有宮，苑中有苑，池沼星布，臺觀羅列，百獸珍禽，委積其
間。「長洲苑」居然勝過「上林苑」，其壯美可見。唐人孫逖《
長洲苑吳苑校獵》的描述可窺苑貌一斑：「吳王初鼎時，羽獵騁
雄才。輦道閶門出，軍容茂苑來。山從列陣轉，江自繞村回。劍
騎緣汀入，旌門隔嶼開。合離分若電，馳逐隘成雷。勝地虞人守，
歸舟漢女陪。可憐夷漫處，猶在洞庭限。山靜吟猨父，城空應雉
媒。戎行委喬木，馬跡盡黃埃。攬涕問遺老，繁榮安在哉。」在
明人唐伯虎的筆下，「長洲苑內饒春色，潑黛巒光翠如濕。銀鞍
玉勒斗香塵，多少遊人此中集。薄暮山池風日和，燕兒學舞鶯調
歌。當年勝事空陳跡，至今遺恨留滄波。」

姑蘇臺

《說文解字》：「臺，觀四方而高者……與室屋同意。」《爾
雅》：「四方而高曰臺。」可見臺是居高臨下，可以眺望的建築
物。春秋時，各諸侯國皆有建臺之舉，如秦之「章臺」、「風臺」，齊
之「瑤臺」、「琅琊臺」、「祭臺」，楚之「章華臺」、「雲夢
臺」，越之「靈臺」，趙之「洪波臺」、「野望臺」，魏之「蘭
臺」、「文臺」，燕之「黃金臺」、「五花臺」，韓之「望氣臺」，吳
之「射臺」、「遊臺」等，臺的作用，各有不同，有的用於觀察
星象，有的用於祭祀，有的用於瞭望敵情，有的用於觀賞風景，

有的用於遊樂。因用途不同，主建築之外，有的還有各種附助建築和設施。

「姑蘇臺」，又名「姑胥臺」，因建於姑蘇山而得名。姑蘇山本名姑胥山、姑餘山。《史記》：「登姑蘇，望五湖。」范成大說：「具有登高臨遠之勝。姑蘇臺高三百丈，廣八十四淦，可見三百里，作九曲之路以登之。」唐任公叔《登姑蘇臺賦》描述其巍峨道：「因累土以臺高，宛岳立而山峙。或比象於巫廬之峰，或倒影於滄浪之水。」宋人崔鷃《姑蘇臺賦》：「神材異木，飾巧窮奇，黃金之欀，白璧之楣，龍蛇刻畫，燦燦生輝。」《吳郡圖經續記》說它「雖楚之章華未足比也。」元人周權詞稱爲「東南絕勝。」附屬建築亦極完備。《述異記》寫道：「周旋詰屈，橫亘五里，崇飾土木，殫耗人力，宮妓數千人，上別立春宵宮，爲長夜之飲，造千石酒鐘，夫差作天池，池中造青龍舟，舟中盛陳妓樂。日與西施爲水嬉。吳王於宮中作海靈館、館娃閣，銅鉤玉檻，宮之檻櫳皆珠玉飾之。」若此一臺，眞可謂極一時之盛。

臺爲何人所造，歷來說法不一。《緝柳編》說是「吳王齊玄所造」。查齊玄其人，早壽夢十餘世，事跡已不可考。此說不可靠。《吳地記》說是闔閭十年築；《洞冥記》說是夫差所築。一般認爲，臺始建於闔閭，而建成於夫差，這種說法比較符合實際。臺之建造，耗盡吳國民力。宋崔鷃《姑蘇臺賦》：「受鄰越之貢，竭全吳之力，千夫吟山，萬人泣道。」歷九年而成。後來，吳國終於被越國所滅。當越王勾踐滅吳之日，把夫差困在姑蘇臺上。夫差遣使乞降，勾踐弗從，燒姑蘇臺而去。吳國兩代國君經營樓遲三十多年的離宮從此成了廢墟。

對「姑蘇臺」之所在，歷來說法不一。據筆者最近實地考察，當在姑蘇山上。歷代騷人墨客過往蘇州，每慕名前往憑弔，藉抒

興亡之慨，最有名的當推李白的那首《蘇臺覽古》「舊苑荒臺楊
柳新，菱歌高唱不勝春。只今唯有西江月，曾照吳王宮裡人。」
姑蘇臺雖在宋代就已湮廢，但童雋《江南園林志》說：「楚靈王
之章華臺，吳王夫差之姑蘇臺，假文王靈臺之名，開後世苑囿之
漸。」可見對園林發展影響之大。

館娃宮

在蘇州城西南三十里木瀆鎮北的靈岩山上，靈岩向有「秀絕
冠江南」、「吳中第一峰」之美譽。《江南園林志》說：「人之
造園，初以岩穴本性，城市山林，壺中天地，人世之外，別闢幻
境，妙在善用條件，模擬自然。」「館娃宮」便是春秋時利用山
岩的自然條件建造的一座比較完備的早期園林。

至今，「館娃宮」遺跡尚多。諸多佳話傳說，引人探訪追思。
據《吳越春秋》載，越王勾踐知吳王夫差「淫而好色，惑亂沉湎，
不領政事」，便得苧蘿山鬻薪女西施和鄭旦，「飾以羅縠，教以
容步，習於土城，臨於都巷，三年學服而獻於吳。」西施到吳國
後，深得夫差寵幸。夫差為了討取她的歡心，便建造了這座規模
宏大的「館娃宮」。相傳現在的靈岩山寺大殿，即是建在當年「
館娃宮」殿堂上。劉禹錫有詩詠道：「宮館貯嬌娃，當時意大夸。
色傾吳國盡，笑入楚王家。月殿移椒壁，天花代瞬華。惟餘採香
徑，一帶繞山斜。」

「館娃宮」西山頂，有花園一座，園中遺跡頗多。園門有明
代王鏊題額：「吳中勝跡」。入園，便是方形的「玩花池」，又
名「浣花池」，傳說是夫差專為西施賞荷而鑿。當時池內種有四
色蓮花，荷花盛開之時，清香四溢，夫差陪西施蕩舟採蓮，避暑
取樂。前人詩云：「山上清池水一泓，畫橋蕪穢檻欹斜。春來別

有游魚樂，不見宮人便玩花。」「玩花池」北有兩口井，圓形的叫「吳王井」，又叫「日池」，相傳西施常在此對井梳洗，以水爲鏡，夫差即爲之插花理妝。陳子貞《吳王井》詩寫道：「曾開鑑影照宮娃，玉手牽絲帶露華。今日空山人自汲，一瓶寒供佛前花。」八角形的叫「智積井，」又叫「月池」，梁代天監年間智積菩薩所鑿，水甘芳清洌，不竭不溢。

再向北，是假山環繞的圓形「玩月池」。傳說西施喜歡臨流照影，懶於仰首望月，吳王便開了這個「玩月池」，讓月亮倒映池中，西施常在月明之夜，與吳王併肩賞月。興致濃時，竟伸出纖纖素手，遮住半爿月影，戲言爲「水中撈月」。

「玩月池」東邊的假山上，有亭名「長壽」，是西施梳妝臺遺址。由此往西有一堵兩丈多高的石牆，由塊石砌成，似冰梅花紋。相傳這便是宮牆遺跡。

再西行，攀上山巔，見有鑿平之臺基，上刻「琴臺」二字，相傳爲西施操琴處。《吳郡志》載：「琴始下有大偃松，身臥於地，兩頭崛起，交蔭如蓋，不見根之所自出。吳人以爲奇賞。比年雷震，一枝已瘁。」而今已不復存在。梁簡文帝的《登琴臺》是比較早的一首詠「琴臺」詩，寫道：「蕪階踐昔徑，復想鳴琴遊。音容萬春罷，高名千載留。弱枝生古樹，舊石染新流。由來遞相嘆，逝川終不收。」另有人詠「琴臺」詩曰：「白雲青靄接琴臺，別後仍偕勝侶來。岩月滿庭花似雪，松風入戶鼓如雷。名園雅集傳詩卷，法苑清言進茗杯。還俟巨源能啓事，硯山簪巷并天才。」「琴臺」在靈岩絕頂，遠眺湖山，令人心曠神怡。《吳郡圖經續記》：「登靈岩之巔，俯具區，瞰洞庭，煙濤浩渺，一目千里，而碧岩翠塢，點綴於滄波之間，誠絕景也。」傳說明代著名畫家文徵明曾多次在此對景寫生。

　　自「琴臺」下，左折而東，直到靈岩塔西側，曲徑約七十多米長，傳說爲「響屧廊」遺址。夫差爲與西施取樂，別出心裁，造一長廊，挖空地下，以梗梓木鋪地，讓西施和宮女在上面輕歌曼舞時發出聲響。「響屧廊」之名由此而來。白居易有「娃宮屧廊尋已傾」詩句，可知「響屧廊」在唐代已頹無存。

　　在「琴臺」近處，尚有「坡雲臺」、「望月臺」、「佛日岩」、「獻花岩」諸勝，皆有人題詠，「披雲臺」上曾有蘇軾題字。

　　除花園外，靈岩山上下夫差和西施遊樂的遺跡還有不少。在山北麓有大園、小園（亦作大晏嶺、小晏嶺），爲吳王藝花處。從半山石龜南望，有一條溪水，叫「采香涇」，又名「箭涇」。這條河，是夫差爲了取悅於西施，彎弓射出一支御令箭，叫人按照箭的行進方向開鑿的。夫差常使宮女經此泛舟去香山採香，故而得名。居高而望，此涇猶如銀色飄帶，鋪地延伸，楊備有詩壯其美：「館娃南面即香山，畫舸爭浮日往還。翠蓋風翻紅袖影，芙蓉一路照波間。」山下「香水溪」，傳說宮女們在此沐浴梳妝，溢脂流香，因又名「脂粉塘」。石龜近旁有兩塊石鼓，大者二、三十圍，小者十多圍，相傳吳王曾在此擊鼓練兵，又傳孫武訓練吳宮女兵時，即擊此鼓傳令。《吳地記》：「南有石鼓，鳴即兵起。」自石龜向下，「落紅亭」西，有一片巉石壁立，連綿數十丈，相傳是吳王石城殘壁。《吳地記》云：「石城，吳王離宮，越王獻西施於此城。」石城，氣勢雄渾，本是「靈岩最奇處」。石城岩壁上有一人多高的「石室」，據《吳越春秋》載：夫差曾囚越王勾踐和范蠡於此。傳說後來西施常和夫差在洞中同坐小憩，因名「西施洞」，今稱「觀音洞」。前人題詠詩頗多，明代高啓詩云：「廢宮春盡長蒼臺，不見羅裙拂地來。只恐西施是仙子，洞中別自有樓臺。」洞口對面崖下窪處有東西「畫船塢」，又名

「畫船塢」，俗稱「划船塢」，傳說是當年吳王掘地蓄水划龍船遊玩的地方。山東南角的「由姑嶺」，是夫差和西施自「館娃宮」去「姑蘇臺」必經之地。

當年，吳王夫差爲建造「館娃宮」、「姑蘇臺」等離宮別苑，興師動眾，大興土木，所用多是越國進貢的木材，這些木材自水上源源運來，竟堵塞了靈巖山下河流港瀆，附近的村落也因之取名「木瀆。」

闔閭墓

在虎丘。虎丘自然風光幽奇，王僧虔《吳地記》：「虎丘山絕巖聳壑，茂林深篁，爲江左丘壑之表。」顧野王稱之爲「巨麗之名山」、「大吳之勝埌」，吳王大差葬父於斯，可謂選擇一處風水寶地。

歷來史志皆記載，墓在「劍池」之下，「劍池」因有扁諸、魚腸等劍各三千殉葬而得名。這是虎丘最神秘處。《越絕書》：「池廣六十步，水深一丈五尺。銅槨三重，澒池六尺。玉鳧之流、扁諸之劍三千。方圓之口三千，魚腸之劍在焉。千萬人築治之，取土臨湖口。」對「劍池」的壯美，古代詩文多及之。王禹偁在《劍池銘幷序》中說：「虎丘劍池，泉石之奇者也。……峻不可以仰視，深不可以下窺。吾疑乎太樞作怪，化工好奇，水物設險，山妖忘危。《吳郡志》說它「兩岸劃開，中涵石泉，深不可測，亦他山所無。」清人陳維崧則描述它比長江瞿塘峽的奇險處人鮓甕還要險。「劍池」在宋紹定年間曾乾涸，中見石扉。遊人竟下探之，見石扉上題詩二絕，其一爲：「望月登樓海氣昏，劍池無底侵雲根。老僧只恐山移去，日暮先教鎖寺門。」另一爲：「劍去池空一水寒，遊人到此憑欄干。年來世事消磨盡，只有青山依

舊看。」今日之「劍池」，仍爲虎丘勝景。「別有洞天」月洞門
旁有「虎丘劍池」四個大字，傳爲大書法家顏眞卿書寫。進入門
洞，觸目便見兩旁陡峭的石崖拔地而起，鎖住了一池綠水。池形
狹長，南寬北窄，頗像一把平放著的寶劍。水中映照出一道石橋
的影子，仰望石橋飛架，十分奇險。石壁上長滿苔蘚，藤蘿野花
像飄帶一樣倒掛下來。

　　一九五五年夏疏浚「劍池」，先在崖壁上發現明代唐寅、王
鏊等人石刻記事兩方，言正德六年（西元1511年）冬劍池又乾，
見闔閭墓門，縣令命以土掩之。後經戽乾池水，清除淤泥，見池
底北端有縫，上銳下寬，內爲一穴，可容五、六人，穴北石壁以
大青石板疊砌，乃爲人工所爲。據分析，此處與春秋時期洞室墓
形制相像，可能即是墓門。

　　「千人石」，又名「千人坐」，在「劍池」前。《吳郡志》：
「大石盤陀數畝，高下如刻削，亦他山所無。」相傳闔閭墓成，
夫差恐工匠泄露機密，假墓成祝酒之名，殺工匠千餘人於此，故
石呈殷紅色，雨天更甚，「千人石」以此得名。事實上，此處岩
石屬粗面岩，主要由肉紅色石礦物組成。但是人們依然對工匠血
染「千人石」的傳說津津樂道。

　　自「千人石」西側拾級而上，便到「第三泉」，水池略呈長
方形，嵌於石崖之間，四面石壁下連石底。相傳被唐德宗封爲「
茶神」的陸羽，寓居虎丘，常取此泉水煮茶，並在此著我國第一
部《茶經》。後人名此井爲「陸羽井」。又傳有人分水爲七等，
以虎丘石井爲第三，故稱之爲「天下第三泉」。宋紹熙年間，在
泉上建「三泉亭」，以爲煮茶品茗之所。泉北石壁色赭，紋理天
成，秀如鐵華，名「鐵華岩。」

　　「試劍石」，明王寵《試劍石賦序》：「石在虎丘道旁，吳

王鑄劍成而試之。」相傳春秋末年，吳國著名工匠干將、莫邪夫婦煉成雌雄寶劍，獻給吳王闔閭。闔閭持劍輕輕在石上一抹，石即分為兩半，故名「試劍石」。此外，還有兩種傳說：一說秦始皇掘得吳王殉劍，試其鋒利，砍石所致；一說秦始皇正擬發掘闔閭之墓，卻見一隻白虎當墓而踞，拔劍斬虎，誤中此石而留此痕跡。其實，這塊「試劍石」，是火山噴出的凝灰岩，久經風化，沿著裂痕形成這樣一條大縫，酷似劍劈。但吳王試劍的傳說卻一直流傳至今。歷代對試劍石多有題詠，楊備的一首七絕寫得尤為豪壯：「白刃凝霜照水寒，當時入匣便回鑾。岩前片石猶中斷，切玉如泥也不難。」

虎丘當年又是吳王別館所在。與吳王闔閭、夫差父子有關的古跡尚有不少：「劍池」東側，「千人池」之下是「白蓮池」，池上有小橋，名「採蓮」，池中荷花顏色變幻，異香樸鼻，傳說吳王夫差常陪西施在此賞荷採蓮；「勾踐洞」，今俗稱「仙人洞」，在五十三參石級之東，相傳吳王夫差曾將越王勾踐夫婦囚禁洞中養馬；「塔影橋」，在二山門東，「形如半月，勢若飛虹」，夫差和西施常到這裡夜遊，雙雙倩影倒映水中，後來山上有了塔，塔影倒映水中，便稱為「塔影橋」；「孫武子亭」，在「千人石」東南的南嶺，為紀念吳王闔閭的將軍孫武而建，相傳孫武曾在此操演女兵，並怒斬不聽號令的吳王寵姬。

其他苑囿別館

《吳郡圖經續記》記載：「當吳之盛時，高自矜侈，籠西山以為囿，度五湖以為池，不足充其欲也。故傳闔閭秋冬治城中，春夏治城外，且食鮒山，晝遊蘇臺，射於鷗陂，馳於遊臺，興樂石城，走犬長洲，其耽樂之所多矣。《左氏傳》載楚子西之言曰：

『夫差次有臺榭陂池焉，宿有妃嬙嬪御焉。一日之行，所欲必成。』今故老猶能道其遺跡，信不虛也。」，又載：「華池、華林園、南城宮，故傳皆在長洲界，闔閭之故跡也。有流杯亭，在女墳湖西二百步，亦云遊樂之地。又有吳宮鄉，陸魯望以爲在長洲苑東南五十里，蓋夫差所幸之別觀，故得名焉。」「苑橋、定跨橋皆闔閭苑囿遊憩之地。」《吳郡志》載：「長洲縣前，舊爲闔閭故跡。縣前東南，故傳皆闔閭苑囿遊憩之地。」《吳越春秋》記載闔閭稱霸時，「立射臺於安里，華池在平昌，南城宮在長東里。」《越絕書》載：「居東城者，闔閭所遊城也，去縣二十里。」「石城者，吳王闔閭所置美人離城也，去縣二十里。」又據《蘇州史志筆記》：「雞皮墟者，畜雞之所；豨巷者，畜豨之處；走狗塘者，田獵之地也，皆吳王舊跡，并在郡界。又有五茸，茸各有名，乃吳王獵所。」「錦帆涇」亦是遊覽勝地。《吳郡志》：「錦帆涇，即城裡沿城濠也。相傳吳王錦帆以遊。」江盈科《錦帆集序》：「錦帆涇者吳王當日所載樓船簫鼓，與其美人西施行樂歌舞之地也。」自古「錦帆涇」沿岸無居民，兩岸栽植花柳，春時映水如泛錦。風光秀美宜人。

還需要提及「武眞宅」，在鈕家巷，即清時「鳳池園」之所在。武眞爲泰伯第十六世孫，其宅中有池，周宣王時有鳳集其家，因名爲「鳳池」。宅中有池，又能招引鳳凰翔集，略可想見園景。此可視之爲後來私園之最早雛形。

有些苑囿，史書上已稱之爲園，如《吳地記》：「華林園在長洲縣華林橋」，《吳越春秋》：「華林園在華林里」，《吳郡志》稱吳國苑囿爲「長洲林園。」

吳國滅亡之後，宮室苑囿、離宮別館漸次荒蕪冷落。戰國時期，蘇州具有園林特色的建築極少，惟春申君及其子假君治吳十

四年建城建宮頗多。周赧王五十二年（西元前263年），楚國考烈王封楚貴族黃歇（號春申君），領管吳國舊地。黃歇治吳，頗多政績。他做了楚國令尹之後，其子假君繼之。父子二人在吳地建有「桃夏宮」、「吳市」「。吳諸里大閘」、「吳獄庭」等。《吳地記》有「春申君都吳宮，因加巧飾」的記載。但具體構築情況，史籍中無多記述。

秦漢時期（前221—220）

　　秦始皇統一中國之後，定都咸陽。劉邦滅秦建漢，定都長安。全國經濟、政治、文化中心均在北方。據《蘇州史志筆記》考證，漢初吳國地廣人稀，劉濞發動反叛時，在國內徵發士兵，上至六十二歲，下至十四歲，老少無遺，僅得二十萬人。而當時吳國轄地很廣，生聚日久，可知當時吳國人口之寡。園林建築藝術，是社會經濟、政治和文化的綜合反映。因此，秦漢之際，不可能在這方面有所建樹。但在蘇州園林史上此時首次出現了私家園林，當是特別應該提及的。

　　《越絕書》：「太守府大殿者，秦始皇刻石所起也。至更始元年，太守許時燒。六年十二月乙卯鑿官池（一作宮池），東西十五丈七尺，南北三十丈。」太守府中如此大的官池，當為園景之一。但大殿、官池的具體情況，皆無可查考。

　　《越絕書》又載：「漢高祖封有功，劉賈為荆王，並有吳。賈築吳市西城，名曰定錯城。屬小城北到平門，丁將軍築治之。」

　　《越絕書》：「桑里東，今舍西者，故吳所畜牛羊、豕雞也，為名牛宮。今以為園。」《越絕書》的作者是東漢人，可知當時曾把有些吳國苑囿改建為園。

　　尤其值得注意的是東漢時出現了蘇州最早的私家園林：

笮家園

　　同治《蘇州府志》：「笮家園在保吉利橋南。古名笮里，吳大夫笮融所居。」《吳門表隱》有相同的記載。盧熊《蘇州府志》：「

《吳志》漢中有笮融，居丹陽。」據《三國志》卷四十九《劉繇
太史慈士燮傳》載，笮融是東漢時丹陽（治在今安徽宣城）人，
他在中國的佛教發展史上是一個有重要貢獻的人物，當時他聚眾
依附徐州牧陶謙，陶謙使至廣陵、下邳、彭城運糧。曾先後攻殺
廣陵和豫章太守，叱咤一時。漢獻帝初平四年，他在徐州「大起
稃圖祠，以銅爲人，黃金塗身，衣以錦采，重銅槃九重，下爲重
樓閣道，可容三千人，悉課讀佛經，分界內及旁郡人有好佛者聽
受道，復其他役以招致之，由此遠近前後至者五千餘人戶。」又
據《蘇州史志筆記》載，劉濞治吳時，轄三郡，丹陽郡此其一。
據此可知，笮融建國是有其物資和個性愛好基礎的，他居住丹陽，
而在蘇州有園第，即後人所稱的「笮家園」。此後大約二百年，
才出現了又一私家園林：「顧辟疆園」。

三國兩晉南北朝時期

（220—589）

　　三國兩晉南北朝時期的蘇州園林，以寺觀園林爲多，私家園林也開始發展。

　　佛教，東漢時傳入中國，道教，也形成於東漢，與佛教分庭抗禮。這一時期，宗教盛行全國。這時的長江中下游地區，戰爭少於北方，生產發展較快，經濟和文化都比較發達，宗教也隨之迅速發展。佛寺道觀，特別是佛寺，數目與日俱增。僅南朝都城南京一地，梁武帝時即有佛寺七百處之多。南朝其他各地也是星羅棋布。《南史·郭祖深傳》：「都下佛寺，五百餘所，窮極宏麗。僧尼十萬人，資產豐沃。所在郡縣，不可勝言。」唐代詩人杜牧詩《江南春》寫道：「南朝四百八十寺，多少樓臺煙雨中」，也反映佛寺之盛。這些佛寺絕大多數建造在風景優美的山林之中，所謂「天下名山僧占多」、「深山藏古寺」是也；當然也有的建在繁榮的城區或近郊。這些佛寺，建築都比較宏偉，而且多在寺中栽植花草樹木，以造成清幽寧靜、莊嚴肅穆的環境氣氛。南朝重鎮蘇州，這一時期佛寺道觀亦聯翩出現，以後隋唐五代繼之。《吳郡圖經續記》對此有一段概括記述：「自佛教被於中土，旁及東南。吳赤烏中，已立寺於吳矣。其後，梁武帝事佛，吳中名山勝境，多立精舍，因於陳隋，浸盛於唐。唐武宗一旦毀云，已而，宣宗稍復之。唐季盜起，吳門之內，寺宇多遭焚剽。錢氏帥吳，崇嚮尤至。於是，修舊圖新，百堵皆作，竭其力以趨之，唯

恐不及。郡之內外，勝刹相望，故其風流餘俗，久而不衰。民莫不喜蠲財以施僧，華屋邃廡，齋饌豐潔，四方莫能及也。寺院凡百三十九，其名已列《圖經》。今有增焉。考其事跡可書而《圖經》未載者，錄於此。至於湖山郊野之間，所不知者，蓋闕如也。又有寺名見於傳記，而今莫知其處者，如晉何點兄弟居吳之波若寺。又故傳唐之乾元寺，戴逵之宅也。宴坐寺，張融之宅也。又有龍華、禪房、唐慈、崇福、慈悲、陸鄉數寺，皆建於六朝之間。而龍華、宴坐之額，乃陸柬之書，今莫之見矣。」盧熊《蘇州府志》云：「東南寺觀之勝，莫盛於吳郡。棟宇森嚴，繪畫藻麗，是以壯觀城邑。」《吳地記》記載，三國兩晉南北朝至唐朝蘇州寺院共七十一處，其中有五十四處是三國兩晉南北朝時興建，而又以梁代所建最多。

　　寺觀既是人們拜佛敬神的所在，又是公共遊憩場所，其建築除了宗教特徵之外，亦多有園林之勝。其原因，宋人陳最在《澄照寺記》中論及，他說：「茍非背山而面林，左泉而右石，則何以延大千之開士，啟孤秀之名園。是故鷲嶺雄標，世尊因而說法；雙林秀拔，惠遠由是尊居。」韓愈亦曾說：「自其西來，四海馳慕。結樓架閣，上切星漢，處處嚴奉。高棟重檐。」

　　其實，寺觀建築與官署第宅有淵源關係。「寺」，《說文解字》解釋為「廷」，「廷」即朝廷，亦泛指官署。佛教傳入中國之後，有些官署為外僧借居，逐漸演變為佛寺。如洛陽白馬寺的前身，就是鴻臚寺官署。此外，佛教號召世人施財捨宅佞佛，不僅「施佛塔廟，得以千倍報」（《上品大戒經》），而且是積德行善之舉，這對當時的人們極具號召力。因此，捨宅為寺蔚為風氣。而最有資本捨宅建寺者，自然多是具有較大第宅庭院的豪門巨富。如晉咸和二年，司徒王珣與司空王珉兄弟，捨別墅建虎丘

山寺即是。因之，官署第宅實是寺廟建築之源。這種捨宅而建的寺觀園林，往往和官署或私家庭院有著似類的風格。至於擇山新建的寺觀，則往往因勢就形，是人工建築和自然風光巧妙結合。這兩種形式的寺觀園林，當時蘇州都有，發展至唐宋，園林色彩益著。

報恩寺

「報恩寺」在城北陲，故俗稱「北寺」，是蘇州最古老的佛寺，始建於三國吳赤烏二年（西元239年）。何人所建，素有兩說：一說孫權乳母陳氏建。初名「通玄寺」。傳說晉建興元年，瀘瀆漁人夜見神光照水徹天，清晨察看，光亮原為水上二石像發出，便視之水神以禮迎接。但石像卻泛流而去。吳人朱膺便率僧尼迎於海濱，供放於「通玄寺」，七晝夜光明不絕。人們便把供放二石像的殿叫「二尊殿」。隋滅陳時，此寺被廢，唐初恢復。開元二十六年改為「開元寺」。當時寺中有金銅玄宗聖容，殿閣窮極雕麗，為東南之冠。梁柱欒楹之間，皆綴珠璣，飾金玉，蓮房藻井，悉皆寶玩，光明相輝，好似辰象羅列。後遭焚毀。後唐同光三年，吳越王錢鏐遷「開元寺」至盤門內，即今東大街之「開元寺」。五代北周顯德二年，錢鏐之子元璙又在「開元寺」舊址建寺，移支硎山「報恩寺」額於此。寺曾有五個子院，即「文殊」、「法華」、「泗州」、「水陸」、「普賢」。規模宏偉，為吳中名剎之一，南宋《平江圖》有其布局示意。南朝梁代始在寺內建十一層寶塔，北宋元豐年間重修，改為八面九層。南宋建炎二年，金兵南下，塔被毀，僧金大園募眾重建，現在塔身結構即南宋遺物，為省級文保單位，此塔重檐複宇，翼角翬飛，輕廊縈繞，塔頂與鐵剎聳然秀立，氣勢雄偉，名冠江南。塔身結構堅固，由外

廊、內廊和塔心方室組成，塔的剎柱貫穿於八九兩層。內廊設置木梯，可層層登高。沿外廊可鳥瞰蘇州全城，遠眺郊外山光水影。明隆慶中，不戒於火，僧如金又重建，仍推吳郡浮屠之冠。此塔和虎丘雲岩寺塔常被視作歷史文化名城蘇州的標志。

對「報恩寺」的園林之美，唐代詩人多有題詠。如韋應物《遊開元精舍》：「果園新雨後，香臺照日臺。綠陰生晝寂，孤花表春餘。」李紳《開元寺詩并序》：「寺多太湖石，有峰巒奇狀者」，「十尋花雨眞毫相，樓仞峰巒闇月扉。」「坐隅咫尺窺岩壑，窗外高低辨翠微。」皮日休《開元寺客省早景即事》：「客省蕭條柿葉紅，樓臺如畫倚霜空。銅池數滴桂上雨，金鐸一聲松杪風。」《開元寺笋園》：「園鎖開聲駭鹿群，滿林蘚籜水犀文。森森竟泫林梢雨，雙雙爭穿石上雲。」陸龜蒙：「水榭初抽寥沉思，竹窗猶掛夢魂中。」程公辟：「攜觴步入千花界，借榻清臨一水間。」從這些詩句，我們大致可以窺見唐之前「報恩寺」林泉概貌。

「報恩寺」自宋至清，或毀棄，或增修，但始終盛名不衰。明祝允明說：「浙西之佛刹，其最大且久者無過於蘇城之報恩寺。」（《報恩寺功績總記》）清汪琬極力贊賞它「室廬設像之壯麗，寶華名薝之幽馥，鐘鼓魚版梵貝之悠長。」（《重修報恩寺記》）其間先後建有巨閣七楹、殿堂門廡、不染塵觀音殿、山門牌坊、二井亭、禪堂、大殿等等。其中明代所建的「觀音殿」，是蘇州保存最完整的明代建築之一。殿的結構堅固完好，殿內尚有彩繪數十幅，繪有人物、花卉、鳥獸、山水等。

一九四九年之後北塔寺逐漸整修增飾一新。塔前是移建的明代四石柱三門五樓木結構牌坊和大門。進入大門，便見設置於原「大雄寶殿」臺基中央的大型盆景。前有金魚戲水。左右兩潭睡

蓮，中立湖石假山，主峰雄偉突兀，後栽歲寒三友松、竹、梅，四周伴以杜鵑、紫薇、桃、山茶、梔子、木槿、扶桑、桂花等四季花卉。殿基北面便是巍巍寶塔。塔東爲「不染塵觀音殿」。塔東北建亭，立元隆平造像石碑，塔北新建寬敞的茶室。庭院中散植紫薇、繡球、銀杏等花木。再往後，還有「方丈室」、「藏經閣」等清代建築。

東北隅是新建的梅圃。山石嶙峋，池水清澈，亭榭錯落，遍栽梅花。巍巍塔影，倒映水中，爲北塔勝景別添一番情趣。

真慶道院—玄妙觀

這是一座道宮觀。有人說這裡原是闔閭宮所在。西晉咸寧二年（西元276年）始建，稱「眞慶道院」。唐開元二年，更名「開元宮」。乾符二年增建文昌、張仙二殿。宋至道中改爲「玉清道觀」，祥符二年改名「天慶觀」。從《平江圖》上可以看到「天慶觀」的大致布局：最外是欞星門三間，次門一重，在右翼以夾屋與東西廊相接，北連殿堂。皇祐年間，又建殿堂，新築山門，很爲壯觀。《吳郡志》說「兵火前，棟宇最爲宏麗。」南宋建炎四年，金兵南侵，「天慶觀」毀於火。紹興十六年，郡守王㬇重作兩廊，並在兩廊繪製大型壁畫，「召畫史工山林、人物、樓櫓、花木各專一技者，分任其事，極其工致。」（《吳郡志》）淳熙三年、六年，郡守陳峴、提刑趙伯驌先後重建正殿，始名「三清殿」，此殿今日仍存，爲國家級文保單位。元朝元貞元年，改觀名爲「玄妙觀」，當時地廣五百畝。明洪武四年，改爲「正一叢林」。正統年間，巡撫周忱、知府況鐘建「彌羅寶閣」。清康熙時避康熙帝玄燁之諱，改名「圓妙觀」。

據民國《吳縣志》記載，清代時「玄妙觀」除正山門、「三

清殿」和「彌羅寶閣」之外，還有二十四座配殿，從東腳門進去，依次是：「神州殿」、「天醫殿」、「眞宮殿」、「天后殿」、「文昌殿」、「元帝殿」、「斗姆殿」、「火神殿」、「三茅殿」、「機房殿」、「關帝殿」、「東岳殿」、「痘司殿」。從西腳門進去，在甬道西側依次是：「雷尊殿」、「觀音殿」、「三官殿」、「八仙殿」、「水府殿」。在「彌羅寶閣」的後面，自東而西依次：「肝胃殿」、「養衣眞人殿」、「方丈」。在中軸線東西兩側還有四角亭、六角亭、行宮、「長生殿」等。而「彌羅寶閣」已於民國元年焚毀。配殿亦廢其半數。現存配殿中以明代建築「雷尊殿」最爲雄偉。

就「玄妙觀」的建築布局看，正山門面臨觀前街，始建於宋，元時增飾，「翬飛丹拱，檐牙高聳於層霄，獸嚙銅環，鋪首輝煌於朝日。」巍峨雄壯。據《雲煙過眼錄》載，觀中宋時多桃花，宋趙伯驌所繪「桃源圖」即「園妙觀圖」。因此觀前街又曾名「碎錦街」，觀對面之橋名「碎錦橋」。由正山門入觀，正中便是壯嚴雄偉的「三清殿」。殿爲重檐歇山頂，面闊九間，進深六間，共用三十八根八角青石柱和四十根圓木柱支撐，斗拱雄偉，爲江南現存最宏大的宋代木結構殿堂。殿前是用青石砌成的露臺，圍以雕欄，中設踏步，明些雕欄是五代遺物。「三清殿」正中磚砌彌座是宋代遺物，上面供奉上清、玉清、太清塑像，高五丈許，金光燦爛，極爲莊嚴，被認爲是宋代道教雕塑佳作。殿內還有南宋刻石的吳道子繪老子像，上有唐玄宗李隆基撰、著名書法家顏眞卿書的贊，是件書畫石刻藝術瑰寶。殿內還有一座長方形的青銅殿，名「武當山」，似是殿宇的模型，爲明代作品。

「三清殿」北面即是三層九開間高大寬宏的「彌羅寶閣」，這是玄妙觀最爲壯觀的建築。《百城煙水》說它「巍然雲表」。

清人陳維崧《沁園春》：「肅肅多陰，蕭蕭以風，危乎高哉。」
徐崧有詩贊道:「歲暮過仙觀，巍然寶閣雄。燈光搖碧落，香霧靄
寒空。迥臺三清上，回看一郡中。森羅都在眼，誰不嘆神工。」

　　觀內還有始建於明、重建於清的「五岳樓」，亦極為壯觀。
李覬有「登五岳樓」詩寫道：「我亦名山愛臥遊，楚煙吳水日悠
悠。紫霄倘有群仙下，應在陶家五岳樓。」惜亦已廢毀。

　　據記載，「玄妙觀」舊有內十八景，外十八景，共三十六景。
由於大多已廢，難以悉舉。除現存的「釘釘石欄杆」、「一步三
條橋」、「無字碑」、「五十三參」、「武當山銅殿」，其他有
趙子昂手書《重修三門碑》、水火亭、四角亭、二角亭、「妙一
統元」匾、海井、運木古井和合照牆、麒麟照牆、望月洞、半月
石水盂、七泉眼、七星壇、一人弄、五鶴街、七星池、月牙池、
古柏山房、劉海畫像、魚籃觀音像碑、靠天吃飯圖碑、永禁機匠
叫歇碑、八駿圖石刻、坐周倉立關公像及雙寶塔等。這許多景點，
大都是文物古跡，有些具有重要的歷史藝術價值，有些附麗著神
奇的傳說。「機房殿」是明清時絲織工人集會議事的地方。明萬
曆年間絲織工人領袖葛成就曾在此聚眾抗稅，原立於殿內的《永
禁機匠叫歇碑》記載了清代絲織工人罷工的事。露臺東面的「一
步三條橋」，是因地上並排著三條似橋面的青石，一步就能跨過
去而得名。傳說以前雨後有魚從石旁穴中游出。「無字碑」原為
明代洪武年間大文學家方孝孺所撰寫的「清理道教碑」。後來燕
王朱棣篡奪了皇位，要方孝孺為他書寫詔書，以正名位。方孝孺
生性耿直，堅辭不肯。朱棣惱羞成怒，殺了方孝孺，並且連他寫
的這塊石碑上的字也鑿得乾乾淨淨，於是便成了無字碑。相傳方
孝孺靈魂不散，從碑下湧起一股清泉，泉水清冽潔淨，就像他的
為人。但這股泉水被壓在石碑下，無法流出。據說如果推倒此碑，

泉水就會淹掉蘇州城。海井，相傳通海，投石井中，兩分鐘後方
能聽到水聲。又傳說伏地貼耳，可聞洶湧濤聲，有「海眼濤聲」
之說。運木古井，在「蕷衣眞人殿」內，旁有「玄都第一景」題
款。傳說眞人施展法術。把修殿宇的木材從地下運來，命工匠們
在井口拔出，但不准隨便說話。不料一小工匠脫口說出「木材怎
麼拔不完？」話音未落，一根木材就再也拔不出來。而這根木材
正是做正樑的用料，結果，只好把短料接長爲樑。這許多歷史故
事和民間傳說至今仍在流傳，從而也增加了「玄妙觀」的歷史性
和神秘性。「玄妙觀」亦多林泉清幽之勝，有詩詠道：「榴皮畫
壁走龍蛇，池上芭蕉又見花。」「啼鳥數聲風寂寂，碧梧陰下立
多時。」晚清之後，「玄妙觀」逐漸成了市場和遊樂場。一九四
九年以後曾兩度整修，「玄妙觀」呈現新的面貌。

雲岩寺

　　虎丘山本有泉石山林之美，又因闔閭墓在此，所以早從春秋
時起即已成爲吳中勝地。至東晉，居住在蘇州城內日華里（在今
景德路）的司徒王珣及其弟王珉便選中此山，在山前建造東西兩
宅作爲別業。這種別業，本是達官貴人遊憩之所，多有林泉之勝。
咸和二年（西元327年），兄弟二人捨宅爲寺，名「虎丘山寺」，
分別稱爲東寺、西寺。元人高德基《平江記事》說：「山在寺中，
門垣環繞，包羅勝概。」二寺依山而建，形成寺包山的格局，後
人有「平生只見山中寺，今日來看寺裡山」、「盡把好峰藏院裡，
不教幽景落人間」、「疏圍十里裹青山」、「出城先見塔，入寺
始登山」的詩句，正是描繪「虎丘寺」的這一特色。

　　唐時避太祖李虎（李淵祖父）之諱，改名「武丘寺」，一名
「報恩寺」。唐會昌年間寺毀。宋初又合兩寺爲一寺，重建於山

上，今之五十三參之上的殿堂即是。宋至道中又建，改名「雲岩禪寺」。當時寺貌宏壯，有「千佛閣」、「轉輪大藏殿」、「土地堂」、「水陸堂」、「羅漢堂」、「伽藍堂」、「大士庵」、「天后宮」、「花神廟」等堂宇。還有始建於五代末年的「雲岩寺塔」（俗稱虎丘塔），爲東南一大名刹。王隨在《虎丘山寺記》中描繪說：「粉垣迴繚，外莫睹其崇巒，松門鬱深，中迴藏於嘉致……若乃層軒翼飛，上出雲霓；華殿山屹，旁礙星日。景物清輝，寮宇岑寂。千年之鶴多集，四照之花競折。垂組飄纓之彥，靡不登臨；達心了義之人，終焉宴息。允所謂浙右之壯觀，天下之靈跡者矣。」金兵南侵，寺又毀，紹興年間重建，規模宏偉，琳宮寶塔，重樓飛閣，被列爲「五山十刹」之一。《吳郡志》：「寺之勝，聞天下，四方遊客過吳者，未有不訪焉。」

　　自宋至清，「雲岩寺」共被焚七次。但屢毀屢建，殿宇樓閣，祠墓古跡，遍布虎丘。《百城煙水》對此記之甚詳。粗略統計，僅與佛寺有關的建築有幾十處之多。登五十三參，沿佛殿西行，不遠處路側即有一軒名「悟石軒」，原名「得泉樓」。後因軒下點頭石而得名。「悟石」二字頗有宗教色彩。此軒處於虎丘正中高地，臨軒俯視，風光絕佳。再西行，至劍池上方的石拱橋，橋上鑿兩井口，俗稱「雙吊桶」。據王曉《劍池記》記載，宋時，「雲岩寺」裡有僧數百人，初時，僧從劍池取水，登降甚勞，隆興二年，陳敷文捐錢二十萬，跨兩崖建樓其上，架轆轤以便汲水，故名「陳公樓」，亦名「雙井橋」。至清時，樓和轆轤俱毀，只剩下這座石橋。在橋上從井口下窺劍池，目迷神搖，驚心動魄。

　　過橋西上，一塔巍巍，這便是千年古塔「雲岩寺塔」。此處隋仁壽（西元601—604年）中即建塔，後毀。五代周顯德六年（西元959年）重建今塔，落成於北宋建隆二年（西元 961年）。塔高

七層，平面八角形，磚身木檐樓閣式。頂剎和各層木檐都已毀壞，現存高四十七米半的磚砌塔身。它的建築特點，是磚塔而仿木塔式樣，塔身平坐、勾欄等都用磚造，外檐斗拱則用磚木混合結構。現在看到的虎丘塔是座斜塔，塔頂中心點偏離塔底中心垂直線二點三米。據文獻資料記載，此塔在明崇禎年間重修時，已明顯傾斜。以後，經過在塔底周圍鑽探，發現塔身下的基岩是南高北低的斜坡。寶塔自重約六千噸左右，受壓後，由於塔基土層厚薄不一，因而受壓後產生不均勻沉降。近年，又對塔身和塔基進行大修和加固，傾斜得到控制。此塔在我國建築史上有重要價值，為國家級文保單位。

塔西南有「致爽閣」。《虎丘新志》云：「此地舊名小五臺，即海湧峰，為虎丘之絕頂。」清代咸豐年間閣殿毀於戰火。民國十九年寺僧重建。「致爽閣」現在是山上地勢最最高的一處建築物，迴廊環繞，陳設精雅。廊外平臺曠朗。憑窗遠眺，遠山起伏，令人心曠神怡。元人顧瑛有詩寫出了遊《致爽閣》的逸趣：「高閣對西山，飛嵐落幾間；開閣致秋爽，心與白雲閑。」

從「致爽閣」拾級而下，向右轉可到「冷香閣」。庭中植梅樹三百株，每逢早春，紅苞綠萼，疏影暗香，閣因此而得名。閣之上下都是五楹，東、西、南三面環以廊。登閣臨下可俯瞰「千人石」一帶景色，「劍池」、佛殿也歷歷在目。

從「冷春閣」下來，便是「千人石」。「千人石」的來歷，除上邊已經提到的和闔閭墓有關之外，還有一說，即是和寺廟、宗廟有關。據說晉代高僧竺道生（尊為生公）從長安雲遊到虎丘，在石臺上講經說法，其下有千人列坐聽經說法，故取名為「千人石」。其旁石壁雋有篆體大字「生公講臺」（唐李陽冰書）、「千人坐」（明胡纘宗書）。傳說由於太守怕冒犯朝廷而丟掉官職，

下令不准百姓前來聽經。生公對此並不灰心，乃聚頑石為徒，繼續講經，以至百鳥停鳴靜聽，雖是隆冬，白蓮池內，千葉蓮花一起開放吐香；群石也因領會了佛經奧秘而頻頻點頭。後來「生公說法，頑石點頭」的成語即源於此。

「生公講臺」西邊有一座精巧石亭，名「二仙亭」。此亭清嘉慶年間所建。內有兩碑，刻著陳摶和呂洞賓二位仙人，相傳二仙曾在此下棋消遣，四根石柱刻有兩幅楹聯：「昔日岳陽曾顯跡，今朝虎阜更留蹤；夢中說夢原非夢，元裡求元還是元。」道教氣息甚濃。傳說古時有一樵夫上山砍柴，見亭內有兩叟對奕，就站在一邊觀看。一局棋下完，大鬍子老叟對樵夫說：「時光不早，你該回家啦。」樵夫從土中拔出扁擔，卻已腐爛，不知何故。回到家中，誰也不認識，他非常奇怪。一查家譜，確有自己名字，但已時隔幾代。原來樵夫見到的是陳摶和呂洞賓二位仙人，正是「山中方七日，世上已千年」。

「生公講臺」之上有「可中亭」。「可中」即恰好日中之意。據說生公於石上講經，宋文帝大會僧食，恰在日中舉箸而食，故以此名亭。

在「千人石」之西的第三泉南原有「石觀音殿」，始建於宋代熙寧年間，清重建，毀於一九六六年。

在登山甬道西側有「憨憨泉」，相傳為梁天監年間神僧憨憨尊者所鑿，至今已有一千四百多年。此井泉脈極佳，有「井底泉眼潛通海」之說。舊時寺僧在此汲水，以「憨憨泉」水沏虎丘白雲茶，侍奉佳賓。「憨憨泉」北有「枕頭石」，相傳晉時高僧生公，倚此石看經，倦了就枕此石而眠，故名。

虎丘，歷來被譽為「吳中第一名勝」。白居易在《夜遊西武丘》中寫道：「領郡時將久，遊山數幾何。一年十二度，非少亦

非多。」連日理萬機的郡守白樂天一年都要十二次遊虎丘,可見虎丘風光對人們吸引力之大。蘇東坡也曾說過:「至蘇州不遊虎丘,爲欠事。」

虎丘集歷代風光之大成,是名副其實的江南勝地。還有諸多景點古跡,雖和佛寺無關,然不失爲名勝。

「斷樑殿」,始建於唐,重建於元,面闊三間,進深兩間,單檐歇山頂,飛檐翹角,烏瓦黃壁,古樸莊重。脊桁是用兩段圓木拼接而成。據《虎丘新志》記載:「其如此構造者,係模仿舊製,蓋虎丘舊有樑雙殿,傳爲古跡。宋淳熙中有僧凡庸,好修造,盡毀之,故古跡湮沒。後人重新結構,擬恢復舊觀,亦以雙木結成殿樑,俗呼斷樑殿,其用意只爲保存古跡耳。」此殿運用斗拱、琵琶吊和棋盤格的頂力和吊力作用以分擔重量。拼接的兩段脊桁,既承擔了屋脊荷重,又節約了長木。這是古代建築工人的創造。蘇州現存元代建築甚少,這座「斷樑殿」彌足珍貴。殿內仍有元明時期大青石碑四座,記載著虎丘的歷史和雲岩寺塔的修建情況,輕敲碑石,咚咚有聲,所以俗稱「響碑」。

「古眞娘墓」,埋葬的是唐代吳中名妓眞娘(顧頡剛《蘇州史志筆記》辨爲隋人)。眞娘也稱貞娘,本名胡瑞珍,北方人。唐代安史之亂,南逃途中失怙,受騙墜入蘇州閶門妓院。她才貌出眾,能歌善舞,只伴客歌舞書畫,守身自潔。其時,有王蔭祥者重賄鴇母,欲留宿於眞娘處。眞娘料想到難以違抗,遂投繯自盡。王蔭祥聞知大驚,葬眞娘於虎丘山上,在墓上建亭,並立誓終身不娶。後因墓上遍種花卉,號稱「花冢」。冢畔一石,鑿「香魂」二字。清乾隆年間立「古眞娘墓」四字碣。歷代文人墨客贊嘆眞娘節操,多有題詠,最有名的當推白居易的一首:「眞娘墓,武丘道,不識眞娘鏡中面,惟見眞娘墓頭草。霜摧桃李風折

蓮，眞娘死時猶少年，脂膚蕆手不牢固，世間尤物難留連。難留連，易銷歇，塞北花，江南雪。」清人在重修墓記中說它可與漢代昭君之青冢、唐代太眞之馬嵬並傳，可見推崇之高。

「小吳軒」，在正殿之東，俗稱「小吳會」。其前爲「望蘇臺」舊址。蘇東坡來這裡時曾說：「登泰山望小魯，登虎丘望小吳」。還說過：「到蘇州不登虎丘，俗也；登虎丘而不登小吳軒，亦俗也」。軒處山東隅，飛駕出崖外，勢極險峻。平林遠水，連岡斷隴，煙火萬家，盡在檻外，因而有「天開圖畫」之稱。現存建築建於清代。

「小吳軒」南面有清末所建之「再來室」，重修時改稱「平遠堂」，取「平林遠野，百城煙水翳雲」之意。

虎丘前山的名勝，令人目不暇接，後山風光亦別有一番情趣，古人曾說：「幽岩曲沼，樹木山石之秀在前山；退披遠眺，空蒙浩淼之趣在後山」，甚至有「虎丘後山勝前山」之說。過去遊虎丘多是乘小船先至後山，然後再拾級登山，領略虎丘風光。後山舊有二十八殿和「小武當」等古跡，惜清代多毀於兵火。後山之山門名「三天門」，過「三天門」，經「中和橋」，有一座青石牌坊，上書「吳分楚勝」四字，這一帶就是有名的「小武當」。這裡有許多湖石假山，假山之中有石觀音洞。再向上，舊有「陸羽樓」、「大士庵」、「和靖書院」等。現已恢復了「十八折」、「百步趨」、「通幽軒」、「玉蘭山房」等，並廣植花木。「十八折」實爲後山上山道，在此小憩遠眺，田野景色，盡收眼底。旁邊盤旋登山的石級，即爲「百步趨」。「通幽軒」建在「和靖書院」故址。此處又曾爲「陸羽樓」，後毀。清嘉慶時改爲「牛馬王廟」，又稱「藥王廟」，俗稱「賴債廟」。舊社會，每到年關，窮人往往到此躲債，後山荒僻，富人不敢來要，故名。「玉

蘭山房」曾種有古玉蘭花，相傳是北宋時主辦「花石綱」的朱勔
從福建移植而來。清代乾隆皇帝早春時節遊虎丘，地方官在玉蘭
樹根用柴火烘，催花快開，雖搏得了皇帝歡心，這棵玉蘭樹卻枯
死。現在的玉蘭全是補植。近年來，虎丘後山水種植了近二十畝
毛竹、香樟、桂樹等等，滿山蒼翠蔥蘢，遊人至此，每每樂而忘
返。

寒山寺

　　「寒山寺」位於蘇州西郊的楓橋鎮，為省級文物保護單位，
始建於梁天監年間（西元 502年—519年），原名「妙利普明塔院」，
唐代貞觀年間，高僧寒山、拾得自天臺山來此住持，因改名「寒
山寺」。「寒山寺」在唐代即聲名遠揚，詩人張繼、韋應物、張
祜、皎然皆有題詠，最有名的當推張繼《楓橋夜泊》：「月落烏
啼霜滿天，江楓漁水對愁眠。姑蘇城外寒山寺，夜半鐘聲到客船。」詩
僧皎然《聞鐘》詩寫「寒山寺」鐘聲也極為生動，詩寫道：「古
寺寒山上，遠鐘揚好風。聲餘月樹動，響盡霜天空。永夜一禪子，
泠然心境中。」

　　有宋一代，「寒山寺」擴建增飾，更為雄麗。太平興國之初，
節度使孫承祐建七級寶塔，「峻崎蟠固，人天鬼神，所共瞻仰」
（孫覿）《楓橋詩記》。雄杰偉麗的殿閣亦相繼建起。建炎兵火，
蘇州官寺民廬，一夕煨燼，「寒山寺」雖然倖免，巍然無恙，而
遭官軍蹂踐，寺僧逃匿，漸趨蕭條敗頹。幾年之後，有長老法遷，
聚徒入居，扶顛補敗，棟宇一新。當時寺有水陸院，嚴麗靚深，
屢出靈響，還有古佛像一座，傳為商紂炮烙銅製，尤為殊勝。修
塔之役，歷三年而後成。宋人張師中《寒山寺》一詩寫出了當時
盛況：「吳門多精藍，此寺名尤古。距城七里餘，冠蓋日旁午。

斜徑通採香，遠岫對樓虎。岩扉橫野橋，塔影落前浦，霜樓鳴曉鐘，夕舸軋雙艫。方丈中有人，學佛洞禪悟。跡忙心已閑，道樂行彌苦。不爲喧所遷，意以靜爲主。何必深山林，峰巒繞軒戶。」

元朝末年，寺塔俱毀於戰火。明清兩代，屢經興廢，光緒三十二年至宣統三年，重加修建，「寒山寺」仍爲吳中名刹。一九四九年以後，又進行修葺，使「寒山寺」依然保持了昔日盛名。

「寒山寺」，黃牆綠樹，碧瓦紺宇，籠罩在古樸的氣氛之中。步入懸有「古寒山寺」匾額的山門，轉過笑口常開的彌勒佛坐像，便見「大雄寶殿」軒昂居中，左右偏殿齊整，院內青松挺拔，曲徑通幽。清末蘇州狀元陸潤庠撰有一聯：

近郭古招提，毗連澔墅名區，漁水秋深涵月影；傍山新結構，依舊楓江野渡，客船夜半聽鐘聲。

「寒山寺」現存主要殿宇建築和文物古跡，有「大雄寶殿」、「廡殿」‘「藏經樓」、寒山和拾得塑像、碑廊、「鐘樓」、「楓江樓」等。

寒山、拾得塑像在「藏經樓」下。兩人皆袒胸露乳，蓬頭赤足。一個手捧淨瓶，一個手握蓮花，其眉開眼笑之狀，好似在逗人遊樂。寒山曾隱居天臺翠屏山，其山深邃，當暑有雪，亦名寒崖，因自號「寒山子」。拾得本是孤兒，被天臺山國清寺豐干禪師拾到帶入寺中爲僧，因名「拾得」。傳說寒山、拾得本是七世冤家，經豐干禪師點化，終於和好，並成爲親密無間的一對高僧。寒山善作詩，人稱詩僧，有詩三百多首，後人輯爲《寒山子集》。

「大雄寶殿」是「寒山寺」的主體建築。殿內正中供釋迦牟尼佛坐像，迦葉、阿難像侍立左右。後壁間嵌有清代揚州八怪之一羅聘所畫寒山與拾得刻像，寒山右手指地，拾得袒胸含笑，寥寥數筆，栩栩如生。東壁有清末詞人鄭文焯所作指畫寒山子像石

刻。東南隅懸一口銅鐘，是日本明治三十八年四月，日本人山田
寒山鑄贈的仿唐式支那銅鐘。上有漢字銘文：「姑蘇寒山寺，歷
劫年久，唐時鐘聲，空於張繼詩中傳耳。嘗聞寺鐘傳入我邦，今
失所在，山田寒山搜索甚切，而遂不能得焉，乃新鑄一鐘賫往懸
之……」。大殿北壁及寺內迴廊間嵌有寒山子詩三十六首和歷代
詩人題詠石刻。其中張祜《過楓橋有作》情韻最為高絕：「長洲
苑外草蕭蕭，卻憶重遊歲月遙。惟有別時今不忘，暮煙疏雨過楓
橋。」

「寒山寺」碑刻素來聞名，穿過大殿東首月洞門便是碑廊。
這是一個幽靜小院，廊內集中陳列著各種碑刻，琳瑯滿目，最著
名的是《楓橋夜泊》詩碑，現在陳列的一塊為俞樾補書，筆力蒼
勁渾厚。還有一方刻有岳飛題詞：「三聲馬蹀閼氏血，五代旗梟
克汗頭。」字跡雄厚遒勁。相傳秦檜假傳聖旨，連下十二道金牌
從前線召回岳飛，岳飛回臨安途中路過蘇州曾寓居寺中數日，特
書此聯，表述禦敵復國的雄心。殿閣走廊之間，還有文徵明、唐
伯虎的手書殘碑和康有為詩碑、重修「寒山寺」碑記等，都是「
寒山寺」的寶貴文物。「藏經樓」下壁所嵌宋代張樗寮所書《金
剛經》石刻四十一塊，筆力剛勁秀逸，並有林則徐、董其昌等名
人共跋，也是傳世珍品。

張繼《楓橋夜泊》一詩，使「寒山寺」的夜半鐘聲，千載猶
有餘韻。遊覽「寒山寺」，人們往往津津樂道於寒山寺鐘，傳說
「唐鐘冶煉超精，雲雷奇古，波礫飛動，捫之有棱」（《寒山寺
志》）。唐宋時期蘇州佛寺有夜半打鐘的習俗，稱之為夜鐘，屢
見於詩人題詠。可惜「寒山寺」的唐鐘早已失傳。明代嘉靖年間，
重鑄一口巨鐘，並專造鐘樓。此鐘敲來聲音洪亮，可聞數十里之
外。明末，流入日本，康有為有詩云：「鐘聲已渡海雲東，冷盡

寒山古寺楓；勿使豐干又饒舌，化人再到不空空。」清光緒年間
重修「寒山寺」時又重鑄一口大鐘，一人多高，其周長需三人合
抱。並重建鐘樓。樓為二層六角重檐，造型優美，巨鐘懸於樓上，
鐘聲悠揚雄壯。

　　登上寺院西南隅的「楓江樓」，別有一番情致，舊時的楓江
第一樓，早已坍塌。這座樓是一九五三年從蘇州城裡移來的一座
花籃樓，上下兩層，飛檐鬥角，秀美精雅，匠心獨運。樓梯盤旋
而上，頗為別致。登樓憑眺，遠山近水盡收眼底，令人心曠神怡。

　　寺西北角還有「霜鐘閣」，為一九八五年新建，題名匾額為
書畫家謝孝思所書。閣二層，重檐複宇，戧角飛檐，古樸莊重。
閣前後，多闢小院，疏植松柏翠竹，環境優美。登閣可縱覽古運
河兩岸的美麗風光，領略張繼《楓橋夜泊》詩的意境。

　　「寒山寺」又是中日兩國人民友好交往的見證。俞樾在《新
修寒山寺記》中曾說：「寒山寺以懿孫一詩聞名，非獨膾炙於中
國，抑且傳誦於東瀛。余寓吳久，凡日本文墨之士咸適廬來見。
見則往往談及寒山寺。且言其國三尺之童，無不能誦是詩。」「
寒山寺」在清末曾種植過日本名種櫻花樹。「重來定有櫻花識，
只恐山僧鬢亦蒼」（陳夔龍詩句）。後來，寺院年久失修，櫻花
樹也枯萎凋落。現在寺中的櫻花樹為近年補植。中日恢復邦交後，
日本僧俗人士頻頻組團來「寒山寺」參佛遊覽，並在寺中種松柏、
櫻花，為中日兩國人民的友誼增添新的光彩。

興福寺

　　在常熟虞山北麓，為省級文物保護單位，始建於南朝齊延興
或中興之際（西元494年— 502年），為邑人郴州牧倪德光捨宅興
建，原名「大慈寺」。梁大同三年修繕時，於大雄寶殿內發現巨

石起於地面，大如伏牛，紋筋暴出，左看如「興」，右看似「福」，人稱「興福石」，寺亦因之改名為「興福寺」；又因寺居破山澗旁，故又名「破山寺」。唐懿宗咸通九年賜「興福禪寺」額，在唐代，「興福寺」即殿宇宏敞，景物清幽，飛泉石橋，修廊複閣，氣象雄古，為江南名剎之一。唐朝詩人常建的《題破山寺後禪院》最能道出「興福寺」林泉之趣：「清晨入古寺，初日照高林。曲徑通幽處，禪房花木深。山光悅鳥性，潭影空人心。萬籟此俱寂，惟聞鐘磬音。」會昌間，「興福寺」毀。大中間，又重修塑像，添建殿堂，奐赫垂芳，傳之不朽。舊有「文舉塔」、「體如塔」、「救虎閣」、「宗教院」、「通幽軒」、「空心亭」、唐懿宗所賜御鐘、瓔珞樹、重葺千葉蓮諸勝。《吳郡圖經續記》說它「為海虞之勝處」。明代倭寇犯境，寺院荒蕪。以後又屢經修建。1966年，亦遭破壞，現經重修已面目一新。

「興福寺」前是一條碎石鋪砌的幽深大道。兩旁修竹如海，古木參天，濃蔭蔽日，一座四柱三間牌坊跨越大道。過坊不遠，右盼飛泉石橋，殿宇錯落，氣象雄古；左顧，山巒重迭，嵐翠含煙，古楓環抱，綠蔭鋪地。遙望西南山腰，怪石嶙峋，澗谷中分，淙淙流水，順山坡蜿蜒而下，經寺前石橋東去，終年不息，此澗名「龍斗澗」，又名「破山澗」、「破龍澗」。相傳梁天監元年，有蔣姓老婦生一白龍，驚駭而死，葬於此處。每年五月，白龍現形山中，前來省墓。唐貞觀年間，白龍與另一龍在此相鬥，白龍衝山而去，山破泉出而成溪澗。澗上有羅漢橋，橋面是一塊重十多噸的巨石，傳說為羅漢所架。橋下兀立「蟾石」重達百噸。走過橫跨澗上的破龍橋，即正山門，建於明崇禎十五年。「興福古寺」門額為當今書法家沙孟海補書。

寺以正山門、「天王殿」、「西方三聖殿」、「大雄寶殿」

爲中軸線，而於東西客寮外各闢一園。

入正山門，第一進是「天王殿」，建於明萬曆年間，殿內四大金剛怒目崢顏，彌勒滿面笑容。彌勒佛背面是韋馱菩薩。殿左側有「救虎閣」，前臨白蓮池。相傳五代時高僧彥周午夜坐禪，聞虎嘯，循聲尋去，見閣下一虎中箭臥地，便爲它拔箭裹傷，任其自去。頃刻，獵戶追虎來寺，彥周告之以戒殺之道，獵戶感而改業。數日後，虎伏寺前橋上，大吼三聲，以示謝意。此橋遂名「伏虎橋」。

第二進是「西方三聖殿」。萬年臺正中供阿彌陀佛，左爲觀音菩薩，右爲大勢至菩薩。殿前庭中老樹一株，筆直高聳，古意盎然。殿右是護法堂，殿左是祖師堂。東面庭院有著名的「米碑亭」，亭壁嵌宋米芾（南宮）所書唐常建題破山寺詩碑。此碑是春秋末期「江南夫子」言偃後裔、清乾隆時名宦言如泗任襄陽郡守時，得米芾所書常建詩條幅，帶回常熟，令名匠勒石而成，詩、書、刻俱佳，稱「三絕」，使寺的聲名愈震。

第三進是「大雄寶殿」。寬敞宏偉，萬年臺正中是釋迦牟尼佛，東邊是藥師佛，西邊是阿彌陀佛。端坐蓮座，法相莊嚴。背面是飄海觀音。東西兩壁和北壁前，環列十八羅漢像，殿內佛像全是新塑，貼金罩漆，光彩奪目。殿西北隅一塊突兀而起的岩石，即是「興福石」。

出大殿西月洞門即到西園，曲廊逶迤，北面依山，林木葱蘢。廊間三間小軒相傳爲翁同龢被貶回鄉時寄寓。軒北石壁下有一山泉，水質原本甘醇，寺僧用烹茶待客。此泉大水不溢，大旱不涸，大度如君子，題爲「君子泉」，園中多竹，間有木樨、玉蘭，山麓有池，池邊建舫，疏朗有致，景色幽絕。

大殿後是「方丈室」，建於明萬曆年間。前有廣庭。室內陳

設古樸典雅，環境十分幽靜。從「方丈室」左轉便到「唐桂堂」，樹幹修長的唐桂植於庭中，枝葉繁茂，仲秋之際香飄寺外。已朽之宋梅，橫置廊下架上，供人鑑賞。

堂東便是東園，園中有千年古跡「空心潭」，名取常建「潭影空人心」句意。潭中碧水是「龍鬥澗」泉水流入瀦留而成，泉水原本清冽可供煮茗。潭前連接荷葉形小池。相傳潭中曾有一種無尾螺，是神僧把烹螺人已去尾待烹的螺放入潭中，螺復活而繁衍。若徙之他處，又生尾如舊。又傳常熟特產綠毛龜首先發現於此潭。宋劉拯《空水潭》詩云：「碧潭發幽石，瀟灑無纖塵；到此心已空，何用濯我纓。」在潭北因潭而建「空心亭」，飛檐淩空，曲廊環抱。四周植古柏、修竹、丹楓、金桂，破山之秀鐘於此亭，其下清泉汩汩灌入，冬夏澄澈常盈，天光日華上下交映，使人胸襟開闊，萬慮俱消。亭中雋有「鐵琴銅劍樓」主人瞿氏題詩，詩中「半潭秋水一孤亭，留得泉聲萬古聽」句，概括了四周清幽絕妙景色。沿山麓上行，峰迴路轉，有亭翼然，取「初日照高林」之意名「初日亭」。亭周怪石嵯峨，老松繁茂，是寺中最高處。亭中眺望，目接空翠，神爽欲飛，俯瞰寺院，掩映於茂林修篁中。

每當晨光熹微之際，鐘聲破曉，大地清靜幽曠，這就是虞山十八景之一的「破山清曉」。

保聖寺

在吳縣甪直鎮。始建於梁天監二年（西元503年）。當年，寺院規模宏大，屋宇有五千多間，僧侶千人。每逢做佛事，寺內旗桿上高掛紅燈，四鄉信徒便蜂湧而至，晨鐘暮鼓，香煙繚繞。寺前街道上，百貨雜陳，商販麇集，藝人獻技，熱鬧非凡。

　　據《吳郡甫里志》等記載，唐大中年間建「天王殿」；宋熙寧年間重修；明成化年間曾大修，建殿堂七，廊廡六十；清代亦曾整修。現存「天王殿」是莊重精巧的木結構建築。殿內原是磚墁地，兩旁供四大天王像，今已不存。外觀單檐歇山頂，檐角高眺，具有江南建築「立腳飛椽」的特點。柱礎作覆盆形，上刻牡丹花，是宋代祥符年間舊物。此寺一九五六年列為國家級文物保護單位。

　　「保聖寺」最為動人之處是羅漢塑壁。《吳郡甫里志》說：「大雄寶殿內供有釋迦牟尼，旁列羅漢十八尊，為聖手楊惠之所摹，神光閃耀，形貌如生，誠得塑中三昧，江南北諸寺所不能及。」楊惠之，吳縣香山人，生當唐玄宗開元、天寶年間。他和唐代大畫家吳道子同時師法於南梁蘇州大畫家張僧繇，因吳道子繪畫名噪一時，楊惠之不甘居其下，即另闢蹊徑，改學雕塑，終於自成一家，被尊稱為「塑聖」。本世紀二十年代，因年久失修，羅漢塑壁湮沒於斷牆頹垣之中。歷史學家顧頡剛、陳萬里遊甪直，見此衰敗景象，乃屢屢撰文呼籲。日本東京美術學校教授大村西崖得知這一消息，亦涉洋前來考察，歸去著《吳郡奇跡壁殘影》，譽塑壁為東方唯一藝術瑰寶。後經蔡元培、葉恭綽、顧頡剛、陳萬里、金家風、馬敘倫、葉楚傖等學者發起募捐，重建廳堂，定名「古物館」，把保存下來的九尊羅漢等，重新設計布置，「古物館」由著名建築師范文照設計，雕塑家江小鶼、滑田友修補塑壁、安置羅漢塑像，行將毀滅的名像得以保存。

　　走進「天王殿」後院，便是高聳軒敞的「古物館」。館前庭中置明清之際所鑄古鐘，西立尊勝陀羅尼經石幢，上刻唐代書法家崔正漁所撰經文，這是研究石刻藝術的重要文物。進入「古物館」，便見氣勢宏偉的塑壁迎面而立，塑壁上奇峰突兀，洞窟錯

列，海浪翻捲。九尊羅漢像錯落其間，個個神情畢肖，栩栩如生。羅漢的衣服，褶皺清晰，富有絲綢質感，甚至在薄如蟬翼的袍袖下，還可見到手臂筋絡。郭沫若參觀之後說：「這些塑像儘管受宗教的題材束縛，而現實感卻以無限的迫力向人逼來，使人不能不感覺著一種崇高的美。」

元代著名書法家趙孟頫曾為「保聖寺」大殿楹柱撰寫一副對聯，十分恰切地概括了當時「保聖寺」的美。聯云：「梵宮敕建梁朝推甫里禪林第一；羅漢塑源惠之為江南佛像無雙。」今日「保聖寺」依然保存了古代風貌。

重元寺—承天寺（宋）

「重元寺」位於皋橋東甘節坊，梁天監二年（西元503年），衛尉卿陸僧瓚，早晚見住宅周圍有瑞雲環繞，便捨宅建「重雲寺」，後誤寫為「重元寺」、「重玄寺」，即將錯就錯。唐代韋應物《登重玄寺閣》：贊道：「時暇陟雲構，晨霽澄景光。始見吳都大，十里鬱蒼蒼。山川表明麗，湖海吞大荒。……禽魚各翔泳，草木遍芬芳。」可見建築之雄偉，庭院之清幽。吳越王錢鏐又加修葺，殿閣崇麗，庭列怪石。寺中有別院五：「永安」、「淨土」、為神院，「寶幢」、「龍華」、「圓通」為教院。唐末僧元達又闢藥圃，植名藥種，多自天臺、四明移至。宋初改名「承天寺」，宣和中又改為「能仁寺」。太平興國初年，平江軍節度使孫祐鑄大鐘置於寺中。紹興年間，眾僧又鑄重一萬三千斤的銅鐘。元時稱為「承天能仁禪寺」，明清又幾度重修，近代漸次圮敗，現已頹毀。

永定寺

在鐵瓶巷，梁天監三年（西元504年）蘇州刺史、吳郡人顧彥先捨宅建，唐陸羽書額。當年竹林茂密，韋應物罷官之後曾寓居寺中，稱之爲「竹林寺」，並有詩描述其花草樹木之美：「密竹行已遠，子規啼更深，綠池芳草氣，閑齋春樹蔭。蜻蝶飄蘭徑，遊蜂繞花心。」以後歷代均有修建，元代建「海印堂」、「閑齋」；明代建「五賢祠」、「彌勒殿」；清代建「大悲殿」等。現已廢爲民居。

秀峰寺—靈岩寺

靈岩山因吳王夫差、西施的「館娃宮」而聞名，也因靈岩古刹而增色。

「靈岩寺」，始爲東晉末年吳人司空陸玩捨宅建，梁天監二年擴建，當時名「秀峰寺」，唐時改稱「靈岩寺」，宋曾爲「韓世忠功德寺」，改爲「顯親崇報禪院」。以後亦有變異。「越唐宋元明清以迄於今，時或輝煌金碧，俄而蔓草荒煙，迭著迭微，隨倒隨起」（清釋殊致《敘諸聖師傳說》），發展爲「東南著名叢林」「十方造佛之大道場」（清釋紀蔭《靈岩紀勝序》），名聞東南亞。

「靈岩寺」早在唐代之前即具有相當規模，有諸多殿宇建築。唐代詩人白居易、韋應物多有題詠。至宋朝，「叢林之盛，爲東南之冠」（孫覿《智積菩薩殿記》）。宋代高僧圓照甚至把它比作「小西天」。他在《靈岩山居頌》中有「靈岩山不異靈山，何須特地覓西方」的詩句。現存最古老的建築當堆「靈岩塔」。塔初建於梁天監二年，宋太平興國二年，平江軍節度使孫承祐重建。他在《新建磚塔記》中寫道：「上聳地以千仞，塔拔山而九層。巍巍下瞰於娑婆，杳杳平觀於寥泬。才疑湧出，或類飛來。如日

之升，無遠弗屆。可以高擎天蓋，可以久鎮地輿。」以後塔曾多次重修。現存寶塔爲七級八面磚塔，爲南宋紹興十七年時修建，塔是靈岩風景的標志。從塔四周的石臺基和挺拔矗立的塔身不難想像古塔當年飛檐翹角、金碧輝煌的風姿。「靈岩塔」的特點，是塔上每個窗洞都供有石佛一尊，故又稱「多寶佛塔」。

「智積菩薩殿」原爲唐陸象先所建。陸象先，吳人，開元年間宰相。據說「靈岩寺」建成之時，智積菩薩負鉢囊來此，憩息於殿舊廡下，夜半自畫像於殿壁之上，黎明悄然離去。當衆僧得知此乃智積菩薩之後，皆焚香禮拜，稽首歸依。又據說陸象先之弟得危疾，國醫不能療，智積菩薩爲之治癒。後來陸象先弟入爲尙書郎，在靈岩山建「智積菩薩殿」。此殿宋時重建，「高甍巨桷，雄視一方。像設中岩，雲披月滿，極莊嚴相好之妙，人天環繞，梵唄之聲，震動山谷」（孫覿《智積菩薩殿記》）。此殿後毀。現在的智積殿是近年移建的蘇州胥門內財帛司廟大殿，是仿明式木結構。殿內奉智積菩薩畫像，兩旁是佛教文物展覽櫥窗，其中唐代楠木刻觀音像爲國家一級保護文物。

陸象先還建有「涵空閣」、「象先亭」，後皆廢毀。明代高僧曾有詠「涵空閣」詩：「滾滾波濤漠漠天，曲欄高棟此山巔。置身直在浮雲上，縱目常過去鳥前。數杵秋聲荒苑樹，一帆暝色太湖船。老僧不識興亡恨，只向遊人說往年。」

宋代以後，建有「希夷觀」、「五至堂」。清順治年間，大爲興建。先後建有「法堂正殿」、「天山閣」、「慈受閣」、「太悲閣」、「彌勒殿」、「五至堂」、「禪堂」、「齋堂」、「圓照大鑑堂」、「方丈廚庫」、「法華鐘殿」、「迎笑亭」、「落紅亭」、「延壽堂」等，寮舍畢備，成爲禪刹巨觀，庚申之年俱毀。

　　現存「靈岩寺」寺宇宏大，多爲一九一九年至一九三二年間重建，爲市級文物保護單位。山門稱「彌勒樓閣」，亦名「天王殿」，殿中供奉天冠彌勒佛像。「大雄寶殿」爲全寺主體，據說這裡就是「館娃宮」遺址，惠儁和尙詩句「館娃宮作梵王宮」即指此而言。此殿一九三四年建，重檐複宇，雄偉莊嚴。「大雄寶殿」後，是「藏經樓」，珍藏歷代藏經四萬多冊。其中屬國家文物的善本藏經有二萬多冊。原爲康有爲珍藏的元普寧藏一千七百冊，是世界孤本，極爲名貴。此樓是省內著名大藏經樓之一。在「靈岩塔」之南是鐘樓，原稱「法華鐘樓」，清初順治年間籌建，歷二十五年而成。所藏大銅鐘重一萬多斤，花十二年時間鑄成，上刻《法華經》文，鐘聲清脆，可與寒山寺媲美。惜此鐘毀於一九六六年。鐘樓爲一九一九年所建，現在懸掛的鐘是從吳江「接待寺」移來。昔日，每當暮色降臨，悠悠鐘聲，渾厚深沉，震蕩天際，被推爲木瀆八景之一的「靈岩晚鐘」。不少文人雅士把靈岩寺寫入詩中，如清代葉燮《聽靈岩鐘聲》詩：「吳王宮作空山寺，歷歷鐘聲萬壑中。入夜每和鳴澗雨，凌空常帶渡溪風。銷沈不去峨嵋恨，喚起當前昏悵空。只有斜陽聽得慣，千回任汝逐西東。」

慧聚寺

　　在昆山馬鞍山，梁天監十年（西元511年）建。馬鞍山孤峰特秀，極目湖海，百里無蔽。極頂四視，東連溟渤，西接洞庭，原隰溝塍，坦然鋪著。山上又多奇石。於此風光優美的山上建寺，其外圍環境，美不待言。寺爲梁武帝之師吳興慧響高僧所建。據說當初慧響居山半石室，思立精舍，忽有神仙到來，說願助力。是夜，風雷大作，林木怒號，次晨已見大殿建成，延袤十七丈，

高一丈二尺。梁武帝因命在山上建寺。寺成之後，敕吳中畫家張僧繇在兩壁畫神，在四柱畫龍，畫得生動逼真。據說每當陰雨天氣，龍濈濈其潤，鱗甲欲動，有「畫龍點睛，破壁飛去」之說。於是僧繇又畫鎖以制之。《吳都文粹》說此寺「半壘石寶爲虛閣，縹緲如仙府。他山佛宇，未有其比。山上下前後皆擇勝爲僧舍，雲窗霧閣，間見層出，不可形容。」唐時，「慧聚寺」依然宏大雄麗，唐人王洮在《慧聚寺記》中說它「堂宇雄麗，四檐飛翬。」天王堂「塑狀岳聳，宛然拄空。」《吳郡圖經續記》說它「岩穴奇巧，勝致甚多。」唐宋時期，寺有「古上方」、「妙峰庵」、「月華閣」、「彌勒閣」、「淩峰閣」、「翠微閣」、「垂雲閣」、「留雲軒」、「翠屏軒」、「夕秀軒」、「西隱閣」等約九十餘處。林木回環，亭閣樓殿，縈山照水，美不勝睹。更有菊畦蘭畹，吐英競秀，曲池小沼，蒲荷菱藻。其中以「古上方」、「西隱閣」、「月華閣」、爲最勝。當時，名人題詠、塑像、書畫甚多。唐時張祐、孟郊皆有題詩。王安石奉旨到昆山考察水利，夜至「慧聚寺」，閱張祐、孟郊詩，一夕唱和二首，遂爲山中四絕。其中王安石一詩詠道：「峰嶺互出沒，江湖相吐吞。園林浮海角，臺殿擁山根。百里見漁艇，萬家藏水村。地偏來客少，幽興秬桑門。」另外，還有蘇州雕塑家楊惠之所塑天王像、南唐後主李煜所書匾榜等。宋淳熙年間，火焚無遺。以後歷代皆有修建，殿閣滿山，與自然風光渾然一體，使馬鞍山成爲江南風景遊覽勝地。

慧日禪院

「慧日禪院」舊名「壽聖」，又名「晏安」，在常熟城內，梁天監年間建。當時高僧慧響共建造三座大寺，在淮南的叫「慧照」，在昆山的在「慧聚」，在常熟的即此「慧日」。《重修琴

川志》：「常熟叢林之盛，此居其首。居闤闠中而有山林瀟灑之趣。」

頂山禪院

在常熟頂山上，梁大同十二年（西元546年）石史君捨宅建。寺有十景：「烏目山」、「桃花澗」、「翠珉橋」、「習客臺」、「鳥翔石」、「石門庵」、「白雲泉」、「碧荻園」、「龍舟池」、「石雲徑。」

魏晉南北朝之際，北方戰亂頻仍，南方相對穩定，經濟得以迅速發展。在南方經濟中，有一個重要特點即是豪門士族自給自足的莊園經濟比較顯著，蘇州也是如此。據葛洪《抱朴子》記載，蘇州顧陸朱張四大姓的莊園都是「僮僕成軍，閉門為市，牛羊掩原隰，田池布千里」、「金玉滿堂，伎妾溢房，商販千艘，腐穀萬庾」。劉宋時沈慶之家產累萬金，有產業在昆山，指地告人曰：錢都在這裡。（引自范文瀾《中國通史簡編》）如此豪富的士族之家，其物質享受之外，必然要追求居室庭院等生活環境的美化。私家園林便應運而生。

顧辟疆園——任晦園池（唐）

「顧辟疆園」當時號稱「吳中第一私園」。顧辟疆是東晉時人。自東漢時起，顧陸朱張即是江南望族。顧氏源於越。《漢書》記載：古時江浙閩粵之地，皆為越族所居，謂之百越。其中一支名東越。漢武帝時，東越王搖之子期視於顧余山（江陰山名），乃改姓顧。自漢以後，史書上屢見有聲名顯赫的江南顧氏的記載，如東漢的顧綜、三國東吳的顧雍、南朝的顧野王、唐朝的顧況、明代的顧鼎臣、顧亭林等。顧辟疆亦為吳中顧氏後裔，當時官郡

功曹、平北參軍，性高潔，家有園。功曹和參軍皆爲官名，漢始置，晉仍之，乃州、郡重要官吏。功曹掌管考查記錄功勞，參軍即參謀軍務。由此可知顧辟疆爲當時吳郡重要官員。其私園是吳中園林史上較早的私家園林。

最早述及「顧辟疆園」的是南朝宋人劉義慶的《世說新語》：「王子敬自會稽經吳，聞顧辟疆有名園。先不識主人，徑往其家。值顧方集賓友酣燕，而王遊歷既畢，指麾好惡，傍若無人。顧勃然不堪曰：『傲主人，非禮也！以貴驕人，非道也！失此二者，不足齒人，傖耳！』便驅其左右出門。王獨在輿上，回轉顧望，左右移時不至，然後令送箸門外，怡然不屑。」官至中書令的王獻之前往觀賞，這從側面反映了「顧辟疆園」的聲望。

據《吳郡圖經續記》記載：「辟疆園唐時猶在。」詩人顧況曾借居於此，郡守贈詩云：「辟疆東晉日，竹樹有名園。年代更多主，池塘復裔孫。」略早於顧況的大詩人李白也曾有詩寫道：「柳深陶令宅，竹暗辟疆園。」這些詩句點出了辟疆園的綠竹、池塘，李白把園中之竹和陶淵明之柳並提，可見綠竹之盛。和李白、顧況幾乎同時的陸羽詩寫道「辟疆舊園林，怪石紛相向」，又點明園中有假山。在園中疊石爲山，是蘇州造園的一大發展。據志乘記載，中國園林疊石爲山始自漢代。《三輔黃圖》：「梁孝王好營宮室苑囿之樂，作曜華宮、築兔園。園中有百靈山，有膚寸石、落猿岩、棲龍岫。」「茂陵富民袁廣漢……於北山下築園，東西四里，南北五里，激流水注其中，構石爲山，高十餘丈，連延數里。」蘇州居太湖之濱，太湖石爲石中之最佳者，「辟疆園」得地利之便，易得怪石而疊山。唐代，任晦得「辟疆園」以爲宅。任晦，吳人，曾任涇縣尉，資性高放寡合，好奇樂異，喜交結文學名理之士。他退居里中之後，得顧辟疆舊圃建園，有深

林曲沼，危亭幽砌，池中又為島嶼，修篁嘉木，掩映隈奧。此時，人稱之為「任晦園池」。在陸龜蒙、皮日休的詩中，對其描述甚多。陸龜志詩寫道：「吳之辟疆園，在昔勝概敵。前聞富修竹，後說紛怪石。風煙慘無主，載祀將六百。草色與行人，誰能問遺跡。不知清景在，盡付任君宅。卻是五湖光，偷來傍檐隙。出門向城路，車馬聲輳輮。入門望亭隈，水木氣岑寂。雙牆繞曲岸，勢似行無極。十步一危梁，乍疑當絕壁，池容淡而古，樹意蒼然僻。魚驚尾半紅，鳥下衣全碧。斜來島嶼隱，恍若瀟湘隔。」皮日休的詩寫道：「入門約百步，古木聲霻霻。廣檻小山敧，斜廊怪石夾。白蓮依欄楯，翠鳥緣帘押。地勢似五泄，岩形若三峽。」從皮、陸描述可知，任晦園面臨大路，外有圍牆，曲折彎繞，似無盡處。入門百步，古木蕭條，修竹成林，亭閣高大，長廊迴旋。有假山，有池塘，池中有曲橋，路旁有欄杆。池中種蓮，金魚游於池中。顯然，這是具有相當規模，十分精美的私人園林。難怪陸龜蒙說它「勝概敵」，《吳郡志》說它「池館林泉之勝，號吳第一」。宋代，世人乃稱為「任氏園池」，園內建有祠堂。元代為潘元紹別業。明初富民潘時用居之，後又屬徐姓、毛姓，徐某愛木樨，多種桂樹，並築桂花廳，牆壁枅柱，盡刻木樨。後又屢易其主。明人高啟、周南老皆有詩詠及。最後廢為民居。

　　「辟疆園」址在何處？向有三種說法：㈠、況鐘《辟疆館記》認為西美巷今況公祠處，「為辟疆顧氏園無疑。」《紅蘭逸乘》：「大覺禪林，在西美巷，晉顧氏辟疆園地也。明況太守寓此，掘得晉石刻，因闢辟疆館，勒碑記其跡。」《吳門表隱》也說：「實在西美巷中。」㈡、《宋平江城坊考》云「辟疆園，實在潘儒巷，今任敬子祠東。」考潘儒巷，舊名章家橋巷，因宋代章綡宅得名。元代潘元紹居此，宅甚廣，前後左右皆有別業。任敬子祠

俗稱任王廟，故址在今園林路。㈢清人袁學瀾在詠「定慧寺」注釋中則言「定慧寺蘇公祠即辟疆園。」筆者贊成在潘儒巷一說。

戴顒宅──東北園（宋）

「戴顒宅」是這一時期和「辟疆園」齊名的又一私人園林，位於今之齊門內。明《姑蘇志》說即今「拙政園」所在。園主戴顒，為戴逵之子。戴逵，今安徽宿州人，當時高士，著名畫家、雕塑家。戴顒繼承了父親的道德和藝術，是東晉、劉宋時著名雕塑家。他對製作大像有純熟的技巧和豐富的經驗。劉宋太子鑄丈六銅像於建康「瓦棺寺」，像成而恨面瘦，不知如何修改。戴顒指出，不是因為面瘦，而是肩肥所致。經修改果然比例勻稱，人們認為他「巧思通神」。傳說佛像「灌續雕鏤」始於戴顒，他雕的像保留到隋唐仍受到重視。他早年隨父親客居浙江剡縣，後卜居吳下。「士共為築室，聚石引水。植林開澗，少時繁密，有若自然。三吳將守及郡內衣冠，要其同遊野澤，堪行便去，不為矯介，眾論以此多之。」（《吳郡圖經續記》）「聚石引水」以下四句，可見園林之美，「少時繁密，有若自然」，又可見造園技術之高。

後來，戴顒捨宅之半建寺。唐乾元年間在該寺基礎上擴建，改名「乾元寺」。顧況曾撰《建乾元寺記》。咸通三年，另一半，則為唐司勛郎中陸洿居住，又山人陸去奢樓亭亦在此，稱為「陸山人樓亭」。《廣異記》云蘇州山人陸去奢亭子即宋戴顒宅，有花橋、水閣諸景。唐代詩人儲光羲有詩詠之。後陸亦捨宅為寺，稱「北禪寺」。對「戴顒宅」在唐時的情況，白居易有詩及之：「揚州驛里夢蘇州，夢到花橋水閣頭，覺後不知馮侍御，此中昨夜共誰遊。」皮日休詩寫道：「爬搔林下風，偃仰洞中石」，「

高名不可效，勝景徒堪惜。」陸龜蒙詩寫道：「連延花蔓映風廊，岸幘披襟到竹房」，這些詩句可見林泉一斑。宋祥符年間，兩寺合爲一寺，稱「大慈寺」。這次合建，大起殿宇，旁闢池亭，納皮陸詩石，四周栽樹，花木一時稱盛。遊人去「章園」、「梅園」，必一至其地，當時人稱之爲「東北園」。建炎四年，金兵焚掠平江城，占據此寺，戮殺老稚，積薪焚屍，寺宇俱燼。

隋唐五代時期（589—960）

　　隋唐統一中國，結束了魏晉南北朝三百年間的戰亂局面，全國安寧，社會呈現空前繁榮。隋煬帝開鑿大運河，溝通南北，推動了江南經濟發展。

　　繼隋之後的唐朝是繁榮強盛的大朝代。莊園經濟是其經濟發展的重要特點。唐朝又是古今中外文化大交流、大融合的時代，詩歌，卓絕千古；書法繪畫，爭研競艷。在北方，私家園林式的莊園極爲隆盛。當時，這些私家園林叫「莊」、「別墅」、「別業」或「山居」等。據唐朝張舜民《畫墁錄》記載，在長安「公卿近郭，皆有園池，以至樊杜數十里間，泉石占勝，布滿川陸。」大的莊園如郭子儀的「城南莊」、裴度的「午橋莊」、王維的「輞川別業」、李德裕的「平泉莊」、司空徒的「王官谷莊」等。

　　江南一帶遠離政治中心，園林的興建不如北方繁盛，但莊園經濟也十分發達。據劉允文《蘇州新開常熟塘碑銘》載：「強家大族，疇接埏聯，動涉千頃，年登萬箱。」蘇州，當時爲江南商業中心，孫覿《普明禪院記》：「平江自唐白公爲刺史時，即事賦詩。已有八門、六十坊、三百橋、十萬戶，爲東南之冠。詩云：『茂苑太繁雄』是也。」《中吳紀聞》亦說「姑蘇自劉、白、韋爲太守時，風物雄麗，爲東南之冠。」《吳郡志》亦說：「唐時，蘇之繁雄，固爲浙右第一。」在文化方面，詩人王昌齡、李白、杜甫、張繼、顧況、杜牧、杜荀鶴、羅隱等都曾駐足蘇州，流連歌詠。韋應物、白居易、劉禹錫先後做蘇州刺史，被譽爲「蘇州

刺史例能詩」。晚唐之際，本郡詩人陸龜蒙和游寓蘇州的皮日休，
詩酒唱和，世稱「皮陸」。唐代蘇州書法，亦是群星燦爛，如陸
柬之、陸彥遠、孫過庭、張旭、張從中等，皆一時大家。尤其是
張旭的草書，曾和李白的詩歌、裴旻的劍舞一起被唐文宗詔譽「
三絕」。雕塑方面有被稱爲「塑聖」的楊惠之。如此的繁盛富庶，
高情雅韻，自然吸引達官貴人、富豪巨室、文人雅士，紛至沓來，
築室卜居，蘇州私家園林也必然得到進一步發展，

　　在蘇州造園史上，特別值得一提的是五代吳越國主錢氏。當
時北方擾攘，吳越國卻長期安靖。錢氏治吳，祖孫三代及其部下，
極喜營造，在當政的八十六年中，曾營建多處名園和第宅，形成
了一股造園熱，爲蘇州園林史寫下了輝煌的一頁。

孫駙馬園

　　據《紅蘭逸乘》記載：在閻邱坊，爲隋朝孫駙馬園第。園有
古樹枒腹臃腫，中有孔，可匿人。

孫園

　　在「桃花塢」西側。唐時著名宅園，元微之寄白樂天詩云：
「孫園虎寺隨宜看，不必遙遙羨鏡湖。」又清人詠孫園詩：「辟
疆東晉日，孫園盛唐時。」孫園在唐時可以和虎丘並提，和鏡湖、
「辟疆園」媲美，其勝概可知。據元初徐大焯《燼餘錄》記載。
北宋末年李茂苑尙年少，被誤作皇孫掠至金國，歸宋屢上書抗金，
因開罪被削職，至蘇州槁隱「孫園」中，顏其室曰「針氈座」。
至其孫，仍每日徜徉於柳堤荷蕩之間。明高啓《弔孫園》寫道：
「江左風流遠，園中池館平。賓客已寂寞，狐兔自縱橫。秋草猶
知綠，春花非昔榮。市朝亦屢改，高臺不能傾。」可見「孫園」

在明朝雖已荒涼，但仍存在，現無遺跡可考。

韋應物山莊

在吳縣唯亭吟浦，韋做蘇州刺史時，常吟詩放舟於此。

陸龜蒙宅

「陸龜蒙宅」在臨頓里，實爲今之「拙政園」處。臨頓本春秋吳國時的館名。《吳地記》說：吳王親征夷人，頓軍憩歇，宴設軍士，因此置橋，名臨頓橋。三國時郡人陸績曾居此。陸績曾被孫權任爲鬱林太守，棄官歸隱之日，所攜物品極少，因船太輕而不可過海，於是取石爲重，人稱其廉，號「鬱林」石。後人書爲「廉石」，今存蘇州碑刻博物館內。歸居臨頓之後，門前置此石，陸氏後裔累世保留。至唐時，詩人陸龜蒙亦於此居。陸龜蒙，字魯望，舉進士不中，性高潔。陸龜蒙居此時，此爲吳中勝地。皮日休說：「不出郛郭，曠若郊野」。其地低窪，有池石園圃之屬。陸龜蒙有詩寫道：「四鄰多是老農家，百樹雞桑半頃麻。盡趁清明修網架，每和煙雨掉繰車。啼鶯偶坐身藏葉，餇婦歸來鬢有花。不是對君吟復醉，更將何事送年華？」陸龜蒙卜居於此，宅園有明顯的田園風光。皮日休寫道：「一方瀟灑地。之子獨深居。」「籬疏從綠槿。」疏籬作牆，綠槿相護，外表完全是田園村居的特色。另從皮、陸的詩句大致可見宅園當時風物：「繞屋親栽竹」，「趁泉澆竹急」，竹是陸宅的特點；「暴雨失池魚」，「候雨種蓮忙」，說明宅中有池塘，池中種蓮養魚；「與杉除敗葉，爲石整危根。薜蔓狂遮壁，蓮莖臥枕盆」，「日好林間坐」，說明宅中杉樹成林，有假山石，似乎還有盆景，薜蔓滿壁。而皮日休「更葺園中景，應爲顧辟疆」詩句，更對陸宅的園林之美給

予了高度讚賞。

　　至宋代，山陰簿胡稷言居陸氏舊宅，築圃鑿池，追陶潛之風，種五柳，因命名為「五柳堂」。其子胡峰又取杜甫「宅舍如荒村」句意，名其居曰「如村」。

　　元朝，此處為「大弘寺」，明正德年間，御史王敬止因寺基建「拙政園」。

天隨別業

　　陸龜蒙號「天隨子」，別業在吳縣甪直今白蓮寺處。中有「清風亭」、「桂子軒」、「光明閣」、「白蓮堤」、「雙竹池」、「杞菊蹊」、「垂虹橋」、「鴨塍」諸勝。

震澤別業

　　亦為陸龜蒙別業。陸龜蒙有詩自詠道：「更感卞峰顏色好，曉雲才散便當門。」

褚家林亭

　　《吳郡志》：「唐褚家林亭……當在松江之旁」。又據《宋平江城坊考》：褚姓本蘇州望族，南北朝有褚洵、褚嗣、褚思莊，以後歷唐宋元明，褚姓皆有風流文彩之士。白居易《褚家林亭》詩稱其「天供閑日月，人借好園林。」皮日休、陸龜蒙《褚家林亭》詩可見其園林的概貌。皮詩寫道：「廣亭遙對館娃宮，竹島夢溪委曲通。茂苑樓臺低檻外，太湖魚鳥徹池中。蕭疏桂影移茶具，狼藉萍花上釣筒。爭得共君來此住，便披鶴氅對西風。」陸詩寫道：「一陣西風起浪花，繞欄干下散瑤華。高窗曲檻仙侯府，臥葦荒芹白鳥家。孤島待寒凝片月，遠山終日送餘霞。若知方外

還如此，不要秋乘上海槎。」

大酒巷富人宅第

大酒巷，後訛為大井巷。乾隆《長洲縣志》：「大酒巷，舊名黃士曲。唐時有富人修第其間，植花浚池，建水檻風亭，醞美酒以延賓旅。其酒價頗高，故名。」今日視之，這是一處有園林特色的高級酒店。清末詩人袁學瀾有詩詠其事：「水檻風高大酒坊，點心爭買鱔鴛鴦。螺杯淺酌雙花飲，消受藤床一枕涼。」

顏家林園

皮日休、陸龜蒙皆有詩吟詠，陸詩寫道：「日華風蕙正交光，羯末相攜借草堂。佳酒旋傾醨酪嫩，短船閑弄木蘭香……」。

凌處士莊

韋莊《題姑蘇凌處士莊》寫道：「一簇林亭返照間，門當官道不曾關。花深遠岸黃鶯鬧，雨急春塘白鷺閑。載酒客尋吳苑寺，倚樓僧看洞庭山。怪來話得仙中事，新有人從物外還。」

韋承總幽居

韋承總為相門子孫。孟郊《題韋承總吳王故城下幽居》詩寫道：「霜枝留過鵲，風竹掃蒙塵。郢唱一聲發，吳花千片春。」

花園

在蘇州西南橫山。《橫溪錄》在「古跡」類下錄有皮日休、陸龜蒙詠「花園」詩章。皮日休有《春日遊花園》：「萬樹香飄冰麝風，蠟熏花雪盡成紅。夜聲歡態狀不得，醉客圖開明月中。」

陸龜蒙有《花園看月》：「佳人芳樹雜春溪，花外煙濛月漸低。幾度艷歌清欲轉，流鶯驚起不成棲。」

孫承祐池館──滄浪亭、章氏園、韓家園（宋）

「滄浪亭」是現存蘇州古典園林中最古老的一處，始建於唐末五代，蘇舜欽在《滄浪亭記》中說是吳越廣陵王錢元璙的近戚中吳軍節度使孫承祐的池館。晚於蘇舜欽的葉夢得在《石林詩話》中則說是錢元璙所構建。此二說後人皆有所從。馮桂芬在《蘇州府志》中辨之甚詳。他認為蘇舜欽所講「決無可疑」，因蘇舜欽距錢元璙不過百年，「必無傳聞之誤。」蘇舜欽又是「滄浪亭」主，其說更為可信。和葉夢得同時的龔明之在《中吳紀聞》中也說是孫承祐池館。歸有光在《滄浪亭記》中說：「錢鏐因亂攘竊，保有吳越，國富兵強，垂及四世，諸子姻戚乘時奢僭，宮館苑囿，極一時之盛。」他也認為是孫承祐所造。

「孫承祐池館」始建之時，「積土成山，因以潴水」，「積水彌數十畝，傍有小山，高下曲折，與水相縈帶。」（《吳郡志》）

北宋慶曆年間，蘇舜欽罷官後流寓蘇州，酷愛盤門一帶景色。他在《過蘇州》詩中寫道：「綠楊白鷺俱自得，近水遠山皆有情」，真是艷羨之至。對孫氏池館，更是愛而徘徊，遂以四萬錢購得，始在水旁築亭，取《孟子‧離婁》所載孺子歌「滄浪之水清兮，可以濯我纓；滄浪之水濁兮，可以濯我足」之意，名亭曰「滄浪亭」，這便是「滄浪亭」有其名的開始。對「滄浪亭」始建的情況，蘇舜欽在《滄浪亭記》中寫道：「一日過郡學，東顧草樹郁然，崇阜廣水，不類於城中，並水得微徑於雜花修竹之間，東趨數百步，有棄地，縱廣合五六十尋，三向皆水也。杠之前，其地益闊，旁無民居，左右皆林木相虧蔽。訪諸舊老，云錢氏有國，近戚孫承

祐之池館也。坳隆勝勢，遺意尚存。予愛而徘徊，遂以四萬錢得
之，構亭北埼，號滄浪焉。前竹後水，水之陽又竹，無窮極，澄
川翠干，光影會合於軒戶之間，尤與風月為相宜。予時榜小舟，
幅巾以往，至則洒然忘其歸，箕而浩歌，踞而仰嘯，野老不至，
魚鳥共樂，形骸既適則神不煩，觀聽無邪則道以明，返思向之汩
汩榮辱之場，日與錙銖利害相磨戛，隔此真趣，不亦鄙哉！」在
這段描述中，「滄浪亭」的園林之盛和蘇舜欽的悠然之情皆昭然
可見。蘇舜欽還有多首詩詠及「滄浪亭」，如「一徑抱幽山，居
然城市間。高軒面曲水，修竹慰愁顏。」（《滄浪亭》）「花枝
低敧草色齊，不可騎入步是宜。時時攜酒只獨往，醉倒唯有春風
知。」（《獨步遊滄浪亭》）「夜雨連明春水生，嬌雲濃暖弄陰
晴。帘虛日薄花竹靜，時有乳鳩相對鳴。」（《初晴遊滄浪亭》）
「獨繞虛亭步石矼，靜中情味世無雙。山蟬帶響穿疏戶，野蔓盤
青入破窗。」（《滄浪靜吟》）當時的著名詩人歐陽修也有詠「
滄浪亭」詩多首，如「荒灣野水氣象古，高林翠阜相回環。新篁
抽笋添夏景，老卉亂發爭春妍。水禽閒暇事高格，山鳥日夕相啾
喧」等等。蘇舜欽對他的「滄浪亭」鍾情之至，他說：「吳中渚
茶野醞足以銷憂，純鱸稻蟹足以適口，又多高僧隱君子，佛廟勝
絕，家有園林，珍花奇石，曲池高臺，魚鳥留連不覺日暮，遂終
此不去。」（《答韓持國書》）

　　蘇舜欽建「滄浪亭」，三、四年後而卒。亭為章粢和龔氏兩
家所有。龔明之《中吳紀聞》云：「予家舊與章莊敏俱有其半，
今盡為韓王所得。」章莊敏即章粢。歷來記載如乾隆《蘇州府志》
直至近人張一鹿主編的《吳縣志》都以為蘇舜欽後「滄浪亭」歸
章申公。章申公即章惇。其實這是誤涉。章粢和章惇皆浦城人，
同居蘇州，但並非一人。章粢擴大了「滄浪亭」的面積，建閣造

堂，耗資不計。又得「滄浪亭」北面的一座洞山，在山下發現嵌空大石，以爲是廣陵王時所藏，於是「增累其隙，兩山相對，遂爲一時雄觀」。（《吳郡志》）時人稱之爲章園。章氏之子又用三萬貫錢買黃土，增築山亭，至此，「園亭之勝，甲於東南」（《滄浪亭新志》）

紹興年間，韓世忠提兵過吳，據此爲韓蘄王府，俗稱「韓家園」、「韓園」。韓氏在兩山之上築橋相連，名爲「飛虹」，山上建「寒光堂」、「冷風亭」、「翊運堂」，水邊築「濯纓亭」，梅亭名「瑤華境界」，「竹亭」名「翠玲瓏」，桂亭名「清香館」，而仍以「滄浪亭」爲最勝。

自元至明，「滄浪亭」廢爲僧居，曾是「妙隱庵」、「大雲庵」（又名「吉草庵」，後又訛爲「結草庵」）所在，和當年的園亭絕不相類。據沈周《草庵記遊并引》，這裡是「竹樹叢邃，極類村落間」，「隔岸望之，池浸一水中」，「環後爲帶，匯前爲池，其勢縈互，深曲如行螺殼中。池廣十畝，名『放生』，中有兩石塔，一藏四大部經目，一藏寶曇和尚舍利」，「南次通一橋，惟獨木板耳……人行則足慄股徹，撤橋若與世絕。」「山空水流，入境俱寂，宜爲修禪讀書之地。」由此觀之，園亭之貌邈然，而「吳域諸蘭若莫之及矣。」明嘉靖間，蘇州知府胡纘宗爲紀念抗金名將韓世忠，把「妙隱庵」改建爲「韓蘄王祠」，而文瑛和尚則於「大雲庵」旁重建「滄浪亭」。

清康熙年間，巡撫王新於其地建「蘇公祠」。宋犖撫吳，尋訪遺跡，復構亭於山上，得文徵明書「滄浪亭」三字匾額，並建軒廊，同時在園北臨池加石橋爲入口，成爲今天「滄浪亭」的布局基礎。當時循北麓稍折而東，構小軒曰「自勝」。迤西十餘步，爲屋三楹，前亘土崗，後環清溪，曰「觀魚處」。亭之南翼以修

廊，曰「步埼」。從廊門出，有堂翼然，即「蘇子美祠」。一時
擅郡中名勝。道光年間，巡撫梁章鉅復加修治，增設臺榭，建爲
「五百名賢祠」，使「滄浪亭」蔚爲大觀。咸豐年間，園毀。同
治間，巡撫張樹聲重建，亭建原址，南爲「明道堂」，堂之後「
東菑」、「西爽」。折而西，爲「五百名賢祠」。祠之南爲「翠
玲瓏亭」，以北爲「面水軒」、「靜吟」、「藕花水榭」，皆臨
水。餘如「清香館」、「聞妙香室」、「瑤華境界」、「見心書
屋」、「步埼」、「印心書屋」、「看山樓」，大半就地結構，
仍題舊額，各種石刻、楹聯、題詠、繪像等俱復舊觀。每歲春秋，
遊人如織。

至光緒初年，「滄浪亭」的情景，在佚名氏所作的《遊滄浪
亭》（載《小方壺齋輿地叢鈔》第四帙）中敘述甚詳。茲抄錄於
後：

「滄浪亭」，庚申歲（咸豐十年，一八六〇）毀，近爲之復
建，而拓其規制，乙亥（光緒元年，一八七五）春工畢。所謂「
滄浪者，池長約半里，闊約千餘步至二、三十步，兩岸堆砌黃山
亂石，池內盛種蓮藕。池上有曲橋，橋北蔽以一帶花牆。牆南約
二、三步，則爲山門，上書「五百名賢祠」。度橋進祠，即有山
石當之，山下有徑，可盤旋曲折而上，入山洞中，尤幽深錯落可
喜，或對面可接，而中隔一石，不能相通，須遠撓之。山洞中有
古井，石上有碑，知道光間所浚。山下有池一區，水甚清麗。山
麓有石梁，雨後山上之水由石梁瀉出而注於池。步石梁，折北數
步，進短廊，側面南小榭三間，前面圍以花牆。牆西有圓洞，題
曰：「圓嶠」。對面牆外有鐘樓。牆下以亂石堆爲臺，種芍藥頗
盛，內題曰：「藕香水榭」，一聯云：「短艇得魚撐月去，小軒
臨水爲花開。」後面一帶和合窗，緊靠「滄浪亭」。出小榭向南，

一帶曲廊，廊中靠壁立亭，過亭，逶邐南向，其廊折而東，高低
不平。南面廊最高處，題曰：「步埼」，與前山相對，中隔一池。
「步埼」處向南有小扉，進則小軒似船式，西曰：「西爽」，東
曰：「東葘」，中間題曰：「清香館」。兩面小院中均種細葉藤
花及薜芷蔽蘿之屬。由「西爽」稍南，則面南廳事三間，廳中牆
上，滿嵌石象，即五百名賢也，題曰：「作之師」。對面有竹一
畦，圍以短欄。祠之西，又有短廊，建「半面亭」。亭內有碑，
下刻文徵明小像，亭外題曰：「仰止亭」，西爲「白雲庵」，亭
下有小扉通焉。「名賢祠」前進對面竹深處，小屋數椽，四面有
窗，題曰：「竹玲瓏」，此處桌椅几榻，皆以竹爲之。稍東又有
小屋，曲折有致，南與「石屋」相連，然至「石屋」，須繞路甚
遠也，向東爲「明道堂」，對面有戲臺，左右有廂。循西廂南行，
有西向小扉，進則「石屋」也。外石上題曰：「圓靈證盟」，內
石屋上題曰：「印心書屋」。屋中石几、石磴，甚幽奇。「石屋」
上高閣兩層，曰：「看山樓」。「明道堂」高敞宏闊，誠爲全園
主屋，中懸《滄浪亭圖》。廳後又有大山當之，爲園中主山，名
曰：「北埼」。由此蜿蜒向西，與山門內之山連屬。山上有四角
石亭，上刻「滄浪亭」三字，柱上句云：「清風明月本無價，近
水遠山俱有情。」山之上下平地，皆種梅花。由「明道堂」後檐
東行折北，有向西小屋，名曰：「瑤華世界」，後有向南抱廈三
間，曰：「見心書屋」。書屋後向北廊內，又立一亭。過亭向北
折西，一帶遊廊甚長，緊靠「滄浪池」。廊中隔以花牆，牆內外
皆可行，而曲折高低，東首廊盡頭水上立亭，與廊通，對面北岸，
即花牆下一帶垂柳，圍以紅欄，此處地面最闊，菱藕最盛，亭內
額曰：「閑吟」，屏上鏤蘇舜欽《滄浪亭記》。廊向西盡處，抱
廈三間，題曰：「面水軒」，四窗，南對山，山麓栽牡丹，北臨

水，西與山門相接。

顯然，此時的「滄浪亭」和今日情景大致相同。現在「滄浪亭」是省級文物保護單位。

南園──張氏園池（宋）

「南園」為五代時吳越王錢鏐第四子錢元璙所建。錢鏐因鎮壓黃巢起義軍和逮捕叛將董昌有功被唐昭宗任為鎮海鎮東軍節度使，旋封越王，又封吳王。唐亡之後，受後梁太祖朱溫之封，稱吳越國王，為十國之一。錢元璙於後梁乾化三年因功遷蘇州刺史，後累授中吳建武軍節度使，蘇、常、潤三州團練史等官，治蘇凡三十年，儉約鎮靖，郡政循理。吳越國為後唐所滅，他被封為廣陵郡王，後遂稱之為廣陵王，錢元璙早在任蘇州刺史之前，即著手興建「南園」。及至就任蘇州，更是「頗以園池花木為意」（《九國志》），對「南園」進行大規模興建。「南園」確切所在，據《祥符圖經》說在「子城西南」，《吳郡志》說在樂橋西南，二者所說方位大致相同。近人王謇《宋平江城坊考》則確指為「其地即今撫署前，又名書院巷。」

最早記述「南園」的是唐末詩人羅隱，他五十五歲時投奔鎮海鎮東軍節度使錢鏐，錢鏐向後梁稱臣，羅隱官給事中，對錢鏐家事知之甚詳。他在《南園》詩中寫道：「搏擊路終迷，南山且灌畦。敢言逃俗態，自是樂幽棲。葉長春松闊，科園早薤齊，雨沾虛檻冷，雲壓遠山低。竹好還成徑，桃夭亦有蹊。小窗奔野馬，閑瓮養醯雞。水石心愈切，煙霄分已睽。病憐王猛畚，愚笑隗囂泥。澤國潮平岸，江村柳覆堤。到頭乘興是，誰手好提攜？」從這首詩可知，「南園」建在羅隱在世之時，當時是錢鏐做鎮海鎮東軍節度使，錢元璙也尚未治吳。羅隱筆下的「南園」廣袤、空

曠，多野趣。北宋雍熙元年，詩人王禹偁知長洲，於政事之暇，常攜客至「南園」醉飲，曾有《南園偶題》述懷：「天子優賢是有唐，鑑湖恩賜賀知章。他年我若功成後，乞取南園作醉鄉。」從王禹偁對「南園」的艷羨讚嘆，可以體察「南園」之迷人勝概。成書於大中祥符年間的《祥符圖經》對「南園」則作了比較具體的描述。《圖經》云：南園在子城西南，有「安寧廳」、「思元堂」、「清風」、「綠波」、「近仙」等三閣，「清漣」、「湧泉」、「清暑」、「碧雲」、「流杯」、「沿波」、「惹雲」、「白雲」等八亭，又有「迎春」、「百花」二亭。西池在園廳西，有「龜首」、「旋螺」二亭，又有茅亭三，茶酒庫，易衣院。此時，知州秦羲曾葺之，以會寮吏館，使客朝貴皆為賦詩，參知政事郡人丁謂為序。成書於元豐七年的朱長文《吳郡圖經續記》寫道：「南園之興，廣陵王元璙帥中吳，好治林圃。於是釃流以為沼，積土以為山，島嶼峰巒，出於巧思，求致異木，名品甚多，比及積歲，皆為合抱。亭宇臺榭，值景而造，所謂三閣、八亭、二臺、「龜首」、「旋螺」之類，名載《圖經》，蓋舊物也。」朱長文在《學校記》中也說它「高木清流，交蔭環醴」。范仲淹的《南園》詩有句：「西施臺下見名園，百樹千花特地繁。」明代詩人高啟也描述過當年「南園」的繁華，他寫道：「請看當年廣陵王，雙旌六纛多輝光。幸逢中國久多故，一家割據夸雄強。園中歡遊恐遲暮，美人能歌客能賦。車馬春風日日來，楊花吹滿城南路，疊石為山，引泉為池，辟疆舊園何足奇？」以上諸多記述，大致反映了「南園」從五代至北宋前期的概貌。《百城煙水》據各家之說，概括為「極園池之勝。」然《中吳紀聞》仍說它「亞於滄浪之景」。「南園」雖美，但在當時仍然遜於「滄浪亭」，這大概也是當時實際情況。

　　早在北宋，「南園」就開始受到破壞。祥符年間，京師作景靈宮，購求珍石，郡中亦取「南園」珍石以貢。其間臺樹，歲久摧圮。後呂叔濟曾作「熙熙堂」，守將亦加修飾，至元豐年間，僅有「流杯」、「四照」、「百花」、「豐樂」、「惹雲」、「風月」等處，每春縱士女遊樂，然勝概不似當年。北宋末年，宋徽宗垂意花石，朱勔乘機邀寵，吳中「花木之奇異者，盡移供禁籞下至墟墓間」（元陸友人《吳中舊事》）。「南園」中異木奇石，又被取進，大觀末年，蔡京罷相欲東還，徽宗下令以「南園」賜之。他曾寫詩道：「八年帷幄竟何為，更賜南園寵退歸。堪笑當年王學士，功名未有便吟詩。」

　　建炎兵火，「南園」毀廢。紹興年間，侍郎張仲几得之。仿「南園」故實重建山亭名「惹雲」、池塘名「清漣」等，堂側建「凌霞閣」，又有「水竹遹院」等，時稱「張氏園池」。開禧年間，吳機在園內故倉處建「明恕堂」，後又改名「美錦堂」。山上有「琅然亭」，東南有亭曰「河陽圖」，堂內雜植桃李，還建有「莞爾」、「清心」二亭。後皆改觀，惟存松竹之舊。然總體觀之，建炎之後，「南園」更是日趨荒蕪。紹興間程俱即說「王子池臺跡已荒」；元代成廷珪寫道：「啼烏樹老臺空在，飲馬池荒水不流」；至明代則是「繁華掃地無復遺，門掩愁鷗嘯風雨。種菜老翁來作主，空餘怪石臥池邊，欲問興亡不能語。春已去，人不來，一樹兩樹桃花開，射堂踘圃皆青苔。」（高啟詩句）顯然是一片荒涼景象。然部分遺跡尚在，仍為蘇人遊樂之地。清初，尤侗《南園》詩寫道：「二月桃花開，三月菜花盛。遊人聯袂來，啼烏發春興。」清末詩人袁學瀾寫道：「剩有崇岡繞碧流」，「綠水環亭竹萬株，流杯遺跡未全蕪。」「風閣雲亭渺舊跡，只餘喬木蔭清池。」「風回紫陌菜花香，寥落西池放野棠。」這裡依

然是「城南來往看花人」、「杏花春雨詩詞景，人影衣香仕女圖。」再後，漸次變為菜田民居，失去園林面貌。

東圃（東墅）——東莊、天賜莊、徐參議園（明）

「東圃」水叫「東墅」，元末明初稱「東莊」，後亦名「天賜莊」。本是錢元璙治吳時又一別墅，是其子錢文奉為衙前指揮時所創，在葑門內今蘇州大學處。園內「奇卉異木，名品千萬」，「崇崗清池，茂林珍木」（《九國志》），又累土為山，亦成岩谷，極園池之響。當年元璙父子常在此宴集賓客，詩酒流連，文奉每跨白騾，按鶴氅，緩步花徑，或泛方池中，容與往來，聞客笑語，就之而飲，盡歡而散。

吳越國滅亡後，「東圃」廢為民居，而園景偶有所存。至元末明初，邑人吳孟融在「東圃」廢址建園，易名「東莊」，這是一個莊園式園林。其子吳寬以狀元及第後，名人競相吟詠，「東莊」名聲復著。

據李東陽《東莊記》：葑門內多水，四面八方皆可舟達。莊廣六十畝，由凳橋而入為稻畦，折而南為桑園，又西為果園，又南菜圃，又東為「振衣臺」，又西南為折桂橋；由艇子濱而入為麥丘，由荷花灣而入為竹田。莊內建有「續古堂」、「拙修庵」、「耕息軒」，又作亭於南池，名「知樂亭」。後吳寬從子吳奕又增建「看雲」、「臨渚」二亭。對「東莊」，文人多有題詠，劉大夏：「吳下園林賽洛陽，百年今獨見東莊」；李士實：「小莊隨意作經營，園漫分蘇地漫耕。流水聲中看杖椅，人家叢裡有舟行。市廛咫尺無疑路，林壑分明不出城。」沈周：「東莊水木有清輝，地靜人閑與世違。瓜圃熟時供路渴，稻畦收後問鄰飢。城頭日出啼鴉散，堂上春深乳燕飛。」文林：「小亭面高崗，夢徑

隱可捫。青山出牆頭，白雲宿籬根。歌鶯滯池曲，游魚戰波渾。」
這些詩句和《東莊記》相互補充，益顯其園林特色。

嘉靖年間，「東莊」歸徐廷裸參議所有，世稱爲「徐參議園」。袁
宏道在《園亭記略》中寫道：「近日城中，唯葑門內徐參議園最
盛。」「畫壁攢青，飛流界練，水行石中，人穿洞底，巧逾生成，
幻若鬼工。千溪萬壑，游者幾迷出入。」以後「東莊」又幾易其
主。延至清代，崇明人施何牧吏部曾寓居於此，然已荒廢殆盡，
施氏有詩吟詠：「一水東莊近，風流說異時」，「至今余想像，
煙雨任迷離」；張安世詩句：「姓名留與人間說，桑海何須嘆廢
興？」

金谷圃——樂圃（宋）——蘧園（明）——適園、耕蔭義莊、環秀山莊、頤園（清）

廣陵王錢元璙守蘇州時，好治林圃，其諸從亦徇其所好，擇
隙地而營建，爲臺，爲沼，種樹養花，皆有林泉之勝。其第三子
錢文輝在晉代王珣、王珉捨宅所建「景德寺」的故址建造園第，
名「金谷園」。

錢氏去國之後，「金谷園」變爲民居。約百年之後，至北宋
慶曆年間，爲蘇州州學教授朱長文（字伯原）祖母吳夫人購得。
朱長文父光祿卿朱公倬在原「金谷園」基礎上向西擴大，面積逾
三十畝，時號「朱光祿園」，高崗清池，喬松壽檜，粗有勝致。
至朱長文，進一步營造，以「樂圃」名之。米芾《樂圃先生墓表》
說：「築室居樂圃坊，有山林趣。」新建圍牆，以瓦覆其上。圃
中有堂三楹，名「樂圃堂」。堂旁有廡，爲親黨所居；堂之南，
又爲堂三楹，名「邃經堂」，用講六藝；「邃經堂」之東有米廩
以儲糧，有「鶴室」以蓄鶴，有「蒙齋」以教童稚；「邃經堂」

西北有高崗，名「見山崗」，上有「琴臺」，「琴臺」西隅有「詠齋」，朱長文常在此撫琴賦詩；「見山崗」下有池，曲折流至崗之東而爲溪，池中有亭名「墨池」，池岸上有亭叫「筆溪」，溪旁有釣渚；釣渚與「邃經堂」相值。圃中有三橋，名爲「招隱」、「幽興」、「西澗」；西圃有草堂，草堂之後有「華嚴庵」，草堂西南有土而高者，名「西丘」；圃中有松檜、梧柏、黃楊、冬青、椅桐、檉柳諸樹，柯葉相蟠，與風飄揚，高或參雲，大或合抱，或直如繩，或曲如鉤，或蔓如附，或偃如傲，或參如鼎足，或并爲釵股，或圓如蓋，或深如幄，或如蜿虯臥，或如驚蛇走，名不可盡記，狀不可殫書；其花卉則春繁秋孤，冬煜夏蒨，珍藤幽花，高下相映，蘭菊猗猗，蒹葭蒼蒼，碧蘚覆岸，慈筍列砌；桑柘可蠶，紵麻可緝，時果分蹊，嘉蔬滿畦，檪梅沈李，剝瓜斷瓠，以娛賓友，以樂親屬，生活在如此幽雅的林圃之中，朱伯原誦詩文，飛翰墨，優遊棲遲，其樂至極。因此，他說「雖三事之位，萬鍾之祿，不足以易吾樂也。」（《樂圃記》）（近聞朱氏後裔某人考證），「樂圃」實在清嘉坊，尚有池沼崗阜，亦與伯原所記合，茲錄備一說。）

朱長文在《樂圃》記中曾告誡他的子孫「毋頹爾居，毋代爾林」，希望「千載之後，吳人猶當指此相告曰：此朱氏之故圃也。」但世事滄桑，朱氏子孫並未守住他們的祖業。南宋時，此園即改爲「學道書院」，再改爲「兵備道署」。元代屬張適，築室曰：「樂圃林館」。張適在題詩中寫道：「樹石頗秀麗，池水迂迴。儼有林泉幽趣。」姚廣孝有詩詠道：「一軒開小圃，近水更悠然。杏棟縈花霧，雲窗宿篆煙。竹藏鳩子哺，苔親鶴雛眠。此地多風景，幽深似輞川。」張適又有詩自詠：「城西數畝餘。坊存前哲號。」「林密帘櫳暝，門清樹石連。」「園池雖市邑，幽僻絕塵

緣。水活元通港，荷稀不礙船。」「方池居圃右，幽隱足遊觀。
疊石花成岸，塗丹曲作欄。」明宣德年間杜瓊得東隅而居之，名
曰「東原」。結草爲亭曰「延綠」，又有木瓜林、芍藥階、梨花、
棣紅、槿藩、馬蘭坡、桃李溪、八仙架、三友軒、古藤格、芥澗
橋共十景。萬曆年間爲宰相申時行購得。申時行當時在蘇州有宅
八處。「景德寺」前（現在景德路中段）四處，百花巷四處。這
八處大宅，申時行分別題名爲金、石、絲、竹、匏、土、革、木。
庭前皆植白皮松，階用青石。購得「樂圃」故址之後，構「適適
園」於此，中有「寶綸堂」、「賜閑堂」、「鑑曲亭」、「招隱
榭」諸勝。申時行嘗賦詩云：「棲遲舊業理荒蕪，徙倚叢篁據槁
梧。爲圃自安吾計拙，歸田早荷皇恩殊。山移小島成愚谷，水引
清流學鑑湖。敢向明寺稱遺老，北窗高枕一愁無？「樂圃千年跡，
蕭齋五畝身。蓬蒿常謝客，花竹總宜人。清曠懷長統，風流屬季
眞。臨溪時獨釣，吾自老絲綸。」「投老身猶健，探幽興未闌。
花神催爛熳，竹使報平安。茂樹禽聲合，高樓蝶夢殘。不知人世
上，何處有風湍。」這些詩雖是申時行寫他退隱後的生活和心情，
但從中不難窺出申氏園圃的林泉佳致。至明末清初，申時行孫申
揆又加擴建，取名「蘧園」，築「來青閣」，聞名於蘇城。并養
鶴作伴，每宴賓客，雙鶴迎門。

　　清乾隆年間，刑部侍郎蔣楫（字濟川）居此，重葺廳樓，在
廳東建「求自樓」五楹，以儲經籍。樓後疊石爲山，匠心獨運，
雖僅一隅拳石，占地半畝，而恍若萬壑千岩，大有尺幅千里之勢，
爲當時著名疊山大師常州人戈裕良所疊。近大李根源稱蘇州有三
絕，此假山爲其一（其餘兩絕是「拙政園」內文徵明手植藤和「
織造府」內瑞雲峰）。又掘地三尺，得古甃井，有清泉流出，聲
虢虢然，因取蘇東坡試院煎茶詩中字題爲「飛雪」。後太倉人畢

沅尚書割其東部改名「適園」，引泉疊石，種竹栽花，使園林益
美。畢沅歿後，有女史歌詠其事：「清池峭石古亭臺，深鎖園扉
畫不開。此日恰逢搖落後，花時悔我未曾來。」亦可見庭園之一
斑。後為杭州孫士毅相國所得，道光末年，工部郎中汪澡、吏部
主事汪坤購於孫氏，建立汪氏宗祠，名曰「耕蔭義莊」，一般稱
為「汪氏義莊」，重修東花園部分，改稱「環秀山莊」，又名「
顧園」。庭前山石奇巧，有「問泉亭」、「補秋舫」、「半灣秋
水一房山」諸勝。「飛雪泉」亦重新疏浚。汪開祉聯云：「風景
自清嘉，有畫舫補秋，奇峰環秀；園林占幽勝，看寒泉飛雪，高
閣涵雲。」俞樾聯云：「邱壑在胸中，看疊石疏泉，有天然畫本；
園林甲吳下，願攜琴載酒，作人外清遊。」（《吳門逸乘》）一
九八五年時對「環秀山莊」進行全面整修，面貌煥然一新。現為
國家級文物保護單位。

吳郡治

　　在春秋時吳王闔閭所創建的子城內。子城，大約在現在的蘇
州公園和體育場一帶，周長十二里，城高二丈五尺。自吳王闔閭
建「闔閭宮」於此作為吳國首府始，至元朝末年，歷為吳國、吳
郡、吳縣首腦機關所在。戰國晚期，楚春申君治吳，曾建「桃夏
宮」於此。據《越絕書》記載，此宮至東漢時仍在。春申君之子
假君亦曾在此建殿。漢會稽太守朱買臣曾載故妻到過「桃夏宮」
（當時稱太守舍）。唐宋時代，郡治仍建在子城範圍內，廳齋堂
宇，亭榭樓館，密邇相望，是一規模宏大的官署園林。這些建築，
始建於唐，至宋又增建葺飾，益見完美。

　　唐乾寧二年，刺史成及在春申君之子假君之殿故基建大廳，
此為郡治正廳，名「黃堂」，以數失火，塗以雌黃，遂名。或云

因春申君姓黃而得名。後亦名設廳、受署廳。宋嘉祐間，郡守王琪以翻印出售自己珍藏精本《杜集》所得資金，對正廳大加修繕，「規模宏壯」，「俾唐末之遺構巍乎顯明，吏民瞻之，靡不胥悅。」（《吳郡志》）郡治內在唐代即有「齊雲樓」、「初陽樓」「東樓」、「西樓」、「木蘭堂」、「東亭」、「西亭」、「東齋」等構築。

「齊雲樓」，在郡治後子城上，相傳即古之「月華樓」，唐時曹恭王在其舊址上建造。白居易有多首詩詠及，其中有詩句「改號齊雲樓」，樓名係取「西北有高樓，上與浮雲齊」之義。據此可知，「齊雲樓」之名始自白居易治蘇之時。章憲有詩寫道：「飛樓縹渺瞰吳邦」，「曲檻高窗雲細薄」，可見高聳雄偉。宋紹興年間，郡守王㬇重建。兩挾循城，爲屋數間，有二小樓翼之。《吳郡志》說它：「輪奐雄特，不惟甲于二浙；雖蜀之西樓，鄂之南樓、岳陽樓、庾樓，皆在下風。」樓前同時建文、武二亭。又有芍藥壇，每歲花時，太守宴客於此，號「芍藥會」。淳熙年間，又在文、武亭前建二井亭。宋代詞人吳文英有《齊天樂·齊雲樓》及之。

「初陽樓」，在子城內偏東池上。皮日休詩句「危樓新製號初陽，白粉青薐射沼光。避酒几浮輕舴艋，下棋曾覺睡鴛鴦」，正是寫它水上高樓風光。樓建池上，當開後來園林水閣之先。「初陽樓」南宋時已廢。

「東樓」，始建於庸，宋開慶年間重建。額名「清芬」。唐獨孤及詩句「風前孟嘉帽，月下庾公樓」，以「庾公樓」喻之。

「西樓」，在子城西門上。唐名「西樓」，亦名「望市樓」。登臨樓上，可見全市容貌，元微之《寄白樂天》詩云：「弄潮船更曾觀否？望市樓還有會無。」注云：「望市樓，蘇之勝地。」唐詩人題詠甚多，而以白居易《城上夜宴》爲最，詩寫道：「留

春不住登城望，惜夜相將秉燭遊。風月萬家河兩岸，笙歌一曲郡西樓。詩聽越客吟何苦，酒被吳娃勸不休，縱道人生都是夢，夢中歡笑亦勝愁。」後來，此樓更名「觀風樓」。宋紹興十五年郡守王映重建，下臨市橋，叫「金母橋」，亦取西向之義。宋代范仲淹五律《觀風樓》亦寫出此樓之壯美：「高壓郡西城，觀風不浪名。山川千里色，語笑萬家聲。碧寺煙中靜，虹橋柳際名。登臨豈劉白，滿目見詩情。」

「木蘭堂」，又名「木蘭院」，在郡治後。《紅蘭逸乘》說「府署後有園」即指此。據《嵐齋錄》載：唐張摶自湖州刺史移蘇州，於堂前大置木蘭花。花盛開時，宴集郡中詩客，即席賦詩。一次，陸龜蒙後至，張摶邀其連飲數杯，龜蒙大醉，強執筆題兩句云：「洞庭波浪渺無津，日日征帆送遠人。」然後醉倒，不能卒其章。張摶命他客續詩，皆莫詳其意，既而龜蒙稍醒，援筆續就：「幾度木蘭船上望，不知原是此花身。」遂為一時絕唱。園中植荔枝，吳中他處皆無。至南宋時，「木蘭堂」猶古木森列，並建新閣，有御書飛白字碑揭其上。唐時白居易有《寄題木蘭西院》，范仲淹《木蘭堂》寫道：「堂上列歌鐘，多慚不如古，卻羨木蘭花，曾見霓裳舞。」可見贊賞之至。

「東亭」、「西亭」，皆唐時建，「西亭」，白居易稱之為「西園」，宋時名「西齋」。白居易詠「東亭」詩道〝"「散步池塘曲」，「草繞牆根綠」；詠「西亭」詩道：「池鳥淡容與，橋柳高扶疏，煙蔓裊青薜，水花被白蘋。何人造茲亭？華敞綽有餘。四檐軒鳥翅，複屋羅蜘蛛。直廊抵曲房，窈窕深且虛。修竹夾左右，清風來徐徐。此宜宴嘉賓，鼓瑟吹笙竽。」可見，這裡有賞憩宴遊之勝。

「北軒」，唐時在郡治之後，宋在「木蘭堂」後重建。東廡

名「聽雨」，西廡名「愛蓮」，可想當時軒之所在有池塘。

「東齋」，唐時建。宋時名「思政堂」，後又改名「復齋」，宋高宗駐蹕時，曾宴射於此。

「西齋」，在郡治之東。宋紹興年間，郡守王晚重建。紹熙間長洲有瑞麥秀四歧，後池出雙蓮，時人以爲是吉祥之兆，因改名爲「雙瑞堂」。齋前有花石小圃，乃遊憩之佳處。

「雙蓮堂」，在「木蘭堂」東，舊爲「芙蓉堂」，因雙蓮花開，遂易此名。宋人楊備有詩詠道：「雙蓮仙影面波光，翠蓋搖風紅粉香。中有畫船鳴鼓吹，瞥然驚起兩鴛鴦。」

「北池」，又名「後池」，在「木蘭堂」後。池中爲塢，白居易植檜其上。韋應物、白居易皆有歌詠。白居易：「海上風雨至，消遙池閣涼。」皮日休、陸龜蒙曾有詠重臺蓮花、浮萍、白蓮詩。北宋皇祐年間，蔣堂守郡，增葺池館，池中建危橋、虛閣。蔣堂在《北池賦并序》中勝贊北池風光，如「澤園秀壤，勾吳故城。其野意之勝者，有曲池之著名。環碧曉漲，浮光晝停。斡琅津之餘派，分銀潢之一泓。危橋跨波，迅若走鯨，虛閣延月，清如構瓊。乃飛蓋之所集，靄芳之不凝……魚在藻以性遂，龜游蓮面體輕。禽巢枝而自適，蟬得蔭而獨清，蝌蚪成文書之象，蛙黽有鼓吹之聲，以至鷗鳥群嬉，不觸不驚；菡萏成列，若將若迎。岸產并柯之木，波孕紫莖之萍。灘露沙而金紫，垣疊蘚以衣青。新蒲鏘鏘，挺水心之劍；綠竹整整，矗羽林之兵。別有島檜高聳，虬枝相撐。水石結操，冰霜存英。」他在《和梅摯北池十詠》中吟詠了池上虛閣、奇檜、孤島、修竹、垂柳、叢菊、時釣、時宴、雛鶴、馴鹿。

「池光亭」，在「北池」之北，即唐時「北亭」。相傳爲白居易命名。宋紹興十七年，郡守鄭滋重建。池旁有兩座假山，東

名「芳坻」，西邊有檜樹，乃因白公手植檜樹不存，郡守洪遵植檜於此以見舊觀。嘉熙四年，亭毀。後在其故址建「春雨堂」，由宋理宗書額，後又建「坐嘯齋」，皆為遊賞之地。

「郡圃」，在州宅正北，前臨「池光亭」大池，後抵「齊雲樓」城下，甚廣袤。宋嘉定十三年，挖鑿方池，環以土山，並以「西齋」之石增飾美化。在池上建了「積玉」、「蒼靄」、「煙岫」、「晴漪」四個亭子，端平三年，改名為「同樂園」。

「西園」，在「郡圃」之西，隙地直子城，甚廣袤，園內多美石，有「太湖甲族」、「不染塵」、「移雲」三亭。白居易曾歌詠道：「丘園共誰卜，山水共誰尋，風月共誰賞，詩篇共誰吟，花開共誰看，酒熱共誰斟？」白居易在此借景抒懷，其中寫到丘園、山水、風月、詩篇、花開、酒熱，可知風物人文之雅。《吳都文萃續集》有《郡中西園》一詩，更具體描述了它的風華：「閑園多芳草，春夏香靡靡。深樹足佳禽，旦暮鳴不已。院門閉松竹，庭徑穿蘭芷。愛彼池上橋，獨來聊徙倚。魚倚藻長樂，鷗見人暫起。有時舟隨風，晝日蓮照水。誰知郡府內，景物閑如此。」「西園」至南宋寶慶年間仍在，紹定年闢為教場。自白居易算起，也存在四百多年時間。

「思賢堂」，在「木蘭堂」左，「池光亭」西，原名「思賢亭。」祀唐時韋應物、白居易、劉禹錫，故又名「三賢堂」。宋紹興三十二年，郡守洪遵又增加王仲舒及范文正公像，更名「思賢堂」。

「瞻儀堂」，在廳事之東，宋紹興三十一年郡守洪遵建。吳中士民歷來敬重郡之長官，來者必繪其像，春秋之時懸掛於「齊雲樓」兩挾，令吏民瞻仰。洪遵恐被風日所侵，故建堂藏之。范成大在《瞻儀堂》中說：「吾州不獨能志其人，而肖貌具在，章

綬相輝，凜凜如對生面，它郡未聞有此。」

「四照亭」，在「郡圃」東北。宋紹興十四年，郡守王喚爲屋四合，各植花石，隨歲時之宜，春有海棠，夏有湖石，秋有芙蓉，多有梅花，據《負暄野錄》載：慶元四年，趙不虧在此會客，問客亭名由來，有客答道：「《山海經》云：招搖之上，其花四照。及《華嚴經》云：無量寶樹，普莊嚴花，焰成輪光四照。又說光雲四照常圓滿園，今亭四面見花，故以此爲名耳。」

「平易堂」，在小廳東挾，宋紹興年間建。

「凝春堂」，在「思賢堂」西，面臨池。紹熙年間，曾遷太守畫像於此。

「消遙閣」，在舊「凝香堂」後，名取韋應物「消遙池閣涼」句意。

「雲章亭」，在舊「凝香堂」西南，唐時建。宋時亭中有宋仁宗御書飛白石刻和賜丁謂詩，還有太上皇御書千字文。

「坐嘯亭」，在「四照亭」南，宋紹興年間建。

「秀野亭」，在「坐嘯齋」西，宋紹興年間建。

「觀德堂」，宋紹興年間建在教場處，即唐「西園」故址，後更名爲「閱武」。其西有「射亭」。

「扶春」，即「池光亭」後「酴醾洞」，宋紹興時命名爲「扶春」。

「頒春亭」、「宣詔亭」，宋紹興年間建，後在旁建有東西二井亭。

「介庵」，位在「木蘭堂」南「凌雲臺」下，郡守梅摯建，梅摯在《介庵銘並序》中寫道：「表署西北，有堂曰木蘭。堂之南有臺曰凌雲。灌木駢生其上，臺下有故園廢洞址在焉。」

「生雲軒」，唐時建，在「池光亭」東池旁，宋時名「知樂

亭」。

「通判東廳」，紹興九年通判白彥惇建，在郡治之西。廳西有「琵琶泉」，泉水清洌可釀酒。小丘嵌岩名「西施洞」。洞門作「捧心亭」，後更名「舞雪」。咸淳五年重修，正堂名「敬簡」，又有「風月堂」、「光風霽月堂」。

「通判西廳」，在城隍廟後，依子城西南角，城上有小樓，登臨可觀西山，又名「湧翠樓」。嘉熙初，又有「足清堂」、「種書堂」。淳祐間，又建「屏星堂」。

另外，在「通判東廳」之西有「節推廳」，廳西有「冰壺軒」；子城南有「察推廳」；在子城西南有「司理院」，寶慶年間在院內又建「清安軒」、「盡欽廳」、「務平軒」等；在「通判東廳」後有「提干廳」六，廳內有「超然堂」、「北齋」。在府院西有「司戶廳」，廳西小圃有「玩花池」、「采香徑」、「秀芳亭」、「飛雲閣」、「小蓬瀛」「長嘯堂」；在烏鵲橋西北是「提刑司」，內有「明清堂」，堂後小圃種竹千竿，有亭曰「留客」；在子城東有「提舉常平茶鹽司」，司署廳東有小池，上有假山，榜曰「壺中林壑」，東為「頤齋」，齋後圃中曰「望雲堂」，池南有「揚清亭」，池北有「草堂亭」、「鑑止亭」，池旁曰「繡春堂」；廳西有「寶翰閣」，廳東北曰「宣惠堂」，廳後曰「皇華堂」，多為紹興年間所建。

元末，張士誠兵敗縱火，郡治毀於一旦。

唐代所建寺觀，多具園林特色。如位於陽山下的「澄照寺」，始為唐會昌年間丁某捨宅所建，名「白鶴寺」，宋祥符初改「澄照寺」。此寺殿閣寬敞，神龕華富，有五層之閣，又有「懺院」、「法華院」，亭樹高揭，房廊繚周，耽然巍然，不勝其壯觀。位

於橫山的「凫水院」，後改名「堯峰院」，院有十景，即「清輝
軒」、「碧玉沼」、「多境岩」、「寶雲井」「白龍洞」、「觀
音岩」、「偃蓋松」、「妙高峰」、「東齋」、「西隱」。再如
盤門外五里的「太和宮」，係唐末畢誠別業，初建之時，剪除雜
草灌木而壘起垣墉，開鑿池沼，建「上清殿」、「北極堂」、「
星壇」，置霜鐘，屋宇壁間，繪畫極妙，並且就水治檻，因高創
亭，奇花移茂苑之春，怪石滅洞庭之翠，夏錦秋荷，纖埃不生，
衆卉錦茂。王禹偁曾贊之為：「漁人誤，應謂桃源，海客遐瞻，
更迷蓬島。姑蘇勝概，此實盡之。」

宋朝時期（960—1279）

　　西元960年，趙匡胤結束了五代十國封建割據局面，建立宋朝，定都開封。北宋王朝在經濟、政治、文化諸方面採取一系列措施，社會經濟迅速發展，商業繁華，物力殷阜。文化成就也斐然可觀。繼唐詩之後，宋詞獨樹一幟，成爲中國文學史上又一枝奇葩。書畫發展更超過了唐代。這些都爲園林的進一步發展創造了良好條件。北宋私家造園非常興盛。李格非《洛陽名園記》載洛陽當時有名園十九處；袁褧《楓窗小牘》載開封有名園十多處，不以名著者遍布城中，有一百多處。

　　北宋時的蘇州，其繁盛情悅超過歷史上任何朝代。北宋之前，蘇州經濟、文化雖然不斷發展，但和一些同類情況的城市相比，卻並不顯得突出。如唐代，最繁盛的城市首推東西二京，州、縣中當以廣州、揚州、淮安、南昌、泉州、寧波等爲盛。唐人稱「揚一益二」，即揚州第一，益州第二，而蘇州不在前茅之列。自唐末起，蘇州則逐步崛起。至北宋始有「天上天堂，地下蘇杭」（《吳都文粹》）之譽。據孫覿《普明禪院記》：「自長慶（唐穆宗年號——引者）訖宣和，更七代、三百年。吳人老死不見兵革，覆露生養，至四十三萬家。而吳泰伯廟棟，猶有唐昭宗時鎮海鎮東軍節使錢鏐姓名書其上，可謂盛矣。」又據《吳郡圖經續記》載：「錢氏有吳越，稍免干戈之難。自乾寧至於太平興國三年錢俶納土，凡七十八年。自錢俶納土至於今元豐七年，百有七年矣。當此百年之間，井邑之富，過於唐世，郛郭填溢，樓閣相

望，飛杠如虹，櫛比棋布，近郊隘巷，悉甃以甓。冠蓋之多，人物之盛，爲東南冠。實太平盛世也。」北宋滅亡之後，宋室南渡，定都臨安（杭州），是爲南宋。全國經濟、政治中心也隨之由北方移向南方。本來就已經十分繁榮的江南，更得天時地利之便，經濟和文化發展都進入了一個新時期。宋室南遷之後，北方造園之藝漸次蕭條，而南方諸城市卻日益興盛。童雋《江南園林志》記載：「宋時江南園林，萃於吳興。葉氏石林，其尤著也。眞州東園，海陵南園，歐陽修皆有記。東園廣百畝，爲稀有巨構。後百餘年，陸游過其地，已半荒廢。蘇子美滄浪亭在蘇州城南，爲吳越孫承祐舊圃。梅聖俞晚年更造園鄰右；蘇子美、歸有光皆有滄浪亭記，其地至今勿廢。蘇州又有五代廣陵王金谷園故址，入宋爲朱伯原樂圃，即今環秀山莊朱勔綠水園，今餘遺址。」「孝宗時范成大歸隱石湖，並作《初歸五湖詩》志之。」童氏只是略述其概。今據史籍約略統計，此時的蘇州，僅私家園林即有五十多處，可和當時都城杭州相匹（據《湖山勝概》所記當時杭州園林不下四十家）。

隱圃

蔣堂園居，在靈芝坊（即今之侍其巷）。蔣堂，字希魯，宜興人，爲人修潔、好學，工文詞。祥符五年進士，兩守蘇州。在杭州時已治第吳中，名「隱圃」。謝事之後，日與賓客燕會賦詩爲樂於此。圃中有「岩扃」、「煙夢亭」、「風篁亭」、「香岩峰」、「古井」、「貪山」諸景。又有池，池上結庵，名「水月庵」。圃之南端有小溪，溪水碧綠，游魚可見，岸邊竹樹成蔭。溪上結宇十多檻，名「溪館」。水中有假山，築「南湖臺」，還有高高的水榭。蔣堂曾把小溪風光比作「采香徑」和「明月灣」，

其美可見。圃中又植桃樹一百棵，有葵、有桂、養鶴。圃中景觀
「皆極登臨之勝」（龔明之《中吳紀聞》）。蔣堂曾自賦《隱圃
十二詠》，多贊美之詞，抒悠閑之意，如「綠葵才有甲，青桂漸
成蔭」；「雲夢環靜室，水石照疏櫺」；「危臺竹樹間，湖水伴
深閑。清淺采香徑，方圓明月灣。放魚隨物性，載石作家山」；
「小園香寂寂，一派曉泱泱。煙草碧彌岸，霜桃紅壓牆」等。皇
祐五年，芝草生於「溪館」，知府李仲偃集賓僚賦詩爲壽，居地
因名「靈芝坊」。

沈氏園亭

在西山鎮下，里人沈嘉所居。孫覿有詩寫道：「包山美人構
亭子，巋然屹立深園裏。窗近斷岩見怪石，壁臨絕澗聞流水。」

梅家園

在「滄浪亭」旁，詩人梅堯臣園居。梅堯臣晚年謝事之後，
卜居於此，正與蘇子美相鄰。二公一時名流，日夕往還，酌酒賦
詩，相得甚歡。世稱其園爲「梅家園」。

范文正公義宅——范家園

皇祐年間，范仲淹守杭州時，始回故鄉蘇州，買田千畝，以
贍濟群族。「雍熙寺」後（今之范莊前址）本有范氏先業，據范
仲淹《歲寒堂三題》小序自稱：「吾家西齋僅百載，二松對植，
扶疏在軒……不出戶庭，如在林壑。某少長北地，近還平江，美
先人之故廬，有君子之嘉樹，清陰大庇，期與千年……子子孫孫，
勿剪勿伐，唯我家之舊物，在歲寒而知天地憐其材。」他在此基
礎上興建義莊。堂名「歲寒」，閣名「松風」。後其姪孫范周在

此建園，名「范家園」。現爲市級文保單位。

復軒

處士章憲園居，在吳縣黃村。章憲，字叔度，樂道好德，操履高潔，鄉里謂之「隱君子」。其所寫〈復軒〉記說：所居「復軒」，茸先人之廬，治東廡之軒，以置經史、百氏之書。其後圃，又有「清曠堂」、「詠歸亭」、「退觀亭」，「清閟亭」處多種竹。

小隱堂、秀野亭

在城北，爲邑人葉清臣（字道卿）園居。葉清臣幼年敏異好學，善屬文。天聖二年，舉進士第二，曾任兩浙運使等官。他有《小隱堂》詩自詠：「秀野亭連小隱堂，紅葉綠篠媚滄浪。卞山居士（葉道卿自號——引者）無歸意，卻借吳儂作醉鄉。」園中種竹，有池塘，塘中有荷，其秀媚之態，可以和「滄浪亭」媲美。因此，「蘇人多游飲於此園。」（鄭虎臣《吳都文粹》）兩任蘇州太守的蔣堂也曾有《過葉道卿侍讀小園》詩詠其景。

丁家園

在丁家巷，丁謂別業。丁謂，長洲人，淳化三年進士甲科，曾做平江軍節度使、樞密使等職。

五畝園（梅園）、章園——葉家花園（清）

在今之「桃花塢」處。據宋末元初居於「桃花塢」慶雲里（即今庫官巷）的徐大焯在《燼餘錄》中記載：「入閶門河而東，循能仁寺、章家巷河而北，過石塘橋出齊門，古皆稱桃花河，河

西北，皆桃塢地，廣袤所至，賅大雲鄉全境。」唐詩人杜荀鶴有
《桃花河》詩。宋范成大《闔門泛槎》詩有「桃花論今昔」之句，
這樣說明「桃花塢」之名由來已久。此處空曠，爲農桑之地。文
天祥微時，曾過蘇州，有詠「桃花塢」詩，寫道：「一片黃雲萬
頃田，江南父母慶豐年。」

　　謝綏之（家福）《五畝園記》對「桃花塢」一帶的園景演變
記之甚詳。「五畝園」爲漢時張長史隱居植桑地。舊有靈芝石，
高七尺，縱橫八九尺，洵爲奇品。宋熙寧間，梅宣義就其地築臺
治園，柳堤花塢，風物一新，是謂「五畝園」，亦謂「梅園」。
梅氏子子明作判杭州，與蘇軾同寮，子明曾以白石遺之，軾答詩
有「不惜十年力，治此五畝園」之句。紹聖時，太師章質夫（字
粢）在「五畝園」南築「桃花塢別墅」，阡陌交通，溪流縈帶，
廣七百畝。章氏諸公子廣闢池沼，旁植桃李，曲折凡十多里。這
是一處莊園式園林，郡人多春游看花於此，世人謂之「章園」。
章氏又在「五畝園」之西築「曠觀臺」，又築「走馬樓」，俯瞰
園景，歷歷在目。暮春三月，菜花油油，黃金布地，一望無垠。
再西是章氏「功德祠」，曲室洞房，環列左右，極幽雅之趣，《
吳門表隱》稱其「園林第宅，卓冠一時」。當時梅、章兩家爲世
交，梅氏子采南，章氏子詠華，效流觴曲水故事，疏雙魚放生池，
以通五畝別業之「雙荷花池」和桃花塢別業之「千尺潭」。至建
炎兀朮之難，梅、章園林鞠爲茂草，「章園」桃李十存一二，梅
園古樹，難覓蹤跡。元代之後，此後屢有興建。明代諸生呂惢在
築「采香庵」、「小桃源」。清乾隆、嘉慶間，又廢爲菜圃。後
又有長洲人葉昌熾在此小築園亭，一仍宋、明時故物，築有「梅
塢」、「更好軒」、「雙荷花池」、「碧藻軒」、「寄茅廬」、
「拜石臺」、「桃花塢」、「旃香庵」、「桂香精舍」、「走馬

樓」、「鴨欄橋」、「漁家弄」、「楊柳池」等。葉氏子好結客，
日游宴其中，人稱「葉氏花園」。咸豐初，葉氏家道中落，賣予
潘姓。庚申年毀。俞曲園有詩云：「拜石亭連碧藻軒，吳中五畝
舊名園。後人來往桃花塢，底事惟知唐解元。」光緒十五年捐歸
文昌宮輪香義塾，繼則一片荒蕪，不復爲園第。

賀鑄別墅

在蘇州城西郊橫塘。賀鑄本河南人，元祐中任通直郎，然不
齒權貴，退居吳下。在升平橋有「企鴻軒」宅居。常往來於城內
和城郊之間，有《青玉案》詞記事狀景，中有「一川煙草，滿城
風絮，梅子黃時雨」句，人皆服其工，謂爲「賀梅子」。清末詩
人袁學瀾曾有詩詠道：「詩人小隱賀家湖，魚婢樵農伴可呼。煙
絮滿川梅子雨，模糊一幅水村圖。」

同樂園——綠水園（元）——泌園（明）

「同樂園」爲朱勔別墅，俗稱「朱家園」，在盤門內孫老橋
東南。朱勔，蘇州人，宋徽宗好奇花異石，設奉應局於蘇州，朱
勔執掌其事，大事搜刮，舟車相接，運往京城，號爲「花石綱」。
朱勔以此顯貴，百姓皆受其苦。此園面積極廣，珍木異石，崇臺
嶢樹。有「神宵殿」、「上善庵」、「糾察司廟」、「雙節堂」、
「御容殿」、「御賜閣」、「迷香樓」、「九曲橋」、「八寶亭」
等構築。又棄田墟室，開浚十八魚池。園中種植數千株牡丹，占
地約一里長。園中異石林立，和神運峰石不相上下。有御書閣名
「顯忠」，又有水閣，作九曲路以入，春時縱士女游賞。朱勔被
宋欽宗殺死之後，舉家被流放海南，假山全被百姓擊碎，牡丹皆
折以爲薪，園林變爲廢墟。當時有民謠道：「做園子，得數載，

栽培得那花木，就其堪愛。特將一個保義酬勞，反做了今日殃害。
詔書下來索金帶，這官誥看看毀壞。放牙笏便擔屎擔，卻依舊種
萊。」又道：「疊假山，得保義，幞頭上帶著百般討氣⋯⋯不如
更疊個盆山，賣八文十二。」（《中吳紀聞》）清末詩人袁學瀾
有詠其園景和盛衰，寫道：「谷雨名花萬樹香，樓臺九曲水中央。
彩棚紅映金牌子，御筆黃封花石綱。酒食春邀迷路女，誥書榮到
蓋園郎。一朝事去成荒圃，種菜人來話夕陽。」又朱勔在閶門內
北倉關設養植園，栽種盆花數千，供人遊觀，園極大，多歧路，
遊女往往迷路不得出。

　　紹興二年，「同樂園」舊地賜給孟忠厚。元至正年間，廬山
陳惟寅、惟元兄弟購得建園，取杜甫「名園依綠水」詩意更名為
「綠水園」。園中有「來鴻軒」、「清泠閣」、「夢徑」等名勝。
高啓在《綠水園詠并序》中說園雖遜於朱勔時之「同樂園」，然
「寬閑幽勝，猶可以釣遊而嘯歌」。有詩句道：「名園過修禊，
景麗陽春熙。綠芷榮曲沼，朱華敷廣墀。」即言其人文之盛。明
崇禎間為吳縣張世偉孝廉所得，精心購建，改名為「泌園」。園
仍甚廣，具亭臺池園、竹樹花木之勝。但世人一直稱為「朱家園」，迄
今仍之。

孫覿山莊

　　在馬跡山耿灣東一里。孫覿為大觀年間進士，晚年退居於此，
造園讀書。自作上梁文。

蝸廬

　　在城北，中書舍人程致道園居。政和年間，程致道為官外地，
因政見和當局不和，來家於吳，茸小屋，名「蝸廬」。這個庭園，

小巧玲瓏，所謂「有舍僅容膝，有門不容車」（程致道《遷居蝸廬》）。園中有「常寂光室」、「勝義齋」，在居室後院，種植竹、菊、鳳仙、雞冠、紅莧、芭蕉、冬青，程致道有詩七題。分詠之。

西園

在閶門，西洛人趙思別業，張孝祥大書其匾爲「古江村」，有「足娛堂」等構築。

閑貴堂

在醋坊橋東，本蕭氏「雙節堂」，周虎得後易爲「閑貴堂」，中有臺，名「淩霜」，環以古桂數千本。宅東又有陂陀，上立「已高亭」。

藏春園

孟忠厚宅第中園。孟忠厚，南宋初爲保寧軍節度使，兼治蘇州，在闇丘坊建宅，有「靜寄堂」、「清心亭」、「萬卷堂」等。後有「藏春園」，當時園中構築已不可考。據《相城小志》：元時平江路總管張伯顏在此建別業。當時地基仍宏敞，構建亦宏麗，仍名「藏春園」。錢泳《履園叢話》以爲清時的「依園」、「息園」亦在此遺址上構建。

招隱堂

在畫錦坊，爲胡元質得光祿大夫程公辟故居之址所建溪堂。後有荷塘名「雲錦」，竹堂名「碧琳」。東有榭名「秀野」。水邊對立三石，甚奇偉，是其守成都時帶回。胡元質，蘇州人，紹

興十八年進士高第，歷任秘書省正字校書郎、禮部兼兵遷右司等職，卸官之後，「杜門卻掃，林園池館，日以成趣」（《吳郡志》）。

瞿庵

在吳江縣城東門外，為大冶令王份歸老處。占地十畝。王份有超俗趣，圍江湖以入圃，柳塘花嶼，景物秀野，名聞四方。有「與閑堂」、「平遠堂」、「種德堂」、「山堂」、「聚遠樓」、「煙雨觀」、「橫秋閣」、「凌風臺」、「郁峨城」、「釣雪灘」、「琉璃沼」、「瞿翁澗」、「竹廳」、「龜巢」、「雲關」、「結林」、「楓林」等，而「浮天閣」為第一。一時名士喜遊，題詠甚多。如：「一島風煙水四圍，軒亭窈窕更幽奇。眼中泉石論溪買，行處壺觴逐境移。」（陳與義）「花竹繞瀍澗，不讓桃花源。」「亭榭著仍穩，不見斧鑿痕。」（呂本中）「迴廊飛閣臨滄灣。」（王銍）「地控三州界，池開十丈蓮。桑麻無社曲，松菊有斜川。別浦歸帆遠，他山晚照妍。江湖春水闊，幽興白鷗前。」（程子山）「春圃千葩秀，霜林百果收。」「地占松江勝，為園不種瓜。幽深清磬響，高下石欄斜。花蜜蜂隨蝶，林深雀啅蛇。勝如摩詰畫，不是季鷹家。」「非關臺榭好，此地最堪憐。」（何儔）等等。

石湖別墅

在蘇州西楞伽山（上方山）下，為范成大別墅。范成大，吳縣人，紹興二十四年進士，曾出使金國，不辱使命而歸，後任參知政事等職。詩作與陸游、楊萬里齊名。范成大在《御書碑記》中說：「石湖者，具區東匯，自為一壑，號稱佳山水。臣少長釣游其間，結茅種木，久已成趣。」《齊東野語》：「范公成大晚

歲卜築於吳江盤門外十里，蓋因闔閭所築越來溪故城之基，隨地勢高下爲亭榭。所植多名花，而梅尤多。別築農圃對楞伽山，臨石湖。」宋孝宗御賜「石湖」兩個大字。相傳越大夫范蠡在滅吳之後，由這裡入太湖隱退，故附近小鎮名「蠡墅」。湖東田圃相屬，水港紛錯；湖西山巒起伏，群峰映帶，有田園之美和山水之勝。范成大在《行春橋記》中寫道：「凡遊吳中而不至石湖，不登行春，則與未遊無異」。（《橫溪錄》）他歸隱此處之後，建「北山堂」、「千岩觀」、「天鏡閣」、「玉雪坡」、「錦繡坡」、「說虎軒」、「夢漁軒」、「綺川亭」、「盟鷗亭」、「越來城」等景觀，而以「天鏡閣」爲第一。范成大在《上梁文》中寫道：「吳波萬頃，偶維風雨之舟；越戍千年，因築湖山之觀」，可見自我欣賞和優遊自足之情。當時，楊萬里、姜夔、周必大等文人雅士紛至沓來，「皆爲文詞以侈之」，楊萬里盛贊其「山水之勝，東南絕景也。」周必大說：「吾行四方園池多矣，如薌林盤圃尚乏此趣」（《橫山志略》）；又說：「登臨之勝，甲於東南」（引同上）。隨著時代變遷，「石湖別墅」早已不復存在。明正德間，在石湖處建「范文穆公祠」。於行春橋西徙孝宗御書碑石置壁間，並書范成大田園雜興詩。清嘉慶初重建「天鏡閣」。現在，祠堂已修葺一新，陳列范成大紀念史跡。加之水光山色，旖旎秀美，依然是蘇州郊外的遊覽勝地。

范村

爲范成大蒔花處。史志載在西河上，實即在越城橋之東、石湖別墅之南。范成大《梅譜》云：「予于石湖玉雪坡，既有梅數百。比年，又于舍南買王氏僦舍七十楹，盡拆除之，治爲范村。」張大純《姑蘇采風類記》：「范村在越城橋東。」《石湖志略》

及《姑蘇采風類記》皆謂「以唐胡六子涉海所遇爲名。」中有「重奎堂」，堂奉孝宗、光宗兩朝宸翰。村內雜植衆芳，梅蘭尤勝。衆芳雜植處曰「雲露」，其後廬庵名「山長」，梅名「凌寒」，海棠名「花仙」，茶糜洞中名「方壺」。梅占全村面積三分之一，品種凡十二；菊品種計三十六。梅菊皆爲之譜，有《梅譜》、《菊譜》傳世。

畫錦園

在府學西南，尙書趙師罴所居。趙氏爲淳熙間進士，善畫花草，長期執臨安。園中有「聚奎堂」，奉高宗、孝宗、寧宗三朝宸翰；「榮桂堂」；「泰然堂」；「四支堂」、「玉輝堂」；「擬蓬堂」，此堂面對假山；「深淨堂」，前有蓮池，花竹；「雙清堂」，此處松梅相間。有「玉虹亭」；「錦霞亭」，前置海棠；「占春亭」，植四季花木；「霜林亭」，植洞庭甘橘；「采采亭」，繞徑皆菊；「桃溪亭」；「否莊亭」。有射圃名「吾善舟步放船」。有「好風景臺」，盡得吳中勝境。還有「宗表堂」、「與閑樓」等。「聚奎」、「玉輝」、「宗表」、「與閑」四區皆寧宗御題。

桃園（桃花源）

在吳江壚來秀里，紹定間陸大猷別業。大猷器識深宏，賦性閑雅，爲儒學提舉時，賈似道當國，見國事日非，遂自任歸，營建「桃園」。極林泉之勝，繞岸植桃數百株，名人往來，宴賞無虛日。中有「翠岩亭」、「嘉樹堂」、「佚老堂」、「問蘆處」、「翡翠巢」、「釣魚所」、「半畝居」、「樂潛丈室」諸勝，在明朝人的詩中此園已是「桃花流水洞中春，此地悠悠跡已陳」了。

蒙圃

陳之奇所居，有「歸來堂」、「醉吟堂」，方子通賦詩。

邵氏園亭

園址無考。梅堯臣有《邵郎中姑蘇園亭》詠及，詩寫道：「吟愛樂天池上篇，買池十畝皆種蓮。薄城萬竿作嬋娟，藤纜繫橋青板船。折腰大菱不值錢，鶄鶵鸂鶒沙際眠。水從太湖根底穿，月出洞庭山上圓。公歸與客相留連，秋風鶴唳春杜鵑。斑鱸斫鮑紅縷鮮，紫豉煮蒓香味全。我思白傅在三川，吳船雖有吳饌偏。當時九老各華顛，裴令來過吟復聯。至今怪石存舊鐫，七葉樹蔭黃金田。羨公有子勝昔賢，高門通車千萬年。」

張郎中園亭

張沔以刑部郎中直史館致仕，居吳中，梅聖俞、胡武平皆有詩。

千株園

在西山消夏灣。淳祐初年，宋宗室趙節齋種柑橘、讀書處。至明代此處題額「四聲齋」，清為禪院。清人多有題詠，如「山樓四面開」、「盤桓登小閣」、「淅瀝響千林」、「閣虛松竹庵」之句。

張處士溪居

在蘇州城郊山間。溪在園中，兩岸植竹，濃密蔽日，溪橋掩映於竹叢之中。又有繁花芳草，潔淨絕塵。王禹偁治長洲，過從甚密，他有詩寫道：「長洲懶吏頻過此，為愛山園有藥苗。」

樂庵

在昆山縣東六里園明村，侍御李衡歸老之地。李衡自題詩寫道：「四面開窗都見竹」、「更長睡足披衣坐，傾耳林間聽畫眉」。此園明朝時廢。

墨莊

在昆山車塘里東山上，為范良遂讀書處。有亭曰「墨莊」，面亭構閣名「雨花」。樓前有「半月池」，池北有「九龍井」，旁有「雙娥石」。當時題詠甚富。明朝已廢。

北園

在昆山漳潭，陳氏所構，水竹寬潔，亭館宏麗，亦稱「陳氏園」。

依綠園

在昆山巴城高墟。建炎初，梁人盛德輝任蘇湖撫諭，定居高墟，就其地為園，池臺竹石，極一時之盛，名流多題詠。明宣德中，其玄孫盛頤拓地修治。至清朝，園荒蕪。清人張潛之詩寫道：「山旁誰是名園主，認取黃泥一抔土。東風吹綠前溪水，茅舍幾家修竹里。七百年來野草荒，菟葵燕麥兩茫茫。溪頭不少青青竹，時有村翁來飲犢。」

西園

在昆山石浦，衛文節（涇）別墅。有「後樂堂」、「友順堂」等，園中多太湖石。遺跡明嘉靖時尚存，後廢。

西園

在昆山縣治，爲莫仲宣別墅。莫氏有住宅名「半隱堂」。韓
侂冑當國，莫仲宣居此十年不仕，自號「西園居士。」

櫟齋

在昆山石浦，衛湜築以藏書。據葉適《櫟齋藏書記》：「其
地有江湖曠逸之思，圃有花石奇詭之觀，居有臺館溫涼之適。」
明嘉靖時廢。

陳氏園

在昆山玉山鎮東城橋西，爲吏部郎中陳世昌園第，題額爲「
四時佳景」。

止足堂（鄭氏堂）

在昆山馬鞍山前，爲韶州知府鄭竦去官歸里後所築，名取「
知止知足」之義。園中有「退耕堂」，水竹環茂，可容數十客。
西偏有道院，植牡丹數百本。丞相葉夢鼎書園廳之匾爲「玉山佳
處」。

陳陸園

在張家港市南沙鄉，本爲春秋之際吳王鹿園遺址。宋時陳起
宗在此築「讀書臺」，陸縮作「待潮館」，園亦因此而得名。

翁氏園

在昆山縣治西，植木芙蓉甚盛。

孫氏園

在昆山縣治北。

洪氏園

在昆山縣治東。

水竹墅

在吳江同里，葉茵別業。園有十景：「曲水流觴」、「峭壁寒潭」、「安樂窩」、「野堂」、「竹風水月」、「廣寒世界」（多植桂樹）、「盟鷗」、「得春橋」、「賞心橋」、「尋源橋」。

五柳園

在太倉涂菘，隱士胡嶧遊息之所。嶧父子本在蘇州臨頓里有園，名「五柳堂」（即今之「拙政園」處），此為又一別墅。內有「如村軒」。元時正間園毀，其子百能致仕歸，復築「宜休堂」於其中。

光祿亭

在常熟虞山南五里，衢州知府張栩建。亭前有大杏一本，花特茂異，俗稱「杏花亭」。花時邑人遊賞不絕。後改為佛廬。

何子園亭

在蘇州郊外尹山，種植甚繁，牡丹多佳品，周益公嘗與崇福寺僧同游。

萬華堂

在蘇州資壽寺後，提刑藍稷所居。植牡丹三千多株，多爲洛中名品，如玉碗白、景雲紅、瑞雲紅、勝雲紅、間金之類無不有之。

漁隱——網師園、瞿園（亦作「蘧園」）、蘇鄰小築（清）——逸園（民國）

在鬪門西闊家頭巷。南宋淳熙初，吏部侍郎史正志（揚州人）歸老蘇州，費一百五十萬緡，在此建「萬卷堂」，築園名「漁隱」，意思是泛舟五湖，漁隱終老。史正志死後，售給常州丁季卿，丁氏有四子，分園爲四，園遂荒廢。

至清朝乾隆年間，光祿寺少卿宋宗元退隱，在此築園，重新規劃布置，名「網師園」。吳語稱漁翁爲網師，宋氏以此名園，亦寓漁隱之意。宋宗元死後，歸太倉瞿遠村所有。錢大昕曾爲之寫《網師園記》，記中寫道：「光祿既歿，其園日就頹圮，喬木古石，大半損失，唯池水一泓，尙清澈無恙。瞿君遠村……買而有之，因其規模，別爲結構，疊石種木，布置得宜，增建亭宇，易舊爲新。石徑屈曲，似往而復，滄浪渺然，一望無際。」有「梅花鐵石山房」、「小山叢樹軒」、「濯纓水閣」、「蹈和館」、「月到風來亭」、「雲岡亭」、「竹外一枝軒」、「集虛齋」等八處建築，名「蘧園」。園占地僅數畝，而有迂迴不盡之致。園中芍藥之盛可與楊州尺五樓相埒，文人雅士多來觀賞。同治年間屬李鴻裔，增建「擷秀樓」。因「網師園」和蘇舜欽的「滄浪亭」相去不遠，李氏曾自號「蘇鄰」，更園名爲「蘇鄰小築」。

民國六年，張作霖以此園贈其師張錫鑾，改稱「逸園」，後築「琳琅館」、「道古軒」、「殿春簃」、「蘿月亭」諸勝，別

饒風趣，其間尤以十二生肖疊石象形，爲他處所無。葉恭綽、張
大千曾一度分居此園。飼養乳虎，馴服不威，揣摩寫生。因此，
本已很少有人涉足的廢園，又常有詩人畫家光臨。

今「網師園」的規模、景物建築是「瞿園」舊物，保存著舊
時世家完整的住宅群和與之貫串的花園。占地僅九畝，精致玲瓏，
小中見大，在蘇州諸園林中，別具一格。現爲國家級文物保護單
位。

環谷

在蘇州西南堯峰山東，乾道間王玨因雙目失明罷歸，在此築
園，池沼花竹，奇石環繞。

道隱園

在洞庭西山林屋洞西。尙書李彌大罷官歸田園後所築。此園
置於山水之間，西則蒼壁數仞，洞穴呀然。南向爲「丙洞」，洞
東躋攀而上有「石室」，窈而深者名「陽谷」，緣山而東亂石如
群犀，似牛羊起伏，蹲臥左右，名「齊物觀」。再東有大石中通，
小徑曲而又曲，名「曲岩」。岩觀之前，大梅十多本，中有亭名
「駕浮」。園中又有庵名「無礙室」、「易老堂」，室取棲息學
易，忘年之老少之意。

鶴山書院

係魏了翁居第，爲宋理宗所賜，中有「高節堂」、「事心堂」、「
靖共堂」、「讀易亭」。

盤野

在吳江縣東門外學宮旁，廣約百畝，狀元黃由別墅，宋寧宗賜名。內有「共樂堂」、「聯德堂」、「茆堂」、「明月臺」、「擁書樓」、「墨莊」、「道院」、「三清閣」、「看街樓」、「如壺中天」、「露臺」，佳勝絕俗，著名於時。黃由當時有多首詩篇自詠，如「滿堂佳客滿園花」、「茆堂萬竹綠交加」、「參天檜柏自槎牙」等。清人徐崧亦有詩句：「頻年經此地，誰識舊名園？園亭吟歷歷，宸翰額煌煌。」

郭氏園

在飲馬橋西南，郭雲大夫所居，有池號「小滄浪」。吳夢窗有《聲聲慢·陪幕中餞孫無懷於郭希道池亭》等詞，多次提到郭希道園亭。《宋平江城坊考》以為郭希道「即郭雲本人，或其昆季子姓孫曾輩」。此園後為巡撫院後圃。

就隱

在吳縣華山，紹興間郡人張廷杰所葺。周必大《遊山記》：「漢卿既得華山就隱，刊剔巖竇，疏導泉源，佳花美木，四時皆有奇觀。」張氏自靖州推官歸隱，於此搜奇選勝，垂三十年，鑿池創亭，因阜立室，為吳門絕境。有「天池庵」、「臨賦亭」、「綠龜池」、「流愒亭」、「泓玉釣灘」、「綠淨亭」、「更好亭」、「宿雲庵」、「獨繡亭」、「繡屏」、「不夜關」、「大石屋」、「小石屋」、「花島」、「俯首巖」、「浮槎橋」、「龜巢石」、「翠壁」、「釣雲臺」、「雲關」、「張公巖」、「觀音洞」、「石鼓月」、「觀藹石」、「集仙壇」、「龜甲井」、「瑞澗」、「柳洲」、「曲水流觴」等三十二景，而「天池」為第一。張氏繪圖徵題，士大夫往賦詠，極一時之盛。然盧熊《蘇

州府志》稱其「山石粗獷，殊乏秀潤」。

三瑞堂

在楓橋，孝子姚淳所居。姚氏家世業儒，以孝聞於鄉里，其先墓曾有甘露、靈芝、麥雙穗之異，故名堂爲「三瑞」。蘇軾往來必訪之，曾爲賦《三瑞堂》詩，有「楓橋三瑞皆目見」之句。《中吳紀聞》說：「姚氏園亭，頗足雅致。」

楊園——正覺寺（竹堂寺）

在和令坊，紹興間宋將楊存中（追封和王）所建別墅，三十年居此。地近百畝，屋僅數楹，餘皆樹藝，絕類山居。元朝爲陸志寧寓館，既而捨爲僧寺，號「大林庵」。明初廢，永樂中滇南僧弘此宗再建，名「正覺寺」。亦曾爲參議丁元復別業。明人吳寬《正覺寺記》寫道：「志寧故大家，在當時園亭勝絕，尤好植竹，至今美種蔓延不絕。人猶以竹堂稱之。地既幽僻，入其寺，竹樹茂密，禽聲上下，如在山林中，不知其爲城市也。」後人有詩詠道：「名園隔代成僧舍，廢寺何人憶習池。」明朝祝枝山、唐寅皆曾讀書於此，當時石琴臺尚存。清初徐崧詠詩已是「和王別墅全無跡，陸氏高名久不知」。辛亥革命後，重建爲「西竹堂寺」，基地二百餘畝，爲姑蘇之著名梵音叢林。

祇園

在吳縣陸墓鎮，相傳爲紅蓮寺址，後更爲園居，易姓不一。後人題詩詠句如：「吳園蓮華寺，爲園已寂寥。闌殘幾片石，錯落數間寮。」「高梧陰井冷，小雨歇荷香。」「爲愛閑園勝，支公作退居。溪通池水活，門入徑橋虛。」

盧園（南村）

在蘇州西南越來溪西，盧瑢仕歸後所築。匾題「吳中第一林泉」，園中有御書「得妙堂」匾。有盧園三十詠，分別歌詠「南村」、「柴關」、「帶煙堤」、「佐書齋」、「吳山堂」、「正易堂」、「紫芝軒」、「瑞華軒」、「靜空軒」、「玉華臺」、「蒼谷」、「來禽塢」、「逸民園」、「植竹處」、「江南煙雨圖」、「香岩」、「湖山清隱廳」、「聽雪」、「傲蓑」、「得妙堂」、「雲村」、「香岩」、「玉界」、「古彥」、「玉川館」、「山陰畫中」、「杏仙堂」、「藕花洲」、「桃花源」、「曲水流觴」等。

徐都官山亭

在胥門外，徐祐之園居。杜祁詩詠道：「蘇臺徐園有七石」，有詠七石詩刻於石上，筆法清勁，勢若飛動。

石澗書隱——掃葉莊（清）

在府學西采蓮里，寶祐間，郡人兪琰傍石澗築園隱居。至其孫貞木仍居此，築「詠春齋」、「端居室」、「盟鷗軒」諸勝。貞木孫又築「九芝堂」。此園「列植以松竹果木，有井可綆，有圃可鋤，通渠周流，而僧龕漁塢映帶乎其右，旁舍之所聯屬，灣埼之所回互，石梁之所往來，煙庵水檻，迤邐繕茸，是則可舟可輿，可以觴，可以釣，書檠茶具，鼎篆之物亦且間設，環而視之，不知山林城府孰為遠邇。」（陳謙《石澗書隱記》）「有花卉竹石，園池室廬，真稱隱者之居。」（鄭元祐《題石澗書隱記後》）此園明朝廢為菜圃。清時醫師薛雪於此築「掃葉莊」以著書，樹木蓊郁，落葉封徑，行人迷跡，宛如空林。

定軒──復古桃源──桃花園

在吳江震澤，南宋末年禮部侍郎楊紹雲家園。中有「桃源洞」，廣數畝，異石林立。宋元之時，屢有增構。至明朝，先是沈有光在「桃源洞」處築園，引水為池，池北壘石為山，山不甚高，而嵌空玲瓏，幽然而回蔭，劃然而天開。園中老樹空心，堂軒臺榭，數十間之多，取名「復古桃源」。萬曆年間，諸生錢泊庵於此建「桃花園」，中鑿小池，外環幽竹，春時花光燦照，錢氏日與名流觴詠其中。至清朝，園荒蕪，僅存「桃花洞」。有人詠「定軒」詩寫道：「何處重尋工部軒，荒園亂石小桃源」。

宋代的官府和學校建築，園林化特點也十分明顯

府學

即今之文廟故址。文廟現為省級文保單位。府學當時占地一百五十畝，為范仲淹守蘇州時得「南園」東北一隅所始建。當時的構建格局是「廣殿在左，公堂在右，前有泮池，旁有齋室」。（朱長文《學校記》）嘉祐中建「六經閣」。元祐時，范仲淹之子范純禮又得「南園」隙地，建公堂廊廡，齋室共二十二，房屋百五十楹。南楹引煦日，北牖延清風，咸適其宜。當時，府學中有十景：「辛夷」、「百幹黃楊」、「公堂槐」、「鼎足松」、「雙桐」、「石楠」、「龍頭檜」、「蘸水檜」、「泮池」、「玲瓏石」等。建炎兵難，校舍毀廢。紹興年間，又建「大成殿」，繪兩廡像，創講堂，闢齋舍，規模宏敞，視昔有加，夸雄他邦。乾道時造「直廬」，淳熙時創「采芹亭」和「仰高亭」，在「六經閣」舊址建「御書閣」，奉宋高宗所賜御書。洪邁《御書閣記》說此閣「若飛從天外，行人駭觀，凝立如植」。又建「五賢堂」，祀陸摯、范仲淹、范純禮、胡瑗、朱長文。寶慶三年大風，殿閣

壞圮。以後又兩學田租金逐年修復。寶祐年間，拓地鑿池，作橋門，建「敏行齋」、「育德齋」、「中立齋」、「就正齋」、「隆本齋」、「立武齋」、「養正齋」、「興賢齋」、「登俊齋」，又建「成德堂」、「傳道堂」、「詠沍書堂」、「立雪亭」、「道山亭」等。

元明清三代對府學不斷修建，建築日益完善。校門臨通衢，衢南為平郊。左廟外為「靈星門」、入門為「洗馬池」，上有石橋，為五代時錢氏故跡。道左右有碑亭二。門內有廣庭高陛，有露臺、殿宇。右學外為「嘉會廳」，和學門相直，門前為「泮宮坊」。入門，東則「杏壇」，直北為「來秀橋」，入「鍾秀門」，路左右為「名宦祠」、「鄉賢祠」，又北為「范文正公祠」，又北「泮池」，上有石橋，又北「儀門」，門內有大池，上有長橋名「七星橋」。過橋，始至露臺，臺上有范仲淹手植柏樹一株。再北為「明倫堂」，堂後有「至善堂」、「毓賢堂」、「尊經閣」，閣後過「眾芳橋」，至「遊息所」，左「采芹亭」，有小池；右「道山亭」，前有大池。直北為「射圃」，中有「觀德亭」，又有池沼畦圃、長松古木等景觀。王鏊在《蘇郡學志序》中說「大成之殿，明倫之堂，尊經之閣，高壯巨麗，固已雄視他郡。其間方池旋浸，突阜錯峙，幽亭曲榭，穹碑古刻，原隰鱗次，松檜森鬱，又他郡所無也。」

府學就是「南園」部分故址所興建。清人徐崧的一首七律曾講可從府學去尋覓「南園」遺跡，詩寫道：「當年臺榭矗雲青，締構神奇似五丁。地為禽魚園更廣，天因草木露尤靈。春風妓舞花間席，夜月題詩水上亭。欲訪遺蹤何處覓，且從學圃按圖經。」

長洲縣治

在府治北三里，有「茂苑堂」、「歲寒堂」、「掬月亭」、「蟠翠亭」，尤以「茂苑堂」最具園林之勝。據米友仁《茂苑堂記》：堂之南植以嘉木修竹，奇芳蕙草，郁葱吐秀，森然敷陰，如在丘壑。邃深處與「茂苑堂」相直者名「百花亭」。堂之西名「尊美堂」，其北龜首名「維摩丈室」。北向聚群石如岩谷，名「綠野軒」。又南開竹徑，名「綠筠庵」。當時琴書雅玩，陳列其中。縣令每於此會集賓客，閱古賞奇，試茗烹飲，怡然自適。

吳縣治

在府治之西二里，原雍熙寺茱圃故址。大廳之西有「平理堂」、「無倦堂」。堂之西有「延射亭」。亭之南北，各有小山，山上有小亭，南名「松桂」，北名「高蔭」，其中「延射亭」尤勝。「延射亭」為天聖年間縣令梁允成所作。此處舊有「幽圃」，依基而建，占地五畝。宋人章珉在《延射亭記》中寫道：「蔭以佳木之清，畦以雜花之英，穿沼以類滄溟，築山以擬蓬瀛。」春華、暑風、秋英、冬霰，皆有所宜。縣令每於此宴集賓客，絲竹管弦，對弈品茗。《延射亭記》評價說：「雖洛中之季倫，山陰之辟疆，咸有名園，雅好賓侶，吾不知其彼為勝，此為劣也。」

有宋一代，寺觀建築中園林色彩比較顯著者當推「玉山佳處清真觀」（明朱希周詩句）。「清真觀」，在昆山山塘徑東，舊為「放生池」。宋乾道間始建，淳熙初，增置「三清殿」、兩廡、山門，後又建「昊天閣」。元代初年，觀毀，以後陸續重建或新建「三清殿」、「玉皇閣」、「方丈」、「靈星閣」，修「太乙祠」、「二聖祠」、「梓潼祠」三祠，又鑄鐘建樓。明代建「真武殿」、「玄壇廟」，並將諸殿修葺一新。又建「竹洲館」。東

為「放生池」。「玉皇殿」前有南北二閣，閣皆跨池，池上有石橋，名「飛虹」，橋上有「放生亭」。右北廊第一房為「天師殿」，北廊第二房為「仙人殿」，北廊第三房為「太乙殿」，又建「賢聖行宮」、「文昌閣」、「集仙館」和「斗姥殿」。「玉皇殿」後植銀杏，高可參天。對「清真觀」詩人多有記遊描繪，如「疑分疑幻海中洲，只恐人間無此謀」（祝允明）；「面面清池闊，層層翠桂稠。短薄荷與嫩，狹徑竹能幽。」（盧蒲江）「亭臺日暖青楓影，池閣風輕碧水紋。」（朱希周）因此朱希周贊嘆道：「城中哪有此，一到一遲留」。**梅隱庵（一名「靈瑞園」）**亦具園林之勝。開禧年間，在瑞光寺之右鍾氏捨宅所建。歷代屢有修茸，至清仍盛。朱載輪有詩詠道：「精舍環流水，層陰散一園。為尋從桂約，得共老僧論。」

元朝時期（1279—1368）

　　元朝統一中國，民族矛盾和階級矛盾尖銳，社會經濟的發展受到影響。從全國看，園林構建大不如前，除大都（北京）帝王宮苑外，私家園林數量不多。而蘇州，地處江南，所受干擾較小，造園之勢不僅未見銳減，鄉村反呈增加之勢。據統計，元代蘇州園林約四十處，在府城者不足十處，其餘皆在今日蘇州所轄縣（市）地域內，而且在具體構築上也出現了新特點。當時一些有氣節的知識分子不服於蒙古貴族統治，多借筆墨抒發內心憤懣，於是「文人畫」大爲發展，且有些畫家參與了造園活動，使蘇州古典園林達到了一個新水準。

靜春別墅——適園（清）

　　在吳淞之濱蛟龍浦之赭墩，元初高士袁易隱居之所，有「靜春堂」，因稱其爲靜春先生。此園煙波環繞，田疇沃衍。園中甃水成池，周於四隅，累石爲山，雜樹花竹。堂中有書萬卷，皆袁氏親手校定。趙松雪慕靜春先生高節，嘗爲繪《臥雪圖》。此後袁氏後裔世居於此，遂名「袁村」。清末詩人袁學瀾即其嫡傳子孫，學瀾依然在此築園名「適園」，日吟詠其間以自娛。他有詠詩「靜春別墅」：「環流曲沼柳垂陰，疊石成山雲補隙。落花日靜好詩成，乳燕春深幽興劇。車馬無喧晝夢長，蝶蜂聚影林香積。」

松石軒

在蘇州城正中，元初爲參政朱延珍宅園。鄭元祐《松石軒記》說：「中吳在宋爲畿甸，至今荒園廢宅一毀於劫灰者在在有之。若夫松之爲貢，棟樑榱桷無不可者，至乃蟠紐詰屈，懸根獻秀，始以松爲園池亭沼。」而朱延珍之「松石軒」則「深沉宏敞」、「古松蛟騰，怪石鵠峙。」著名書法家參知政事周伯琦爲題匾。

芙蓉莊──碧梧紅豆莊、紅豆山莊（明）

在常熟白茆，本名「芙蓉莊」。始建於宋末元初，明宣德間爲顧立別業。嘉靖間其裔孫、山東副使顧玉柱添植碧梧桐於莊中。嘉靖末次子耿光從海南移植紅豆樹於莊中，遂改名爲「碧梧紅豆莊」。明末，顧氏外孫錢牧齋與其妾柳如是先住城裏「絳雲樓」，後因柳不耐城市塵囂，遂移居「碧梧紅豆莊」，夫妻恩愛，詩酒自娛，朝夕流連於紅豆樹下。樹中一大可合抱者，數十年一花。錢氏八旬生日時，適逢紅豆再次開花吐艷，錢遍請詩壇名流，前來賞花吟詩，一時文彩風流盛況空前，傳爲文壇佳話。時人遂將「碧梧紅豆莊」改爲「紅豆山莊」，「紅豆山莊」之名乃名聞遐邇。清初尤侗在《遊虞山記》中寫道：「莊外有綠柳長堤，柳花古岸，墓門石馬，麥隴泥犁。莊內有草堂、竹樹、曲水、斜橋，春鳥亂啼，落紅滿地。」莊後廢。紅豆樹歸徐姓村農，徐姓又賣給富戶某氏，一九四九年以後，樹歸公，現砌圍牆保護。

目瀾洲

在吳江盛澤鎮之南。這裡本有一古寺，建於元至元十四年（西元1277年），因旁有蓮花池，鄉人死後無處安葬，皆投屍於內，故名「骨池庵」。元至正間易名「園照庵」。又因它四面皆水，波瀾在目，所以亦稱「目瀾洲」。後來書畫家沈周在其詠詩中又

易名爲「木蘭洲」。此處歷來爲文人墨客詠詩唱和、揮毫作畫之所。如沈周有詩詠道：「目瀾識是木蘭洲，我夢時時一遠遊。今日問僧方證定，滿家水竹似丹丘。」明宣德八年（西元1437年）和嘉靖二年（西元1523年）曾經重修。至民國時，原有建築大部圮廢，乃在此基礎上建爲公園。一九七九年又加擴建，面目煥然一新。

「目瀾洲」分爲內外兩園，內園即爲「園照庵」遺址。四周環以小溪，溪中遍植荷花。每至盛夏綠葉紅花，荷香撲鼻。園內花木遍植，各式盆景點綴其間。走道兩旁多青樹修剪整齊。幾株百年塔柏，粗幹尖頂，宛如寶塔。東側「園照堂」，俗稱「四面廳」，係民國時改建。它四面玻窗，周以迴廊，遊人品茗其中，望湖水浩渺，覺神清氣爽。廳後龍柏兩株，鬱鬱蒼蒼，亦是百年老樹。園西原有一棵五百年前古樹，樹身需四人合抱，可惜二十年前毀於颱風。其左尚有百年黃桷樹，枝葉茂盛，樹周築一平臺，置以靠椅，以供遊人納涼歇息。平臺旁立一明正德元年（西元1506年）所勒《園照庵記》石牌，詳細記述「園照庵」的歷史沿革。「目瀾洲」最南端有一臨水而築的長堤，西半堤垂柳如絲，水影似墨；東半堤遍植紫藤，參差有致，均有幾百年的歷史。這些古藤盤根錯節，枝蔓繁出，每年四月，藤架四週紫色一片，堪稱目瀾一絕。

「目瀾洲」「開洲水中央，四面水如鏡；忽然微風起，瀾生波不靜」（沈周詩句），自然環境十分優雅，且園內尤多古樹名木，古野之趣令人留連忘返。

獅子林

在城東北隅潘儒巷。本爲前代貴家別業，元至正二年，天如禪師的門人惟則請朱德潤、趙善良、倪元鎮、徐幼文等共商疊成，

以居其師。占地十餘畝，屋宇二十間。倪元鎮爲之繪圖，後人有的因之以爲「獅子林」爲倪元鎮所造，實是一種誤解。天如禪師俗姓譚，永新人，在天目山獅子岩師法中峰禪師。當時江浙名刹屢請其住持，他堅卻不肯，而遁跡松江九峰間十二年，以後來蘇州建菩提正宗寺。「獅子林」則爲該寺一部，是天如禪師談禪靜修之處。對於「獅子林」的情況，歐陽玄《獅子林菩提正宗寺記》記之甚詳。林中有竹萬竿，竹下多怪石，石或跂或蹲，狀如狻猊（獅子）者不一，「獅子林」之名由此而來。據顧頡剛《史志筆記》引邑人吳瞿庵考證：「獅子林爲朱勔從太湖運來之石，未及送汴而徽欽北去，乃留蘇州，及宋亡而寺僧築園。」林中地之隆阜者叫山，山有石而崛起者叫峰，計有「含暉峰」、「吐月峰」、「玉立峰」、「昂霄峰」，其中最高狀如狻猊者名「獅子峰」。「玉立峰」前有舊屋遺址，容石凳，可座六七人。即其地建「棲鳳亭」。「昂霄峰」前地勢窪下，便浚爲澗，上作石樑名「小飛虹」。寺前後左右，竹與石居地大半，而崇佛之祠，止僧之舍，延賓之館，積香之廚，都按照叢林規格構建。外門匾額爲「菩提蘭若」；安禪之室叫「臥雲」；傳法之堂叫「立雪」；有柏名「騰蛟」，就地建有「指柏軒」；有梅名「臥龍」，就地建有「問梅閣」；竹間結茅叫「禪窩」，亦即「方丈」。另有「玉鑑池」、「冰壺井」、「修竹谷」、「大石居」諸勝。湖石玲瓏，洞壑宛轉。上有合抱大松五株，因之又名「五松園」。這些構築，多是因勢就形，也得力於智巧經營。惟則禪師曾有《獅子林即景十四首》詠之。但是，歷來論者對獅子林的疊山褒貶不一。袁學瀾在《獅子林記》中說：「石之奇，爲吳中冠。」《紅蘭逸乘》贊之爲「玲瓏奇險，得峨嵋雁宕景趣。」《而浮生六記》則說它「石質玲瓏，中多古木，然以大勢觀之，竟同亂堆煤渣，積以苔蘚，

穿以蟻穴，全無山林氣勢。以余管窺所及，不知其妙。」

元末，潘元紹居此。明初高啓《獅子林十二詠序》寫道：其「規制特小而號爲幽勝，清池流其前，崇丘峙其後，怪石嶙崒而羅立，美竹陰森而交翳，閑軒淨室，可息可游，至者皆棲遲忘歸。」明嘉靖間園廢，復爲貴家所占。萬曆二十年，僧明性奏本皇上，修復一隅，名「聖恩寺」。建「普光明殿」，用以藏經，清乾隆十二年，杲徹上人重修大殿，聿新三門。乾隆南幸，親臨此寺，敕名「畫禪寺」，並築牆把佛寺和園景隔開，園景範圍約今中部山池一帶。至清中葉，園中疊山手法與建園初期迥異，爲休寧黃雲衢（乾隆十年進士）兄弟居第，更名爲「涉園」。此時的「獅子林」「疊石聳峭，峰巒起伏，洞岩奧窔，玲瓏透闢，陽開陰闔」（袁學瀾《遊獅子林記》）。以後園又荒廢。民國七年，歸蘇州貝潤生，貝氏花了九年時間，耗資七、八十萬銀元進行改建。對舊有的「指柏軒」、「問梅閣」、「臥雲閣」、「立雪堂」諸勝，皆循故址重建。此外，堂廡樓臺館閣，亭榭池沼，皆隨地點綴。其新建景點計有「湖心亭」、「九曲橋」、「石舫」、「荷花廳」、「見山樓」、「五松園」、「飛瀑亭」，四圍長廊及廊壁之《聽雨樓藏帖》、乾隆御碑、文天祥詩碑等。當時，向四周擴大了園址，掘池積土而成西面土山，並以東部爲宗祠，把陰宅和陽宅聯在一起，始成現狀。民國二十六年，日軍占蘇州被占爲招待所，以後爲汪精衛別墅。

1954年經整修正式對外開放，現爲省級文物保護單位。

小丹丘

在天心里，至正末陳基所構。陳基爲浙江天臺人，爲官蘇州，欲歸老於家而未能，因之，「姑以治吾之園圃，潔吾之庭宇，修

補敝壞，爲苟完之計，而日放情肆志於其間，悠悠然與浩氣俱，栩栩然與造物遊。」（戴良《小丹丘記》）

耕漁軒——鄧尉山莊、耕漁軒、見南山齋（清）

在吳縣光福西，元末明初里人徐良甫（達佐）所居，此軒之旁，徐氏尚建有「邃幽軒」。畫家倪雲林爲繪《耕漁圖》並題詩，詩中有言：「林廬田圃，君子攸居。」所交皆名士，題詠甚多，輯爲《金蘭集》。景泰中，其曾孫季清復於軒左構「先春堂」，坐而四望，左鳴鳳之岡，右銅井之嶺，鄧尉之峰崎其上，具區之流匯於下，扶疏之林，葱蒨之圃，棋布鱗次，映帶前後。冬春之際，松筠橘柚，青青郁郁，梅花萬樹，芬敷爛熳。在元明間和倪雲林「清閟閣」、顧德輝「玉山佳處」鼎峙而三。

後久廢圮。比鄰有林亭池館，頗饒幽趣。至清嘉慶初，海寧查世炎（澹余）以厚値一并購得，重加葺治，釐爲二十四景，各被嘉名，極盡園林韻事，易名「鄧尉山莊」。入園，叢木蓊鬱，曲徑透迤，中有廳事五楹，儲父祖遺存古籍，名「思貽堂」，翰林侍講、名畫家梁同書爲書匾。堂後峰巒排列，奇詭不可狀；別有英石一峰，峻嶒秀削，進士潘榕皋爲題「小縐雲」。群峰之北，巍然而高者名「御書樓」，因收藏祖父受皇帝所賜書畫而得名。樓東多古樹，因樹爲屋，名「靜學齋」，雍正皇帝未即位時書額。西北有迴廊盤桓，名「月廊」，取楊萬里「月到西廊第二間」意。循廊以達於斗室，名「寶禊龕」。壁上嵌刻隋開皇本《蘭亭集序》石刻。後所隙地，可藝蔬果，名「蔬圃」。面圃開軒，仍徐良甫遺跡爲「耕漁軒」。軒外柳堤迂曲，有裊裊依人之戀，名「楊柳灣」。高閣淩虛而起，名「塔影嵐光閣」，塔在「龜山」之麓，七十二峰亦隱可望。西有小樓相連屬，名「澹慮椽」，隔窗看山，

翛然物外，正合韋應物「青山澹吾慮」之意。東爲收藏書畫之所，名「讀書盧」，觀畫養性，最宜消暑。稍南，有池水一泓，澄清爲鑑，名「釣雪潭」，倚檻觀魚，令人作濠樸間想。潭上可憩息者，右名「銀藤舫」，檐際古藤糾結，綠陰如幄；左名「秋水夕陽吟榭」。臨水而南者，名「金蘭館」，因徐良甫曾輯賓朋題詠爲《金蘭集》而得名。潭水折而北流，有石樑橫臥其上，名「鶴步碕」，石窄而長，僅容人趾。碕東有亭，居土阜之巓，名「石帆亭」。亭旁有坦坡，蜿蜒而西，種梅數十本，名「索笑坡」。坡上小築三間，名「梅花屋」。花時，主人每擁爐讀史於此。由坡而升，名「聽鐘臺」，遙聽山寺鐘聲而自省。自臺而下爲「無棣傳經室」，乃主人查氏少長山東無棣，與諸兄弟同窗學經，今棣華凋謝，追念手足之情，因命是名。迤西爲逃禪處，名「春浮精舍」，主人不信佛而喜讀梵書於此。南結槿籬爲藩蔽，修竹萬竿，不露曦影，中藏清涼世界，名「竹居」，凡戶牖几案之屬，皆竹爲之，實爲異境。至此，園中勝概，如季札觀樂，嘆爲觀止。

「鄧尉山莊」歷時不長，查氏即鬻材返浙而去，而榛莽茅茷漸生。吳縣馮桂芬就其址築園，沿用徐良甫而名「耕漁軒」。後又爲葉楠材得「遂幽軒」故址而重葺，擴大原來庭院，龜山儼然在望，故易名「見南山齋」。園庭結構精巧，庭中疊石蒔花，瀟灑可意，左右兩廊，朱欄碧檻相映。右廊微廣，因結爲斗室，可以調琴，可以坐月。又栽桃樹，花時紅朵爛熳，悅人心目。咸豐年間毀，又再建，然不復有園林規模。

玉山草堂

在昆山正儀鎮，顧德輝（字仲瑛）別墅。顧氏本有宅第，又爲園池墅，治屋廬於其中，亭館凡二十四處，其匾額題卷皆名公

巨卿高人韻士口詠手書。元人鄭元祐《玉山草堂記》寫道：「其幽閑佳勝，繚檐四周盡植梅與竹，珍奇之山石，懷異之花卉，亦旁羅而列。堂之上，壺漿以爲娛，觴詠以爲樂，蓋無虛日焉。」前有軒名「桃源」，中爲「芝雲堂」，東爲「可詩齋」，西爲「讀書舍」。後之館名「碧梧翠竹」，亭名「種玉」，又有「浣花館」、「鉤月亭」、「春草池」、「雪巢」、「小蓬萊」、「綠波亭」、「絳雪亭」、「聽雪齋」、「百花坊」、「拜石壇」、「柳塘春」、「金粟影」、「寒翠所」、「放鶴亭」，總名「玉山佳處」。「拜石壇」，本爲揚州王某家中物，上有蘇東坡題識。仲瑛以粟易歸，立於亭，並砌石爲壇，某博士見而奇之，再拜而去，因名爲「拜石」。另有「書畫舫」，仲瑛每與新朋舊雨詩酒於此。張大純《姑蘇采風類記》稱其「園池亭樹，賓朋聲伎之盛，甲於天下」；又說園亭詩酒稱美於世者，僅山陰之蘭亭、洛陽之西園。而蘭亭清而隘，西園華而靡。清而不隘，華而不靡者，唯「玉山草堂」之雅集。

明嘉靖年間，魏恭簡在「玉山草堂」故址築第講學，亦聞名四方。至倭寇入掠，園廢。

南園

在太倉沙溪，又名「墨莊」，爲昆山人瞿智（惠夫）所居。秦約《過南園》詩詠道：「古鐵塘西博士家，高軒瞰水築新沙。階頭雨長青裳草，池裡風搖白羽花。」

萬玉清秋軒

在吳江同里，江浙財賦司副使、里人寧昌言別墅。中有「歲寒屏」，屏北有「蒼篔谷」、「來鶴亭」、「橘圃」。北爲「芙

蓉沼」，沼上有「菊坡」，坡有「金粟塢」，塢南爲「碧梧岡」。
梧下結室數楹，左藏圖書，爲「師古齋」；右可偃息，爲「棲雲
館」。後人周敘《題寧氏萬玉秋軒圖》寫道：「別墅遙從天上開，
竹間處處起樓臺。歲寒屛古蒼松老，來鶴亭深碧澗回。亭前橘柚
千株繞，圃上芙蓉蔭芳沼。殘荷細卷玉露清，疏柳低垂紫煙凝。
長坡迤邐籬菊芳，花開三徑如紫桑。萬斛香生金粟塢，滿庭陰繞
碧梧岡。」劉溥題詠詩更是贊賞之至，寫道：「名園占奇勝，萬
玉含清秋。主人契幽賞，賓從迭追游。高軒以蓬壺，木石擁滄州。
金谷差可仿，綠水安能儔。」劉鉉詩亦贊道：「數畝園林占清勝，
四時景物夸奇妍。」

小瀟湘

在吳江長橋南，寧伯讓所居，林館臺沼，煙雨時可入畫圖，
故有是名。明萬曆中，光祿丞沈璟葺之爲八精舍，爲「滌元齋」、
「淨因樓」、「篆月廊」、「半榻庵」、「琴居」、「脩然閣」、
「峭蒨」、「間延墩」。後又歸太學生周道登，增構亭閣，景物
爲東城之勝。後漸荒蕪。至清光緒時僅存遺址。

谷林

在常熟城西虞山南麓，爲參議虞似平之園。有「翠微亭」、
「退耕亭」等構建。

來鶴園（五曲溪）

在太倉城外，張寅園第，周圍有溪五曲，風光甚美，中有屋
宇若干，屋至民國時猶存。

緩山宅

在洞庭東山幹山下嶺下，爲王鵬隱居處，有荷池、松林、竹園之勝。

徐清寧庵

在吳縣張林，西山大德甲辰葺。鑿池屈曲，引流種樹，前列二亭，左名「怡閑」，右名「蒙泉」。

樂隱園

在太倉沙溪鎮，左近市廛，古爲郊野，爲瞿逢祥（孝禎）隱居之處。今遺址即木杓濱。

束季博園地

在文廟前，園中有「東塈」、「第一流溪」、「釣臺」、「雲關」諸勝。

花園堂（朱清園）

在太倉，皆朱清園第。朱清有詩描繪道：「家園萬卉鬥芳菲」，「曲曲闌干張翠幕」，「啼鳥歌聲繼絲竹」。

梧桐園（洗梧園）

在常熟北十八里陸莊橋，鄉富室曹善誠建於宅第之園。曹氏世居常熟，以資雄於吳中，歲收租三十六萬石。早歲即爲園池，有池亭名「清如許」。後又闢「梧桐園」，園中種梧百本，朝夕洗滌，故又名「洗梧園」。曹氏盛時，園池之勝甲於江左，服物飲饌，務極奢侈，文人雅士多薈萃於此，有人將此園比之爲石崇

之「金谷園」、王維之「輞川」。《輟耕錄》：「浙江園苑之勝，惟松江之砂瞿氏爲最古……；次則平江福山之曹、橫澤之顧；又其次則嘉興魏塘之陳……」時人有詩詠道：「虞山相對南沙口，曲曲雲林似輞川。隔岸花飛一片片，開門清竹雨涓涓。」曹氏曾邀倪雲林往看荷花，倪氏登樓之後，僅見空庭。飯後再登，俯瞰方池，已見荷花怒放，鴛鴦游水，倪氏大驚。此乃主人予蓄盆荷數百，庭深四尺，通以小渠，花滿決水灌之，復入珍禽野草。有若天然。又嘗邀楊鐵崖（維禎）往看海棠，楊至不見。少許出女妝一隊，約二十四姝，悉茜裙衫，上下一色，絕類海棠，謂爲「解語花」。此乃園林之別一格局。園經元季兵燹而毀，僅存假山石塊，爲他人分取，亦有沒入土中者。長洲劉溥有詩寫道：「歌舞當年姿逸遊，不知何物是閑愁。如今桐樹無人洗，風雨空山幾度秋。」

姜園

在張家港市楊舍鎮，今市建設委員會內，元明之際顧氏別業，俗稱「顧家花園」。至清康熙時顧氏後裔、進士顧元馴重構。中葺茅舍，外環深池，修竹千竿，古梅百本，雜花間蒔，眾果繁生，爲四方名士集遊之所。後漸廢，至嘉慶中，尚存宋元梅數本。庚申年毀於兵火。趙翼曾有詩詠道：「平壤無山水，爲園仗樹多。喜茲三畝地，竟有百年柯。矮柏臂旁攫，高藤尾倒拖。稍芟蕪穢去，亦足寄清哦。」

笠澤漁隱

在昆山吳淞江濱，陸龜蒙九世孫陸德原築。中有「杞菊軒」等。張適在《題笠澤陸氏隱居》中詠道：「隱居何處所，笠澤水

西偏。贍俗田千畝，容身屋數椽。桂陰侵座薄，柳色映窗妍。軒幕花前霧，亭分竹里泉。澗深忽見日，林茂欲無天。石壁琴常潤，書床硯已穿。俯池崖欲墮，登樹薜相牽。瓶貯滋花水，帘通煮茗煙。蓄書千卷足，課子一經傳。字罷臨流憩，公餘選石眠。」「弈客爭饒子，琴僧上斷弦。尋山穿雨屐，看竹棹孤船。」可見園景和主人悠遊之一斑。

千林園

在昆山，僧乘白雲所居。

秦氏園

在昆山，秦約築，內有鶴冢。

朱氏園

在昆山，朱士隆築，內有義冢。

慕家園

在昆山馬鞍山，太常卿夏某仕歸遊樂之地。

丘家園

在吳縣馬跡山大墅灣。明初丘某隨朱元璋討伐陳友諒，功成而不受封，客死京師。成書於康熙時的《林屋民風》說「其園尚存」。

周氏園

在太倉雙鳳，周賢所築。園廣二十多畝，茂林修竹，映帶左

右。有「懷遠亭」、「守玄亭」、「晚翠亭」、「采芝臺」諸勝。時人詩詠甚多，如「林徑草香花落盡」；「岸幘穿幽徑，從芳行愈深。松擎雲外幹，風起日邊音。對竹頻呼酒，臨泉一洗心」「紫石梁懸窄徑回，龍池長抱采芝臺。東家叢竹無人剪，南圃新花冒雨栽。」

怡園

在太倉塗菘，周豫建以怡親。龔翊有八景詩詠之。

桃園小隱

在常熟虞山北郭，本徐壠在此築宅，其後人徐彥弘又築「桃源小隱」。徐氏向為海虞望族，方其盛時，衣冠文物，室廬園池之勝，甲於他族。面山有堂名「致爽」，堂前花石森植，一時名公巨卿，琴詠之樂，殆無虛日。

城南佳趣（虞園）

在常熟東偏芝溪上，元末虞子賢建以蒔花。園極大，綿亙七里。有房三十楹，各題詩其上，松竹花卉環列左右，宛若山林。

水花園

在吳江同里，葉振宗所居，廣數里。中有「聚書樓」、「約鷗亭」、「小垂虹」，池閣石樑，映帶左右。明洪武年間，俱投入官，遂廢為漁叢。

南村

在吳江綺川，元宋隱士張儁所居。中有「素心堂」、「陶庵」

「茗翠館」、「雪份亭」諸勝。明洪武中人官。

漁莊別業

在姚城江之北，元末王雲浦所葺，倪雲林爲作《漁莊秋色圖》。

灰堆園

在吳縣風池縣魚城橋東北。

盧氏山園

在蘇州西南橫山下，元臨安縣尹盧廷瑞別業。中有八景：「越溪春水」、「柳洞啼鶯」、「分水鐘聲」、「上方塔影」、「石湖秋月」、「城灣古桂」、「橫山雪霽」、「吳嶺梅開」，當時題詠甚多。

程園、葉園、俞家園

均在蘇州城內。

明朝時期（1368—1644）

　　明朝，中國封建社會已經進入晚期。其中期之後，資本主義因素開始萌芽，經濟進一步發展，造園之風更盛於前，其中尤以北京、南京、蘇州爲盛。當時蘇州的繁榮情況，明人王錡在《吳中繁華》中寫道：「閭閻輻輳，綽楔林叢；城隅濠股，亭館布列，略無隙地；輿馬從蓋，壺觴撰盒，交駛於通衢永巷中，光采耀日；遊山之舫，載伎之舟，魚貫於綠波朱閣之間，絲竹謳歌，與市聲相雜。凡上供錦衣文貝，花果珍饈，奇異之物，歲有所益。」其時，蘇州府在所擁戶口人數與歲供京師糧餉等方面，亦居全國一百五十九府之首。此時第宅園林累計有二百七十多處。王世貞《遊金陵諸園記》中共列舉園林三十五處，而太倉一縣之地就有十多處。當時，賦詩飲酒的園林生活，已經成爲士大夫雅好。因之，明代園林較之唐宋其活動內容和範圍都要廣得多。蘇州，由於生產發達，文化水平較高，學而優則仕者頗多，達官貴人、文人雅士，或世居或流寓，多愛在「天堂」建園置宅，以求身居城市而享山林之怡。《吳風錄》寫道：「吳中富豪，竟以湖石築峙奇峰隱洞，鑿峭嵌空爲絕妙」，同時，「雖閭閻下戶，亦飾小山盆島爲玩」。因此，明朝中葉之後，蘇州形成了造園新熱潮。除前邊述及的原因之外，有兩個很重要因素，推動了蘇州造園技藝的新變化和園林質量的提高。一是沈周、文徵明、唐寅、仇英四大畫家的出現。這四位畫家是明中葉國畫界最具有代表性的人物，被稱爲「明四家」。他們不受當時流行的山水畫派影響，敢於上追

唐宋名作，擷取其精華而另闢蹊徑，形成了吳門獨有的畫風。當時的吳門畫家或他們的子孫，很多人在造園中顯過身手，無疑，他們的繪畫理論或技巧都直接或間接地運用到造園之中。二是造園專著的出現。吳江人計成是傑出的造園藝術家和理論家，他所著《園冶》一書，從園林總體規劃到個體建築設計，從結構構架到建築裝修，從景境的意匠到具體手法，涉及到園林創作的各個方面。文徵明曾孫文震亨所著《長物誌》，把山水畫的原理，運用到造園藝術的設計，對園林中池、瀑、泉、水設計，以及湖石運用的論述，獨具卓見，也是造園史上不朽傑作。這兩部出自蘇州人手筆的園林巨著，是對以蘇州園林為主的造園經驗的總結，也必定推動蘇州造園水平的新發展。

春錦園

在王府基後，時張士信因宮闕未備而暫居此。

葉唐夫宅

在江村橋，洪武年建。其自詠詩寫道：「家住夕陽江上村，一灣流水繞柴門。種來松樹高於屋，借與春禽養子孫。」

張氏梅園

在安齊王廟西，明初，詩人楊維楨寓居處。其門人張識種梅於此。天啟初，顧大任得之。建「小吟香閣」，俗呼為「酒釀樓」。後屢易其主，繼為詩人范起鳳結社。

東園

在吳縣甫里眠牛涇，永樂年間馬文遠（昺）所築。中有佳石

名「翠雲朵」，主人日與朋友詩詞唱和於此。

槐樹園

在南倉橋西，皇甫信所治。

廢園

在桃花塢。桃花塢自宋代起即多園第，至明清兩代仍盛。嘉靖間有碑寫道：桃花塢為吳門最盛處，臺榭花竹，園林蔬圃，號稱極盛。入大營門數百步，過「雙魚池」，繞西而進，有地一方，深廣二畝餘，四圍流水，界絕塵境。又塢中最勝處為里人陳蒙等所建「周神祠」和明末昆山人呂貞九所築「小桃源」。呂氏退隱後又建「采香庵」，另有「更好軒」、「荷花池」、「碧藻軒」、「寄茅盧」、「拜石堂」、「桃花塢」、「旃檀庵」、「桂香精舍」、「走馬樓」、「鴨欄橋」、「楊柳堤」諸勝。

「廢園」是永樂年間養真老人沈均遁迹之所。有「鎖煙亭」、「鏡心池」、「聞香室」、「環翠軒」、「棲鶴樓」諸勝。清初歸謝氏，乾隆初改築「來燕堂」、「賦雪草堂」、「書葉軒」。又在「棲鶴樓」舊址建「望炊樓」。

辟疆館

在和豐坊五顯廟南偏，正統年間郡守況鐘私第。況鐘治蘇，「以五顯王靈異，三禱旱潦皆應，請於朝為重興楹桷，落成後，甃井得斷石為『辟疆東晉』字。」（《況太守集》）遂以為此處為東晉顧辟疆故地，因此，亦名其私第為「辟疆館」。此館有山池之勝，「青葱蓊藹，竹木明瑟，為薄書蕭閑地。」（引同上）況鐘常於此與賓客論政事，亦時而為小詩。

葑溪草堂（天賜莊）

在葑門內姜家巷，亦名「天賜莊」。約正統、景泰時，長洲韓永熙（雍）所居，溪流環繞，宅東有園。韓雍爲正統進士，授御史，官兵部右侍郎等職。韓雍曾和徐有貞、祝顥、馮定、劉珏等友人聯句於園中。其詩句「波光動園林，野色到城市。池深魚影晦，林密鳥聲喜」等，可見草堂一斑。

墨池園

在清道橋南孔副司巷，爲侍郎孔鏞園居。孔鏞，長洲人，景泰時進士，曾做廣西按察使。園中有池名「墨池」，傳爲蘇文忠公曾洗硯於此，因有是名。園中有「碧漣亭」。至弘治、嘉靖年間，皇甫錄及其子沖、涍、汸、濂居此，有「晨熹樓」、「梧亭」等建築。明末歸周嘉定。清初割嘉定宅爲南織造局，其餘爲李之先得而爲園。舉人朱綬又得李氏園之一隅爲園居。園中水木清華，池水一泓，廣可及廟，喬木五六株皆百年物，屋皆繞池，軒戶洞達，池旁有隙地，雜植花竹瓜蔬之屬。

南園

在吳縣唯亭陽澄東湖，爲鄭景行園居。前臨巨浸，後据高邱，聚奇石爲山，環以花竹。有「擷芳徑」、「觀魚檻」、「聽鶴亭」等。

寄傲園

在齊門外，長洲劉廷美所構，園中累石爲山，故又名「小洞庭」。劉氏工書畫，郡守況鐘聞其才，舉爲吏，不就。「寄傲園」頗多幽勝，嘗仿「盧鴻一草堂圖」厘爲十景，爲「籠鵝館」、「

斜月廊」、「四嬋娟室」、「螺龕」、「玉扃」、「嘯臺」、「扶桑亭」、「衆香樓」、「綉鋏堂」、「旃檀室」。

徐園

在府學西，御史徐源燕息之所，可盡攬「南園」之勝。

夾浦書屋

在瓜涇，徐源別業，有池館林泉之勝。

田氏園

在太倉州治，故鎭海衛田千戶築。園中壘土石爲丘，高尋丈，甚廣袤。有太湖石數峰，亭館橋洞畢具，有大樹十餘章，一望美蔭。池岸環垂柳，水亦渺彌。後屬大司馬凌公，不復修治。再後歸楊氏，樹仍鬱茂，臺榭亦頗修備。

楊氏日涉園

在太倉州治後西偏，故都督尙英所築。前棹楔，左亭，右榭，中涼堂。由回廊達便房奧室。園中列太湖靈壁峰石，竹木蔬果以次植。後園轉售他人，不稱遊地。

吳氏園

在太倉州南稍西，太學吳雲翀宅後讀書處。園不滿五畝。由左方入，一樓當前，樓前爲方沼，溝於樓下，通後池水。西出有岩嶺，上下有亭榭。山陰有堂，堂右層樓，平池中曲橋度東涘，亭冠其阜，後植綠竹。吳雲翀好讀書，輕財急義，王弇州稱其資傾州邑，晚年多費以善事。

季氏園

在太倉州治南門外度津橋，觀察季竹隅所治。枕濠水，有一軒一樓，皆不甚廣，中有大池，構亭，有橋可通。軒四隅及右方一臺階藝牡丹，旁有一柏尤奇秀。後屬吳氏。

曹氏杜家橋園

在太倉，鄉進士曹茂來所治。園中多喬木，遍植修竹，一池泓淳，池上建亭，又疊石成山，最宜居遊。

南園

在太倉涂菘，處士陳繼善築。園中有十景，高朋滿座，賓主朝夕觴詠其中。

西疇

在太倉涂菘，爲陳繼善之子陳符（原錫）園第，園有八景，爲「來鶴軒」、「佳肴館」、「望綠堂」、「玩蓮溪」、「金橘圃」、「萬玉珠」、「晚翠亭」、「梅花隴」。

駐景園

在太倉涂菘，亦爲陳符所闢。

寂園

在太倉城廂鎮明德坊西，參政陸容構建。中有「成趣庵」、「獨笑亭」等。

西墅

在太倉穿山，處士劉檄別業。園在屋室之西，壘石爲山，引泉爲池，作「晚翠亭」以臨之。文徵明詠「晚翠亭」詩寫道：「欄檻澄清瞰水濱，四時交翠總芳辰。」主人與賓朋徜徉其間，酌酒弈棋，浩然有天趣。

南墅齋居

在太倉沙溪，亦陳符所居。園有八景：「心遠樓」、「耕耘亭」、「適趣亭」、「映雪齋」、「藏春園」、「萬玉坡」、「宜秋徑」、「寒香澗」。

洞庭分秀（懌園）——日涉園

在太倉城廂鎮樊涇村，俗稱「江家山」。明初都御史江有源所築。內有假山、池塘、亭榭、花木之勝。山石洞內，立有石碣，刻明代鄉里名人詩章。因太倉名人桑民懌在此讀書，園以人重，又名「懌園」。後來園歸張氏，改名「日涉園」。清道光時歸黃氏，仍名「懌園」。園久廢，但詩刻石碣尚存，上鐫桑悅、毛澄手書題詩各一首，貯於太倉公園內。

南園草堂

在常熟何家橋西，宣德年間邑人顧顒（昂夫）築。先是其外舅築「南園」，蔬果藥品，香花爛熳，秋實離離。顧顒於園中構草堂。園較廣袤，堂不加修飾，蔭之以茅，故曰草堂。顧顒每深衣寬帶，執袵採藥，與賢大夫笑傲其間。

顧瑛別業

在常熟任陽。有「尋梅舫」、「鶴夢樓」諸勝。龔翊有詩詠

之。

五禎園

在常熟縣治北，爲宣德年間監察御使章珪宅中之園。章珪棄官歸里之後，在宅中作園植花，又築池沼，以爲遊詠之所。不久，園中產靈芝數本，園池亦開並蒂蓮花，又有金桃石榴、紫茄、芍藥、美竹之屬，有「九瑞堂」、「五龍樓」、「三進士宅」等構築。

西園

在常熟縣治東青墩浦，鹽運同知錢承德闢。園中有五奇石，名五老峰，又有池、亭諸勝。

水東丘園

在常熟東唐市，知縣許可闢。園中多古木，掩映軒榭。文嘉爲題額。

黃氏園

在常熟縣治察院西，黃中闢。

徐氏園

在常熟縣治阜城門外，徐振德建。

菟園

在常熟扈城村，御史蔣以化闢。

湖田莊

在常熟尙湖旁，鹽運使提舉陳文周構，亦稱「湖田佳勝」。旁建荷亭，亦臨湖。文周自外歸里，於亭壁題一聯云：「五湖三廟宅，萬里一歸人。」

周氏園

在常熟縣治迎春門外，富室周于京構。其子在園東建「萬竹草堂」。

山居園

在常熟縣治山居灣，陳氏所創，後屬趙用賢，旋歸御史錢岱。

北園

在常熟縣治致和觀，廣州知府陳國華闢。

洪溪莊

在常熟縣治賓湯門外，教授朱大韶繼承世業拓此。

余適山莊

在常熟昭明太子讀書臺下，諸生張應遴構。

荷亭

在常熟縣治東北隅，太學生張希厚闢以娛父，後改名「五松山房」。

晚香小築

在常熟塢丘，時淮藝菊之所。王錫爵題其廬爲「菊隱」。

瑞芝園

在常熟縣治致道觀前，贈都御史程景和所闢，以園中產芝得名。此園北枕虞山，南瞰湖鄉。弘治年間程景和之子又增建「溪山茅屋」、「凝香涵碧」、「積翠」諸亭。

南皋別業

在常熟，趙曄所構，勝甲江左。園中有池，池上建亭，爲夏日宴客之所。亭四面空曠，不蔽烈日，故又於池中置大方舟，舟上堆土，上植名花修竹，主人日集騷人墨客觴詠其間。

北園

在常熟縣治北門內。孝廉周彬爲娛親所建，有「樂山亭」，喬林古石，映帶流泉，幽雅宜人。

滄江別墅

在張家港楊舍鎮蒜橋里，俗稱「後園」，正統年間許莊別業。廣袤十數畝，雜藝百卉，植梅三百餘株。中有「滄江書舍」、「鳴鶴軒」、「香雪窩」諸勝。許莊日偕昆季及四方名士酬唱其間。園有八景：「假山浮翠」、「令節喬林」、「月浦漁歌」、「煙村牧笛」、「瀲瀆潮聲」、「海門帆影」、「蒜橋鶴鳴」、「沙渚鷗眠」。園毀於明倭亂。至清末僅存一池，圓如璧。

東莊

在太倉涂菘，處士陳蒙所闢。園有八景：「豐樂堂」、「幽

勝處」、「延輝堂」、「雪浪軒」、「晝錦堂」、「嘉樹園」、「秋水亭」、「秋風徑」。龔翊詠「幽勝處」道：「採菊見南山，佳興與心會。」詠「秋水亭」道：「碧水涵秋空，幽花映奇樹。茅亭四面開，是儂釣魚處。」

七桂園

在太倉雙鳳，爲景泰年間顧侖宅內之園。

椒園

在蘇州府城郊，距府城數里，處士翁文曜別業。

怡老園

在吳趨坊西城下。此處本「夏駕湖」故處，相傳爲吳王趨車避暑之地，後南北淤塞。邑人王鏊（死後諡文恪）官至戶部尙書，去官歸里後喜居山墅，其子尙寶，在此仿山中景物爲園以娛其意，故名園爲「怡老」。此園臨流築室，雉堞環其前。有「清蔭看竹」、「玄修芳草」、「擷芳笑春」、「撫松採霞」、「閬風水雲」諸勝。旁枕「夏駕湖」爲「荷花池」。當時，王鏊和沈周、吳寬、楊循吉結文酒社，而文徵明、祝枝山、王寵、唐寅、陸粲等先後爲其弟子，徜徉此園二十多年。題詠詩詞甚多，如顧璘《宴守溪相國園亭》（守溪即王鏊）；「窈窕平泉宅，清華獨樂園。煙霞深晚景，花竹靄春溫。招飲臨叢桂，懷仙倚洞門。自慚塵土質，聊爾奉琴尊。」王鏊謝世後，此園累代爲其子孫所居，前後達二百年。至清朝，此園改爲布政司署。

此園當年亦有「西園」之稱。而明文震亨《怡老園記》卻說「近邑誌誤以爲文恪西園，西園故在百花洲，久不可考。」文震

亨此說不確。這有當年王鏊和文徵明的唱和詩為證。查《文徵明集》有《侍守溪先生西園遊集》詩，謂「園在夏駕湖上」。詩寫道：「名園詰曲帶城闉，積水居然見遠津。夏駕千年空住迹，午橋今日屬閑人。江南白苧迎新暑，雨後孤花殿晚春。自古會心非在遠，等閑魚鳥便相親。」詩後附守溪先生次韻詩《徵明飲怡老園次韻》：「吳王夏消有殘闉，特起幽亭居要津。剩水繞時傷往事，短牆缺處見行人。綠楊動影魚吹日，紅藥留春蝶護春。為問午橋閑相國，自非劉白更誰親？」唱和詩同詠一處，一稱「西園」，一稱「怡老園」，可見二園實為一處。文震亨為文徵明曾孫，當以乃祖詩為是。《江蘇省通誌稿》和日本人岡大路的《中國宮苑園林史考》亦皆謂「西園」在吳縣西城橋「夏駕湖」上，為明王鏊別墅。

芳草園

在王鏊宅中，清時荒蕪。

真適園

在洞庭東山唐股村，王鏊所建。王在京師做官時，曾築園名「小適」。告歸之後在家鄉築此園。至此，其心願始得滿足，故名園為「真適」。內有「蒼玉亭」、「湖光閣」、「款月臺」、「寒翠亭」、「香雪林」、「鳴玉澗」、「玉帶橋」、「舞鶴衢」、「來禽圃」、「芙蓉岸」、「滌硯池」、「蔬畦」、「菊徑」、「稻塍」、「太湖石」、「莫厘巘」十六景。王鏊《真適園梅花盛放》詠道：「花間小坐夕陽遲，香雪百枝與萬枝。自入春來無好句，杖藜到此忽成詩。」祝允明詠「款月臺」詩寫道：「青天洞蕩浮雲開，東方月出臨高臺。光流碧漢輪飛渡，影入湖波魄共來。

賢主嘉賓長會合，同光共影且徘徊。」

安隱

在洞庭東山，爲王鏊長兄王銘宅園。王銘少隨父任光化，年未艾，歸臥湖山，絕迹城市，自稱安隱居士。王鏊在《安隱記》中引述王銘之言道：有田數畝，肆力而耕於是，鑿其中以爲池，疏其旁以爲堤，除其高以爲園。園，吾藝之桔；池，吾蓄之魚；堤，吾種之梅竹花柳。王鏊盛讚其兄之志「高矣美矣」。

壑舟園

在洞庭東山，王鏊仲兄王鑒所築。王鑒亦隱居不任，取藏舟於壑之意名其園。沈周、蔣春州爲之繪《壑舟圖》，唐寅、祝允明皆題詩其上。後園廢。至清乾隆之際，歷二百六十餘年，兵火滄桑，興廢不一。所謂「壑舟」，已不可考。原有畫圖詩文兩大冊，歸虞山錢謙益爲玩物，後又屢易其主。裔孫王金增昆仲珍先之遺物，以善價贖歸。又購得朱氏「縹緲樓」，并臨流卜地，徵工選材，匠心造之如舫，名「壑舟」。又相度閑曠之地，架杰閣以遐覽湖山，名「天繪」。登此閣，如睹海上三山，靈奇滿目；又如長房縮地，身入壺中而不自知其已仙。其中「雲津堂」、「縹緲樓」，仍其舊制，略加修飾，古意猶存。仍稱爲「壑舟園」。園中有「縹緲晴巒」、「碧螺擁翠」、「石公晚照」、「三山遠帆」、「石橋漁艇」、「夛嶺歸樵」、「雙墩出月」、「弁山積雪」八景。清乾隆時東山人吳莊曾寫《洞庭名園記》，謂爲「屈指首推此地」。

且適園

　　在太湖東橫金塘橋，可南望包山，北望吳城。王鏊之弟王銓所築。園中雜蒔花木，以爲觀遊之所。遍種桔，作亭名「楚頌」。作軒臨田，名「觀稼」。作亭瞰池名「觀魚」。此外，尚有「格筆峰」、「浣花泉」、「珞絲臺」、「歸帆徑」、「菱庵港」、「蔬畦」、「柏亭」、「桂屏」、「蓮池」、「竹徑」，參峙匯列。又有「遂高堂」、「遠喧堂」、「東望樓」。登樓遠望，忽若飄騰，超乎塵埃，遠山皆來，天際眼底。北望則橫山、靈岩，若奔雲停霧；西望則穹窿、長沙，隱見出沒，若與波升降；東望則洞庭一峰，秀整娟靜，松楸郁郁，若可得而有。每當郊原霽雨，草樹有輝，或墟落斜陽，煙雲變態之時，王鏊至此，兄弟二人觀遊而樂，因名園爲「且適」。

招隱園——南園（清）

　　在「眞適園」西，《太湖備考》說爲王鏊之季子延陵所築，中有「擊壤草堂」、「紅睡軒」、「垂楊池館」、「停雲峰」、「麗草亭」諸勝。明人賀泰有詩詠道：「移得淮南招隱山，林泉幽意便相關。凌空岩岫雲隨起，倒影樓臺水自環。畫意蓬壺餘想象，會中耆舊共躋攀。興來擊壤歌成處，彩服爭趨鳩杖間。」清康熙時屬太僕席本貞，俗稱「南園」，又稱「席園」。這是一處傍山依樹以水爲主的庭園。中多桂樹及其他果樹，又有竹有松，池塘中多種蓮。葉承慶《鄉誌類稿》稱其「丘壑擅莫厘之勝，桂柏盈拱，虬鬱蒼秀，文尙書手植」。

從適園

　　在洞庭東山陸巷，王鏊之侄王學所築。王鏊建有「眞適園」，侄從叔意，名園爲「從適」。據王鏊《從適園記》，此園原址時

亦有湖波湧至，王學堰而涸之，乃醴乃畬乃築乃耨，期年遂成沃壤，即規之以爲園，於湖波蕩漾之中，得亭榭遊觀之美。卻而望之諸山，隨步增異：莫厘隱露於天末；嵩峰昔巍而踞，今蔽而夷；雙峰昔研而倚，今聳而秀；寒山蒼翠，變而爲几席；長聽蜿蜒，分而爲襟帶；而西山若列屏障，益近而高且麗。湖山既勝，又益以花木樹藝；秋冬之交，黃柑綠桔，遠近交映，如懸珠，如綴玉，修然而清寒者爲竹林，窈然而深邃者爲松徑，穹然而隆者爲柏亭。其餘爲桑圃、葵畦、魚沼。而諸景之勝，咸納於清風之亭，亭高而明敞，最宜觀月。明蔡羽有詩詠道：「松竹綠波靜，亭臺背市幽」。趣同『眞適』者，景倍『靜觀樓』。雲自封丹灶，樽能問白鷗。諸昆喜夜讀，兼稱月中遊。」

徐子容園池

在洞庭東山。徐子容，名縉，號崦西，吳縣人，王鏊之婿，弘治十八年進士。文徵明有詩題詠園中景點，題「思樂堂」：「手種雙槐樹，清陰已覆門」；題「石假山」：「近割包山巧，冥搜笠澤奇」；題「水檻樓」：「高樓凌前家，正俯曲池端。畫棟浮晴藻，風簾瀉急湍」；題「風竹軒」：「隱几四簾雨；開樽五月涼」；題「蕉石亭」：「春苔封白日，風葉展寒蕉」，「尊酒丘亭上，相看獨遠囂」；題「觀耕臺」：「築臺臨野外，高處見耕耘」；題「薔薇洞」：「春盡花爭發，山深洞不扃」；題「荷池」；「綠冒小池平，涼雲萬蓋傾」；題「留月峰」：「金風日夕至，桂子靜吹香」；題「柏屏」：「古柏難爲用，蒼龍且屈盤」；題「通泠橋」：「隔岸水融融，飛橋絕水中」；題「花源」：「何處碧桃雨？飛花渺去津。山中自流水，物外有長春。路轉疑通棹，雲深不見人。洞天曾不遠，或有避秦民」；題「釣磯」：「高士

投竿處，臨清有釣磯」，「靜與魚相狎，坐看雲不歸」。

毛家園

在閶門外下津橋義慈巷，明中丞毛珵所建。園西爲其宅。

顧家園

在碧鳳坊，顧鳳川所築。顧氏原籍金陵，世襲都指揮千戶，成化中避禍來吳，築此園，日與友人詩酒唱酬。

耕學齋

在吳縣光福鎮東街楊樹頭，爲徐衢園居。自南入門折西爲舍三楹，名「來青堂」，又進而東偏亦三楹，清潔可愛。又進，鑿地爲池，芙蓉映面，兩旁爲書樓，即「耕學齋」。池和竹樓，有千竿修竹環繞。最後地廣成圃，遍植雜樹花果，綠竹鬱然。此園曾有著名畫家沈周繪圖。

陽山草堂

在吳縣陽山下，顧大有（仁效）園居。其堂壯而美，有園池竹亭。顧氏曾自詠道：「山近林塘密，溪明几杖幽。朝來頗疏快，隨意看雲流。」

晚圃

在憩橋巷，弘治間錢孟漙所築。占地數畝，鑿池構亭，植花卉，培蔬果。每春和景明，群芳競秀，衆香馥郁，孟漙則邀朋速客，觸詠其間。伊乘有《晚圃歌》詠之。

小隱亭

在虎丘半塘，嘉靖間湯珍（字子重）園亭。湯爲文徵明至交，文有詩詠其園，如「五月葵榴晴折絳，四簾梧竹晝圍青」；「卻疑嘉景非城市，暫解忙緣近酒艑。莫道南風春似掃，晚花狼藉點山堂」；「七月閑庭過雨涼，繞庭新竹菊苗長」等。

紫芝園——項家花園

在閶門外石磐巷，嘉靖年間長洲人徐默川首創。徐默川爲人疏直坦衷，豪舉好客，樂義好施，多蓄法書名畫，古鼎尊彝，多和名流哲彥過從。園初建時，文徵明爲布畫，仇英爲藻飾，一泉一石，一榱一題，無不秀絕精麗，雕牆綉戶，文石青鋪，金絲縷翠，窮極工巧，較諸江左名園，未知誰勝。默川晚年，家漸旁落，園亦殘敗，任他人出入。至其孫徐景文（爲太僕少卿）園仍歸徐氏所有。景文增葺是園，占地若干畝，池塘假山，林木磴道。假山約占庭園一半，世人因呼徐景文爲「假山徐」。園中有三十六亭、四洞、三津梁，樓觀臺榭，島嶼不可計。

據王稚登園記載，此園負陽面陰，甲第連雲，右爲長廊，數百步而至園。園南向前臨大池。跨以修榱曰「紫芝」，榱成而朱草生，園亦因此而得名。循榱而入，有門翼然，堂曰「永貞」。堂東西各有門，中門曰「攬秀」。堂西有樓曰「五雲」。再入爲「友恭堂」，堂後深房曲室，接棟連櫺，沉沉莫可窺。「紫芝橋」南疊石爲峰曰「五老」，又名「仙掌」，人謂巨靈奇迹，縱非蜀道移來，亦仿佛漢宮承露，金銅仙人五指排空。左軒右樓，樓小於軒，軒名「迎旭」，樓名「延熏」，軒在東，樓在南。稍西折而南，經一門名「入林」，榱石而渡名「臥虹」。堂曰「東雅」，棟宇堅壯，閎麗爽塏，榱題斗拱，若雁齒魚鱗。夏屋渠渠，可容

數百人。堂後小山二，古松一，虬枝偃蹇，為數百年物。堂西書室名「太乙齋」，火光熒熒。循池而右，有樓名「白雪」，水檻名「遣心」，綠波粼粼，房廊倒影，婉如仙境。池右折，匯於「東雅」之前，岩岫參差，磴道屈曲，一亭臨池，三峰環列，名「浮嵐」。左折而上，有峰為屏，下俯石洞曰「窺壑」。由洞右折而上，亭北向，曰「瞻辰」。渡石一峰秀出，拾級而下為釣臺，天目奇松覆之，清風時來，如秋江松濤，可以洗心，可以濯足。俯而西過石門，曲徑臨流，飛岩夾道，峭石巉岏。南行入一洞，峰石皆錦川雙洞，名「聯珠」，清曠通明，石如天成，流丹染黛。其上為臺，曰「騁望」，為山之最高處。東望城闉，千門萬戶，西望諸山，群龍蜿蜒。峰之最高者名「標霞」，其他群石，或如潛虬，或如躍兒，或獅而蹲，或虎而臥，飛者伏者走者躍者，怒而奔林、渴而飲澗者，靈怪畢集，莫可名狀。每當朝霏夕輝，煙橫樹暝，池光澄澄，水輪浸魄，若深山大澤，含氣出雲；又如仙家樓閣，霧闥雲窗，與琪花瑤草相映帶。山勢正與「東雅」相向。右過石門名「排雲」，石徑折而下，古木奇峰，左右森列，過小石樑，臨以碧沼，旁皆峰巒島嶼，有亭名「隔塵」。逶迤而入，修篁蔽日，暑氣不到，樓在竹中，曰「留客」。竹盡處一軒，名「浮白」。過北穿徑入水洞，廣可三、五尋，下臨幽澗，渡名「浮波」。折而上東向一亭，三峰在側，曰「清響」，亭西皆竹，有石樑、琴臺在此，山水清音，絕勝絲竹，此處可持螯，可醉月。園盡處杰閣嵯峨曰「玄覽」，登茲四望，一園之勝悉在眉睫。

崇禎間，徐景文兄弟構大訟，將園賣給吳縣人、進士項煜，世人乃改稱為「項家花園」，園中藏古玩名畫。後因項煜投奔李自成，園被火燒，靡有孑遺。

《吳門表隱》、《宋平江城坊考》皆云先有「項家花園」，

後歸徐氏，那是顛倒了事實。

昭明太子讀書臺

常熟虞山十八景中有「書臺積雪」（又稱「書臺懷古」）一景。書臺，即指「昭明太子讀書臺」，爲常熟著名遊覽勝地。是臺相傳爲梁昭明太子蕭統遊學著述之處，始建年代不詳，臺上石亭爲明弘治年間縣令楊子器所建，嘉靖年間重建。

是臺位在虞山東南麓石梅街，依山勢而建。一九七七年重建園門，額爲「尋天然趣」，正面砌圍牆，入門不遠，書臺屹立，爲全園主景。臺上築長方形石亭，亭正中壁嵌石刻「讀書臺」三字，係清乾隆八年（1743年）蘇州知府覺羅雅爾哈善所書，右側嵌砌石刻，上部鐫刻昭明太子蕭統像；下部爲跋文，爲明嘉靖十五年（1536年）里人鄧敏撰文并書。文中寫道：「南沙偉望爲虞山，山東南麓有致道觀，觀後有臺，世傳爲昭明太子讀書臺。」左側石刻爲明嘉靖間里人國子監祭酒陳寰篆額，里人副都御使陳察撰并書《重建昭明讀書臺記》。亭中置大石臺一張（由書院弄「虞麓園」舊址移入），旁有石凳，石臺正面橫端刻有《虞麓園記》，爲清道光時倪良耀所書。登臺遠望，湖光山色，一覽無餘。臺下周圍植榆、櫸、朴、櫟等樹，皆爲四五百年前之物。臺後有「焦尾泉」、「倉聖祠」、「巫咸祠」、「醒酒石」等文物景觀。沿山坡層級而上，有茶室，供遊人品茗聚談。再後有摩崖石刻多處，巨石上分別鐫刻「壽」、「富」、「康」、「德」、「考」五個大篆。其旁矗立一巨石，西向刻楷書「適可」兩字，上鐫小字行書「昨夜飛來」，係近代書法家、鐵琴銅劍樓主人瞿啓甲所書。西行一亭，亭中有明嘉靖年碑石一塊，上刻「常熟新建鄉先賢巫公祠記」。其間，古木葱蘢，嵐光風物，皆有可觀。

燃松園

在吳縣光福石觜墩，弘治進士顧鼎臣建。

桐園

在蘇州城東甫橋，爲王世材家旁之園。園中多梧桐。

近峰別業

在虎丘旁，弘治間，順慶太守皇甫錄所築。皇甫錄，長洲人，進士，宅第在孔副使巷。

真如小築

在吳縣光福珍塢，汪起鳳所構，子廙成之，風景絕勝。

凝翠樓——繭（一作「璽」）園——淡園

在橫山西跨塘橋側。隱士徐政（惇復）別業，徐政和文徵明、王寵等結吟社於此。後改名「繭園」，一作「繭村」（《吳縣誌》作「璽園」）。中有「經來堂」、「如谷齋」、「碧深樓」、「梅畛」、「疏雨林亭」、「紫香庵」、「贏龕」、「飲虹澗」、「南畸」、「短塘」諸勝。水木崢泓，房廊深靜，爲山北園亭之冠。惇復遍題諸勝，有「繭村十六字令」極佳一時，和者甚衆。至清乾隆初，貝紹溥得而重修，易名「淡園」，園中有十八景，其子有詠景詩。

月駕園

在西麒麟巷西三太尉橋，長洲皇甫汸所構。皇甫汸爲嘉靖進士，工書法，喜吟詠，後爲詞人錢希言寓居，有亭沼林石之勝。

再後，於叔夜取園之一隅治第。

真趣園──趙園（清）

在閶門外李繼宗巷，為嘉靖年間長洲吳一鵬尚書所治。園池中有巨石，上刻時人詩篇。清雍正時，邑人趙成秩得之，重加修葺，俗名「趙園」。園中有「梅花亭」、「拜石軒」諸勝。後廢為戲園。元和袁學瀾有竹枝詞詠其事：「袍笏登臺勸客觴，歌樓舞館枕山塘。人間富貴原如夢，閣老廳高作戲場。」

歸氏園──洽隱山房──寶樹園（顧家花園）

在苑橋巷，歸湛初所治，名「歸氏園」，洞石玲瓏，有堂顏曰「米丈」。後歸水部胡汝淳，改名為「洽隱山房」。明末清初荒穢，歸於長洲顧其蘊，顧氏芟榛刈棘，種竹蒔花，多植山茶佳種，命名為「寶樹園」，煥然復為名勝之地。此園廣不過數畝，無層峰疊壑之奇，無廣廈華堂之美，而洞石玲瓏，雲林掩映，至其地者，超然有城市山林之想。顧其蘊之孫顧秉忠又築「安時堂」、「蘅草廬」、「澄碧亭」、「芥圃」諸勝，俗呼為「顧家花園」。庚申之後園廢，僅存殘沼一區。

洽隱園──洽隱、皖山別墅、惠蔭園（清）

在南顯子巷，歸湛初所築。多美石，有「小林屋」，石洞幽深。「小林屋洞」夙踞勝概，是當時畫家周秉忠仿洞庭西山林屋洞所築。洞口雖狹，洞內極為深邃。內有積水，疊水假山，玲瓏透剔，四面臨水。穹頂懸掛鐘乳石，沿洞壁築棧道，曲折幽深如天然石洞，迂回一周，經另一洞口傴僂而出，此洞口竟在原洞口附近。此園假山可與「環秀山莊」湖石假山相媲美。清順治六年，

韓馨購歸氏廢園重構，雲壑幽邃，竹樹蒼涼，改名爲「洽隱」。康熙間遭火焚，除「小林屋」外，凡法書名畫與花亭月榭，同付一炬，惟存東南半壁，而奇峰秀石，亦湮沒於雨垣風棟之間。乾隆時重葺。園中碧梧銀杏，紫荊翠柏，春夏之交，濃蔭蔽日，并有碧水一泓，清可鑑物。復嵌空架樓，吟眺自適。後歸倪蓮舫，修建後易名「皖山別墅」。同治年間，合肥李鴻章撫蘇，置爲安徽會館，始名「惠蔭園」。後又擴建，園中有惠蔭八景，即「柳蔭繫舫」、「松蔭眠琴」、「屏山聽瀑」、「林屋探奇」、「藤厓佇月」、「荷岸觀魚」、「石竇收雲」、「棕亭霽雪」。據《惠蔭園八景圖序》所記，「柳蔭繫舫」左爲「桂苑」，重樓峻宇，回廊曲岸，多植桃柳梅桂芭蕉之屬，臨沼背河之處，有舫翼然。「松蔭眠琴」有「鑑馨閣」，石徑深曲，苔青滑人，拾級而上可登琴臺，臺左有老松，懸根石罅，已歷百年。臺右有「藏書樓」，最爲幽靜。「屏山聽瀑」面北爲石嶂，面西則攢石爲峰。石西有小榭，映隔玻璃，群山了然，故名「一房山」。房西有荷沼，一碧虛涵，群嵐倒瀉，此爲臥遊聽瀑佳處。「林屋探奇」爲園中最勝處，蘇峭疊撑，稜笋怒茁，爲雲奇，爲徑曲。碧欲罅空，涼若雨瀉。洞中石乳倒結，遊人至是，以碎石投淵中，泠然作響。「藤厓佇月」石上有敞軒，當軒踞石作屈膝獅子狀，石左右黃楊翠柏，皆百年前物。又有石藤，穿石而上，盤空夭矯，結蔭碎落。背藤作高厓，厓側古銀杏一株，皆三百年外物。「荷岸觀魚」，有方塘半畝，是爲荷池，亦觀魚之所。「石竇收雲」有石竇，林壑曠如，風氣清若，苔痕蔭漬，石骨高寒。入此則頭頭道通，宛宛面值；出則斜陽墮影，暮靄收林。「棕亭霽雪」棕亭矗立峰頂，舊有額曰「爽挹西山」，曠可臨遠，此處最宜觀賞雪景。

　　「惠蔭園」，在十年「文革」中盡毀，水假山亦被填沒。以

後將要挖掘清理，進行修復。現為市級文保單位。

桃花庵（唐家園）──沈太翁園、桃花仙館（清）

為唐寅園第，是市級文保單位。唐寅原住今西中市皋橋南塊吳趨坊口。弘治年間，他三十六歲時，以賣畫所蓄，購買宋代樞密章楶建於紹聖年間廣種桃李的「桃花塢別墅」，取名「桃花庵」。增築數間雅致的茅屋。檐下掛堂名「學圃堂」、「夢墨亭」、「讀書閣」、「桃花庵」、「蛺蝶齋」、「檢齋」等。其中「夢墨亭」是因唐寅在三十一歲時，夜宿福建九鯉祠，夢九鯉仙子贈墨萬錠而取名。四周開築花圃，種桃樹數畝，「花開爛熳滿樹塢，風煙酷似桃源古。」唐寅常在此與篤友文徵明、祝允明等置酒高會，吟詩作畫，自號「桃花庵主」。唐寅去世後，葬於「桃花庵」內，後移城西祖墳今址。清順治初年，雲間沈明生徙蘇得之，構亭臺，植竹木，有池叫「長寧」，種荷花，跨塘作「蓉鏡亭」，池側有「夢墨樓」，宅旁有「桃花庵」，又有「六如亭」等，為當時名園，有人改稱為「沈太翁園」。康熙中，巡撫宋犖重加修葺。乾隆時，此處建為「寶華庵」，邑令唐仲冕又拓庵東隙地為別室，并祀唐寅、祝允明、文徵明三先生，名「桃花仙館」。原「夢墨樓」等已圮，有屋十餘椽，水閣環繞，仍極清曠。「寶華庵」今亦不存。遺迹僅有「雙荷花池」、「石板橋」等。至於桃花，清初已絕迹。

越溪莊

在石湖越城橋東，王寵園第。王寵號「雅宜山人」，工書畫，文徵明後推第一。園西向，面楞伽、茶蘑。入而東折南有舍三楹，客至可茶；再進又有舍三楹，稍寬潔，可飲酒；又進有亭可憩；

折而西，旁爲書屋，皆修竹數千竿環之，無論寒暑雨月，往往助其勝；最後因地勢成小圃，雜樹三之，雜花果二之，背後爲大堤，高二十尺，不石而岩，不甓而垣。史書記載此堤爲隋越國公楊素時所築，其樹木大皆數拱，竹益茂，蘿薜灌莽，鬱然深山人家。園中又有「芙蓉灘」、「采芝堂」、「御風亭」、「小隱閣」諸勝。後人稱園爲「雅宜莊」。

石湖草堂

在石湖旁山上，嘉靖初年僧智曉築。此堂「左帶平湖，右繞群巒，負以茶蘪，拱以楞伽，前蔭修竹，後擁泉石，映以嘉木，絡以薜蘿，翛然群翠之表」（蔡羽《石湖草堂記》），文徵明爲題額。王寵有詩詠道：「風花時點點，竹樹靜珊珊。」

息圃

在開元寺後西蒲帆巷，右枕百花洲，將軍王弘經所憩，中有「帆影堂」，浚沼通流，竹木交蔭，極幽樓之勝。

桔林

在桃花塢，陸俸棄官隱此，種桔成林，故人來訪，悠遊其間。

黃山草堂

在橫塘，學憲袁衮別業，中有「列岫樓」，俯臨湖山之勝。

周天球園

在南張師橋西岸，又有山莊，在支硎中峰下，其宅在和豐倉東。

曲溪

又名「夏荷園」，在東山馬家底安仁里，嚴公奕築。明眞懷先生山居著書處，文徵明爲題額。亦爲明詩人嚴果觴詠之地。至清乾隆之際嚴公奕裔孫復加修葺。有嘉樹幽岩，荷沼亭榭之勝。所謂「曲溪」，係西南諸峰之水，經秦家澗，分流而入園，沿溪皆文石，得曲水流觴之意，故名「曲溪」。園中本有乾隆元年陸奎勛題跋，記其沿革原委。另有楹聯寫道：「碧梧翠竹新詩句，紅樹青山舊酒人。」現園貌佈局大體尚存，曲溪、亭榭、荷池及古銀杏、紫薇還在，假山於前幾年被毀。此園現爲吳縣教育局校辦工廠所在。

拙政園

在婁門內東北街。這裡曾是三國時鬱林太守陸績宅第；東晉高士戴顒宅第；唐代詩人陸龜蒙宅第；北宋時，山陰簿胡稷言在此建「五柳堂」，其子胡峄建「如村」；元代，這裡是大弘寺。明正德四年，吳縣人、御史王獻臣因受誣而被解職，歸隱蘇州，在此建造私園。當時，王御史盡將大弘寺佛像移去，趕逐僧徒。移像時，皆剝取其金，故人稱其爲剝金王御史。歷來文獻多以爲「拙政園」建於嘉靖年間，此說不確。嘉靖十二年，文徵明爲王獻臣「拙政園」作記，說他「解官家處，……享閑居之樂，二十年於此矣。」以此推算，起碼在正德八年園已建成。又文徵明在正德九年即有遊「拙政園」詩。王獻臣仕途失意，自比西晉潘岳，取潘岳《閑居賦》語意：「築室種樹，灌園鬻蔬，以供朝夕之膳，是亦拙之爲政也」，命園名爲「拙政園」。初建時，規模約二百多畝，茂樹曲池，勝甲天下。對此，文徵明在《拙政園記》中作了具體記述。園中多隙地，有積水亘其中，稍加浚治，環以林木，

極類蘇子美「滄浪池」。爲重屋其陽，名「夢隱樓」，其高可望郭外諸山；爲堂其陰，名「若墅堂」。堂之前爲「繁春塢」，雜植牡丹、芍藥、丹桂、海棠、紫橘諸花；堂之後爲「倚玉軒」，旁多美竹，有昆山石。軒北直「夢隱樓」。絕水爲樑，名「小飛虹」。過橋而北，循水西行，岸多木芙蓉，名「芙蓉隈」。再向西，中流爲榭，名「小滄浪亭」。亭之南，翳以修竹，經竹而西，出於水澨，有石可坐，可俯而濯，名「志清處」，背負修竹，有石磴，下瞰半池，淵深泓渟。至此，水折而北，混漾渺彌，望若湖泊。夾岸皆佳木，其西多柳，名「柳隩」。東岸積土爲臺，名「意遠臺」，臺之下植石爲基，可坐而漁，名「釣碧」。沿「釣碧」而北，地迴水清，林木幽深，水盡，別疏小沼，植紅蓮白蓮於其中，名「水花池」。池上美竹千竿，可以追涼，中有「淨深亭」。循亭而東，有柑橘數十本，有亭名「待霜」。又向東，出「夢隱樓」之後，有長松數株，風至，泠然有聲，名「聽松風處」。至此，繞出「夢隱樓」之前，古木疏篁，可以憩息，名「怡顏處」。又前，循水而東，果林彌望，名「來禽囿」。囿盡，植四松爲亭，名「得眞亭」。亭之後爲「珍李坂」，其地高阜，好李植其上。其前爲「玫瑰柴」，遍植玫瑰。又前，爲「薔薇徑」。至是，水折而南，夾岸植桃，花時燦若雲霞，名「桃花沜」。沜之南爲「湘筠塢」，修竹連亘，境特幽回。又南，古槐一株，敷蔭數弓，名「槐幄」。其下跨水爲杠，逾杠而東，篁竹蔭翳，榆槐蔽虧，有亭翼然臨於水上，爲「槐雨亭」。亭之後爲「爾耳軒」，此處有盆盎置水石、菖蒲、冬青等。左爲「芭蕉檻」。凡亭檻臺榭皆因水面勢。自「桃花沜」而南，水流漸細，至是，逾百武，出於別圃叢竹之間，爲「竹澗」。「竹澗」之東，江梅百株，花時香雪爛然，望如瑤林玉樹，名「瑤圃」。圃中有亭，名「嘉實亭」。

有泉名「玉泉」。另尚有軒池臺塢之屬若干，累計三十一景。王獻臣居此凡二十年。後王氏患搔癢症，至潰爛而死。其子不肖，以弔喪爲業。徐少泉以千金與其賭，騙其上當，園輸歸徐氏。徐氏何指？趙士履《厝亨雜記》說是徐樹啓。張大純《姑蘇采風類記》說是徐泰時，後人多從張說。其實徐氏就是徐少泉。徐少泉之曾孫徐樹丕在《識小錄》中對王氏子一賭輸名園事記之甚詳。徐樹丕少時亦認識王氏子。所記當不會有訛。徐氏子孫後亦衰落，園遂日趨荒廢。

崇禎四年，園東部荒地十多畝爲侍郎王心一購得，建「歸田園居」。清初，錢謙益構曲房於「拙政園」西部，安置名妓柳如是居此。順治十年，園爲海寧陳之遴以二千金所購，重加修葺，備極奢麗。內有寶株山茶三、四株，花時鮮艷，爲江南所僅見。吳偉業有《詠拙政園山茶花》詩，寫道：「拙政園內山茶花，一株兩株枝交加。艷如天孫織雲錦，頳如姹女燒丹砂。吐如珊瑚綴火齊，映如蝀蝀凌朝霞。」但陳氏長期在京，購園五年之後即獲罪貶至遼東，客死謫所，始終未見園中一花一木。康熙元年，園被沒收入官，爲駐防將軍府。康熙三年，改爲蘇松常兵備道行館。後來又發還給陳之遴之子，陳子又賣給吳三桂之婿王永寧。王氏在園中堆置丘壑，建造「斑竹廳」、「娘娘廳」。柱礎雕刻花卉、升龍，增葺壯麗，無復昔時山林雅致。後來園再度沒收入官。據徐恭時《芹紅新語》考證，其間曹雪芹祖父曹寅任蘇州織造，曾購得此園一部，之後園又歸曹雪芹舅父李煦。曹雪芹亦生於「拙政園」內。少年曹雪芹也常隨家人來蘇州「拙政園」小住。此說爲「拙政園」增添了幾分文化色彩。

乾隆初年，東部爲太守蔣棨所有，并進行大修，改名「復園」，名係取恢復「拙政園」之意。這次修繕，因阜壘山，就窪疏池，集

賓有堂，眺遠有樓有閣，讀書有齋，燕寢有館有房，循行往還，登降上下，有廊榭亭臺，埼汴村柴之屬。園內峰岫互回，軒邃高朗，濃柯蔽日，低枝撩人。整個園林顯得豐而不侈，約而不陋，不出軒堂而共履閑曠之域，不出城市而共獲山林之性。當時，袁枚爲蔣棨姻家，屢住園中，趙翼、錢大昕等文人雅士亦多集於此，觴詠極一時之盛。西部，同年歸太史葉書寬，改名「書園」。中有「擁書閣」、「讀書軒」、「行書廊」、「澆書亭」諸勝，皆葉氏在昔日廢地上新建。「擁書閣」有十景，書寬之子有詩記之。至此，原來渾然一體、統一規劃的「拙政園」，演變爲相互分割的三個園林。

嘉慶十四年，中部歸刑部郎中、海寧查世倓，薙草浚池，頓還舊觀，亦名「復園」。後又歸吏部尙書協辦大學士、平湖吳璥，時稱「吳園」。然園景已不似當年，且漸次蕭條。咸豐十年，太平天國忠王李秀成進駐「拙政園」之後，改建爲「忠王府」，據李鴻章給李鶴章的信中所記：忠王府瓊樓玉宇，曲欄洞房，眞如神仙窟宅，「花園三四所，戲臺兩三座，平生所未見之境也」。清兵進城之後，園爲「江蘇巡撫行署」。同治十年，改爲「八旗奉直會館」。中部園林恢復「拙政園」舊稱。西部歸吳縣張履謙，改名「補園」。據潘貞邦《吳門逸乘》所記，此園勝在結構精美，建築華貴。入口處有「得少佳趣」磚額。北進，緣一狹長清溪，經石橋、石亭，至「卅六鴛鴦館」，館額爲洪鈞所書。南面爲「十八曼陀羅花館」。由此館向東出回廊，左有小亭，右有水榭，疊石爲山，峰迴路轉，沿池行，入迴廊，有一七柱欄，形如石幢，矗立水面，與對岸之扇形小軒相映成輝。沿廊行，中有半圓式水亭。再前行，至「梅園」。「梅園」西有一閣名「拜文揖沈之齋」，額爲鄭板橋所書，有樓名「倒影樓」。出閣向南有軒名「與誰同坐

軒」。旁小阜之上有一八角亭，名「浮翠」，由此而西「笠亭」在望。下亭南行，又入一閣名「留聽閣」。此外，有池名「鵝池」。民國時，仍稱「拙政園」。抗日戰爭時期爲僞江蘇省政府所在，勝利後爲「國立社會教育學院」。

以後，動工修膳。一九六〇年，東、中、西三部分全部修復，仍名「拙政園」對外開放。現爲國家級文保單位。

四百多年間，「拙政園」屢易其主，多次改建，名字亦有更迭。而現存建築物大多是作爲忠王府的一部分而建造。清末形成東、中、西三部分，中部爲「拙政園」主要部分，基本上保存了明代「拙政園」的總體格局和樸素大方的風格。西部和中部則既有沿襲，也有創新。西部天井裡現有紫藤一株，向來說是文徵明手植，被譽爲蘇州四絕之一。

泗園

在昆山淞南大泗瀅，易恆所築。

北山草堂

在昆山馬鞍山前浣花溪上，沈丙所築。門前有怪石，長松繞庭院，「小亭野芳發幽香，溫波渺渺涵天光。」（盛彧詩句）

南園

在昆山，爲歸有光從高祖歸某之園第。弘治、正德間，歸某以富俠雄極一時，賓朋雜沓，觴詠其中，娥眉翠黛，花木掩映。夜深人靜，環溪之間，弦歌相應。若干年後，鞠爲草莽。後來，里人沈大中在此基礎上建「世有堂」。

夏昶園

在昆山景德寺，爲進士、書法家夏昶致仕後遊息之地。

一枝園

在昆山，顧氏別業，李東陽爲書額。

東園

在昆山溢瀆村，文學沈杞所築。有東西兩花園，相去一里。有詠西花園詩寫道：「西園村暖樹參差，曾向園中共酒巵。對面斗來新葉子，隔河呼出好花枝。合歡嘉會逢時約，橄欖餘甘入夢思。他日歸來溫故事，還尋石上舊題詩。」

展桂堂

在昆山，爲御史顧潛所築。潛第宅之前有溪，東通婁江，溪南爲園，廣數畝，中有桂樹數本，本爲潛之祖父所植，因樹根部多碎石，柯條觸棟檐，故雖數十年不能旁達暢茂。至潛則除石理檐，桂始舒展繁茂。又新爲堂三楹，便命堂名爲「展桂」。

東園

在昆山儒學坊東，周康喜（倫）所築，內有「舒嘯堂」。嘉靖年間併入「繭園」。

樂園

在今之吳縣甪直，馬駁築，時人題詠甚多，可見園林特色。如：「半畝池邊圃，幽人學種花。」「春暖葵傾石，秋清桂吐葩。」「樹密牆深不見人，軒窗四合莓苔綠。」「編竹種花時對酒，倚窗

聽鳥欲留曛。」「紆以九曲徑，繚以百堵牆。藝蔬十餘品，種種含清香。」「吳中亭苑天下奇，馬氏園林今所獨」。

宜杏園

在太倉穿山，定海令劉淑所闢。劉氏致仕歸，闢園著述其中。

西園山亭

在太倉雙鳳，弘治年間唐天祐建。時人詠道：「金張甲帳好亭臺，石洞桃花爛熳開。絲柳雨晴煙織翠，竹塘風暖水生苔。」

北山小隱

在太倉雙鳳，弘治年間周墨園第。周錫有詩詠道：「前輩開名勝，南村新歲華。竹深樓石屋，天闊繞雲車。」

松巢

在太倉雙鳳，正德年間周在建。此園地勢高臨，屋宇高過松梧，老樹蒼古，臺石層層，野花當路。時人詠詩有句：「住處非嫌地位低，松梢構屋與雲齊。樛枝直踞蒼龍在，老幹還同白鶴樓。」「松梢梧葉翳仙臺，石凳層層長碧苔。谷鳥傍人啼不歇，野花當路折還開。」「攀蘿躡磴上層臺，袖拂花松灑碧苔。林外鶯聲歌吹起，檻前山色畫圖開。」

竹深草堂

在太倉雙鳳，為周野隱居之處。園有曲水回塘，危橋仄徑，林樹鬱森，叢竹蒙密。池中植蓮，三徑種菊。主人每與友朋詩酒唱和於此。

後樂園

在太倉雙鳳，正德年間寧波知府周坤築，有泉石松竹之勝。主人日與賓客兄弟徜徉其間。中有「東山」，陳錫有登「東山」詩句：「仲夏木葉茂，黃鸝逐尸鳩。」

弇場涇園

在太倉茜涇，王世貞之父王忬所築。循松柏屏而西有亭瞰崖，稍西為「靜庵」，庵西為「山堂」，堂南有臺，列怪石名卉，東西修竹亘數百步。堂北有大方池，有芙蓉菱芡。左右石門入，分二橋，各有亭。水左深入石洞，度棧抵崖，崖窮復為深澗。有石山被以白華，名「雪山」，諸山輔皆土崗，委曲抱弇場涇。園初成，勝冠吳郡。後廢，凡峰石盡徙「弇山」。

大石山房

在常熟縣治西城內山麓，本有大石，可容百人，孫艾鑿石開軒，以待遊客。石罅有泉名「瀹茶」。山房有屋六七楹，前廡壓石肩上，古榆槐從罅中生出。周有短垣繚繞，時人有詩句詠道：「林下鑿池留樹影，岩前移石損苔痕。」「小洞花深春似海，人間別有一乾坤。」

樂壽園

在常熟縣治南門外社壇之左，嚴文靖闢。

西村別業

在吳縣洞庭西山消夏灣，隱士蔡升所居。據明人晶大年《西村別業記》：別業在其居第之西，有水竹亭榭，可供其遊玩，有

良朋佳弟子，日觴詠其中，可以適其閑逸。

南園

在洞庭包山枝頭嶺，爲葉復初所築。此園不大，藝樹卉木，築堂營室。唐寅在《南園賦》中稱：「萬卉千葩，流紅濕翠，春風窺桃杏之麗華，秋霜感蓼莪之憔悴。」「重簾映樹，曲檻臨池」，「對壘于北思之產，鄰牆于辟疆之顧。」祝允明《南園賦》則讚其「闢彼善壤，繚之長垣，令流水以成池，象洞天而爲山。」「嘉樹幷立，名花櫛植，修筠軒挺，豐蘺綿密，四序有接艷之葩，比歲有連新之實。」「吳多名苑，而茲其特優。」

五湖田舍

在吳縣木瀆白陽山下，爲陳淳（道復）園居。有「閱帆堂」、「碧雲軒」，茂林修竹，花源柳隩，鴨闌鶴圃，酒簾漁艇，極幽居之勝。

寄園

在吳縣湘城，劉珏（廷美）宅園，壘石爲山，頗多幽勝。園有十景：「籠鵝館」、「斜月廊」、「嬋娟堂」、「螺龕」、「玉局齋」、「嘯臺」、「扶桑亭」、「久香樓」、「旃檀室」、「嘯鋏堂」。

小洞庭

在蘇州城齊門外，劉珏自山西致仕歸後所建。壘石爲山，有「撚發亭」、「藕花洲」諸勝。

陸氏莊房

在吳縣湘城，中有假山池沼之勝，又有白皮松、修竹、高杉之類，均甚古蒼。

小園

為吳縣湘城陸巷俞氏莊房內花園。

有竹居

在吳縣湘城西宅，為沈周讀書之別業。佳時勝日，主人必聚友談詩論文。沈周有自題詩若干首，如「比屋千竿見高竹，當門一曲抱清川」、「屋上青山屋下泉」、「如此風光貧亦樂」等等。高朋貴賓題詠亦多，如：「東林移得閑風月，來學王維住輞川。紫陌桃花紅雨外，滄州煙水白鷗邊。滿斟濁酒無絲竹，散步新鄰有石泉。教子只留方寸地，藍田何待玉生煙。」

陽山草堂

在吳縣陽山，山人岳岱結隱其中，花木翳然，修竹萬挺，蘭花香味甲於吳下。後廢為「觀音庵」。

徵壽園

在蘇州城郊滸墅關，文學陳汸所居，中有「沁心亭」等。

何衙園

在水仙廟東，為指揮何真園第。久廢。至嘉慶年間，其十四世孫，呈官立碣，以表遺址。

水竹莊

在臨頓東，占地十畝，祝允明詩謂「家近鬱林公舊隱」，爲顧榮夫（春潛）園池。文徵明曾有多首詩述及，如「爲愛高人水竹莊」，「臨頓東來十畝莊」，「風流吾愛陶元亮，水竹人推顧辟疆」，「名園春笋大如椽」，「陋巷誰云無轍迹，城居曾不異江鄉。春來見說多幽致，開遍梅花月滿堂」等。

醉穎堂──藥圃──敬亭山房、藝圃（清）

在閶門內文衙弄，爲學憲袁祖庚所建。當時名「醉穎堂」。後歸文徵明曾孫文震孟爲住宅，建有「世倫堂」、「青瑤嶼」等，栽種草藥，寫詩作畫，故把西花園名爲「藥圃」。

清初，萊陽人姜垛寓居於此，更名爲「敬亭山房」。敬亭山在安徽宣城，姜垛因得罪朝廷被貶於此，僑居吳門之後，便以此山榜其堂。其長子姜安節築室名「思嗜軒」，仲子實節闢爲「藝圃」，一時「馬蹄車轍，日夜到門。高賢勝境，交相爲重」（汪琬《藝圃記》）。入門有一徑，桐樹數十本，桐盡爲重屋三楹，名「延光閣」。再進爲「東萊草堂」，係主人迎賓之所，名取不忘故土之意。逾堂而右，名「餺飥齋」。折而左有方池二畝許，蓮荷蒲柳之屬甚茂。面池爲屋五楹，名「念祖堂」，爲歲時伏臘祭祀燕享之堂。前爲廣庭，左穴垣而入名「暘谷書堂」，名「愛蓮窩」，爲主講學之所。堂之後名「四時讀書樂」，樓名「香草居」，爲實節故塾所在。由堂廡迤而右，即爲「敬亭山房」。山房之北，有館名「紅鵝」，有軒名「六松」，名「改過」，有閣名「繡佛」。又其西，有廊名「響月」。橫三折，有板池上，名「度香橋」。橋之南，爲「南村鶴柴」。中間壘土爲山，登其巔

稍夷，爲「朝爽臺」。山麓水涯，群峰十數，最高與「念祖堂」
相向者名「垂雲峰」。有亭面對「愛蓮窩」名「乳魚亭」。山之
西南植棗樹數株，翼之以軒名「思嗜」，安節構之以思其親。

康熙間，名畫家王翬（石谷）見「藝圃」清秀美麗，畫了一
幅《藝圃圖》，圖中池北無水榭，臨池是平臺，平臺之西廳堂即
「敬亭山房」。廳前荷池曲橋，亦有改觀。此畫後來成爲傳世名
作。道光年間，園爲綢緞業七襄公所所在。以後「藝圃」一度失
修而破爛不堪。

一九八二年，按明末清初舊貌，進行全面整修，現對外開放，
爲市級文保單位。

東園——寒碧山莊、留園（清）

在閶門外今留園路，嘉靖年間太僕徐泰時築。明袁宏道《園
亭記略》載，徐氏東園「宏麗軒舉，前樓後廳，皆可醉客。」石
屏爲周秉忠所堆，好像一幅山水橫披畫，高三丈，闊約二十丈，
玲瓏峭削，了無斷續痕迹。堂側有土壟甚高，多古木。壟上有太
湖石一座，高三丈餘「妍巧甲於江南」，名「瑞雲峰」。相傳本
爲宋時朱勔所鑿取，上有「臣朱勔進」四字。當運載時，甫移舟
中，石盤忽沉湖底，覓之不得，棄之而去。至明爲南潯董氏輾轉
得到。時徐泰時富埒敵國，與董聯姻，董以此石嫁女。載至湖中。
舟亦覆沒，於是打桶數百只。圍石於湖中，汲水至乾，不意石盤
亦在，因並得之。移置園中之日，用葱數百擔鋪街上，藉滑而行，
破屋傾牆始至。今中部池北、池西假山下部黃石疊石似是當時遺
物。清初姜埰詠「東園」詩道：「徐氏園林在，招尋獨倚筇。三
吳金谷地，萬古瑞雲峰」，對「東園」和「瑞雲峰」讚賞有加。
徐泰時去世後，「東園」漸廢，唯湖石一峰巋然獨存。

　　清嘉慶初，東山人劉恕（字蓉峰，爲廣西右江兵備道）在「東園」故址建園，「園饒嘉植，松爲最，梧竹次之」。松多爲白皮松，竹色清寒，波光澄碧，故改名爲「寒碧山莊」。又因園前的一條路舊名「花步里」，園又名「花步小築」，錢大昕題額。但士民卻以主人姓氏名其園爲「劉園」。劉氏性愛石，園中聚奇石爲十二峰，名「奎宿」、「玉女」、「箬帽」、「青芝」、「累黍」、「一雲」、「印月」、「獼猴」、「雞冠」、「拂神」、「仙掌」、「干霄」，延人繪畫，題字作記。極勝一時。俞樾稱其「泉石之勝，華木之美，亭榭之幽深，誠足爲吳中名園之冠」。後逐漸荒蕪。

　　光緒二年，園歸武進盛康（字旭人）。盛康精通醫道，原在常州開國藥店，因獻丹藥醫治好慈禧太后的慢性皮炎，獲賜臺灣海峽釣魚島等三個小島，用以種藥。盛氏對「劉園」大加修葺，嘉樹榮而嘉卉茁，奇石顯而清流通，涼臺燠館，風亭月榭，高高下下，迤邐相屬。當時園廣四十餘畝，比昔時更增雄麗。因歷經兵燹，閶門外惟此一園獨存，故諧「劉園」之音而改名爲「留園」。據《吳門逸乘》記載：當時園之中部爲「涵碧山房」，題字爲「胸次廣博天所開」，左旁之屋名「恰杭」（「杭」與「航」通，取杜甫「野航恰受兩三人」句意）。庭西有石直立，名「濟仙石」，以其形似濟公，故稱之。前臨荷花池，中有金魚鴛鴦。池之西北，疊石爲山，植樹其上，桂樹叢中有軒，署名「聞木樨香軒」。山之頂有亭名「可亭」，山之陰有「半野草堂」。池之東有軒題爲「清風起兮池館涼」，池之南有軒題爲「綠蔭」，池中有亭題爲「濠濮想」，周有長廊，壁間多嵌石刻。園之東有　木廳，額曰「藏修息遊」。庭有湖石，勢極玲瓏。廳角有亭，署爲「佳晴喜雨快雪」。中有靈壁石作臺，石木磐材，叩之有聲。廳之北有屋，

署曰「花好月圓人壽」。左有「揖峰軒」，署爲「石林小院」。
其對面之屋署曰「洞天一碧」。「東園」由「揖峰軒」入，有高
大之湖石三座，歸然兀立，中曰「冠雲峰」，左名「岫雲峰」，
右名「瑞雲峰」。下有「冠雲沼」，南有「四面廳」，額曰「奇
石壽太古」。池之右有「冠雲臺」，署曰「安知我不知魚之樂」。
左有「冠雲亭」。北面有樓，署曰「仙苑停雲」，兩旁懸雲石極
多，俱含畫意。此處有仙鶴孔雀，玉蘭叢桂。偏東一屋爲園主人
參禪處。南面有屋題名「亦不二」。自四面廳前廊西行，至「又
一村」，旁有屋署曰「少風波處便爲家」。徑西行曰「小蓬萊」，
此處有花房蔬圃。過「小蓬萊」，即爲園之西部「別有天」。臨
溪有閣，署曰「活潑潑地」。西南處署曰「梅花月上楊柳風來」。
西部佳勝處有丘陵，有小溪，丘陵上有二亭，一名「至樂」，一
名「月榭星臺」。又署其房曰「其西南諸峰林壑尤美」。前有草
地曰「射圃」。辛亥革命之時，盛氏東去日本，「留園」即日漸
衰敗。日軍侵占蘇州後，「留園」更遭破壞。後又有軍隊駐紮「
留園」，園內建築幾成廢墟。

　　以後經過整修，於一九五四年開放，面積約三十畝。一九六
一年公布爲國家級文物保護單位。

　　西園

　　在閶門外。爲嘉靖間工部徐溶在元代「歸元寺」廢址上所建。
徐溶係徐泰時之子，因其父先建「東園」，故以「西園」名其園。
園建不久，即捨園爲寺，名爲「復古歸元寺」。崇禎八年，請茂
林祇禪師開山，改稱「戒幢院」，後毀。清光緒十八年重建，爲
「戒幢律寺」，中有「大雄寶殿」、「羅漢堂」、「藏經樓」、
「方丈室」、「齋堂」，「羅漢堂」陳列五百羅漢塑像，成爲江

南名刹。園在寺之西，勝景以「放生池」爲最。池之東西架「九曲橋」，以通「池心亭」，有額曰「月照潭心」，又額曰「西域蓮池」。池西有軒臨水，名「爽愷」。池東有四面廳，頗寬敞，中懸一額曰「蘇臺春滿」，有楹聯云：「地拓三弓，然几晴窗明，柳眼花鬚齊掩映；塘開一鑑，看鳶飛魚躍，天光雲影共徘徊。」

「西園寺」現爲蘇州寺院中保存完整的一座佛寺，亦是一處園林勝地。是江蘇省文物保護單位。

韓蘄王廟花園

在胥門外棗市街小學內，爲祭祀南宋抗金英雄韓世忠、梁紅玉的祠廟。始建於明嘉靖年間。園在殿西，原有假山、亭子、花木等。已廢。

小漆園

在小曹家巷。嘉靖年間，張鳳翼孝廉所構。池亭木石，俱有幽致。當時吳中皇甫四子：沖、涍、汸、濂，皆有才名。張氏兄弟三人鳳翼、燕翼、獻翼繼起。吳人語曰：「前有四皇，後有三張」。

石湖別業

張獻翼寄傲之所，中有「稽范齋」。

思翁別業

在寶華山塢，爲董其昌讀書處。

碧浪園

在「雲隱庵」南，建於嘉靖年間。園有修廊，繞以周垣，花竹湖岩，掩映溪湄，蒔葯數畦，高逸雅潔。崇禎間公燦明禪師改名「鏡水庵」。有題詠詩句寫道：「亭亭蒼竹繞方池」，「虛庭響落青松子，淨沼香生白藕花」等。

五峰園

在閶門西街，爲市級文保單位。嘉靖間長洲楊莊簡尚書所治。園內有五石峰，爲「三老峰」、「丈人峰」、「觀音峰」、「桃塢慶雲峰」、「擎天柱」，現存三峰。俗稱「楊家園」。唐洞庭君柳毅墓即在此園樓下。

弇州園──半園

俗呼「王家山」，在太倉「隆福寺」西，爲司寇王世貞家園。初稱「小祇園」，後因《莊子》、《山海經》、《穆天子傳》有「弇州」、「弇山」，皆仙境，他自號「弇州山人」，亦改園名爲「弇山園」、「弇州園」，後門又榜爲「琅琊別墅」。王世貞以爲「第居足以適吾體，而不能適吾耳目，計必先園」。其兄弟二人共建園十多處，最先建成的即爲「弇山園」。

園中有三山（西弇、東弇、中弇）、一嶺、三佛閣、五樓、三堂、四書室、一軒、十亭、一修廊、二石橋、六木橋、五石樑、四洞、四灘、二流杯。園廣七十餘畝，土石占十分之四，水占十分之三，室廬占十分之二，竹樹占十分之一。

入園門，織竹爲高垣，旁植花木，花時雕績滿眼，名「惹香徑」。徑至西盡處爲「知津橋」。高垣之左，爲「清音柵」。右爲小圃，種柑橘，名「楚頌」。徑南爲「小祇林」，中建一閣，有亭翼然，四周皆環美竹，名「此君」。竹後，一峰獨立，名「

點頭石」。離峰十武，有石橋，名「梵生」。至此，境界忽若幽僻，高榆古松，與閣爭麗，美蔭不減竹中，書曰「清涼界」。右方有閣，閣北，爲「中島」及「西山」，巒色峰勢，森然竟出。閣之左，踞水爲華屋三楹，花木禽魚，名「會心處」。

「知津橋」跨「小罨畫溪」上。其西臨水五楹，榜曰「城市山林」。西南種含桃，名「含桃塢」。堂五楹，翼然，名「弇山」。堂南北，花木爛熳。又北，枕蓮池，有鐫刻「芙蓉渚」字樣古石。循堂而東，有一石坊，名「始有」，名「雖設」。循池而南，其蔭皆竹，名「瓊瑤塢」，塢內皆種紅白縹梅及桃李百多株。更西，有小平橋，名「小有」。自是復折而北，清流灣環可鑑，名「磐折溝」。道左梅花繁盛，名「香雪徑」。寬敞處有一亭，主客日飽於此亭之中，故名亭爲「飽山」。復折而東數十武，得「萃勝橋」。「萃勝橋」，踞諸山之口，立其上，可北盡「西弇山」，東北盡「中島」，東南可覽佛閣花竹之半，又可見「文漪堂」之勝，故名「萃勝」。度橋，一峰獨尊，突兀雲表，名「簪雲」。又一峰稍亞，若從者，名「待兒」。右側另一峰更壯，而頷中穿若的，名「射的」。路折而北，得一灘，名「突星瀨」。瀨之右皆嶺，類徑者名「岜崿峰」、「楚腰峰」。瀨之源爲「蜿蜒澗」。入「天鏡潭」、「潛虬洞」，不遠處，通「小龍湫」。湫之西南，有一線道，可以闖「小雪嶺」。再前十武許，爲「息岩」。自是俯視諸峰，巧拙不一，各有佳名。復西行，俯澗之石甚奇。東西攀躡而上，名「指迷」，名「青虹」。循「青虹」復西而下，入洞，洞上即「縹渺樓」。下有小懸崖，舊刻米芾所題布袋和尚像，名「契此岩」。右折梯木而上，即「縹渺樓」之前廣除，入山時「簪雲」三峰皆在此。自此乃徙「縹渺樓」，此樓爲三弇最高處，園內外諸美皆可一覽無餘，北望虞山，亦百里而近，故有名曰「

大觀臺」、「皆虞榭」。自樓上左側而下，有方臺，名「超然臺」，臺上置奇石。樓南稍東拾級而下為「白雲門」，又東北拾級而下有門名「隔凡」，即三峯之第一洞天。其水，上皆怪石覆之。北取「蜿蜒洞」，出洞復曠朗，稍南，為「枕流灘」，旁多美石。再北，名「雌霓」。入「呵牙洞」，有亭名「叢桂」。返回抵臺，則至「中峯」之道。臺雖低，為三峯會集處，名「縮奇」，復折而上，有亭名「環玉」。旁有錦劈二峰，小轉抵「月波橋」，「西峯」至此盡。

度「月波橋」。一峰骨立當之，名「古廉」。前「壺公樓」，西壁多峰石，轉西南，水邊奇石，各出其態。不數武為「率然洞」。洞將盡，兩石夾之，儼然兩閽人，總名之曰「司閽石」。其西南折而下，有磐石臥水，名「西歸津」。循洞口東轉，踞水之峰，皆古而多穿漏。小轉而南，名「小雲門」。自此轉而入峽，兩旁有怪石，窈窕陰洰，仰不見日。緣澗而轉，委曲溯沿，兩相翼為勝。此處乃「中峯」第一景。峽將盡得一石，名「磐玉」，由「磐玉」再上，抵中樓。左，正值「東峯」之小嶺，名「借芬」，名「含雪」。稍東，檐下產芝，名「榮芝所」。轉而南為「梵音閣」。出閣，右盤而上，名「紅繚峰」，亭亭雲表，是「洞庭」第一佳者。復左盤而下，有蜀品佳石，名「青玉笋」。自此穿一石樑，名「鰲背」。度「鰲背」有亭，名「徙倚」，客每於此小憩。自「徙倚」南折，下數級，得「東泠橋」，而「中峯」之事窮。

渡「東泠橋」，有峰曰「窈窕」。自此而南，有二峰，折而北，又兩峰，東轉皆曲徑。有亭名「得勝」，至此，「東峯」之勝始顯。陽道由正北穿小石門，一高峰名「百衲」，次之者名「小百納」。稍西一峰最高，兩尖相向，名「蟹螯」。東北斜上三級，有廣臺，是流杯處。有水東注，名「飛練峽」。由「流觴所」

十餘級而下，爲「娛輝灘」，此處險石四列，垂柳、緋梅、蜀棠交蔭。一峰北向，名「挹青峰」。左望一石甚麗，名「錦雲屏」。復東沿級而下，有老樹一株，旁有桃梅，并建亭，名「嘉樹」。旁一峰，遙望若蓮花，名「似蓮」。自亭而東，名「玢碧樑」。自此折而下，蜿轉復上，得美筱爲徑，抵「振屧廊」而止，此所謂「陽道」。「陽道」皆幽徑，前行數折爲「山神祠」，祠西旁出一道，由「玢碧樑」下度，可俯視「留魚澗」之勝。「留魚澗」幾占「東弇」十分之七，兩旁皆峭壁數丈。綜觀「東弇」之景，不類「中弇」盡人巧，而多天趣。

由「西弇」盡處「環玉亭」北折得石門，榜曰「惜別峰」，自此上山蛇紆而上，其左爲「廣心池」。有亭名「先月」。有橋名「知還」。稍東爲「文漪堂」，正對「中島」之「壺公樓」。出「文漪堂」左折而入，得一門名「息交」。又有堂三楹名「涼風堂」，堂西數武，名「爾雅樓」。閣前有方沼，有米芾書「墨池」二大字嵌勒沼旁。樓西復有三楹。中庭數拳石，水繞階爲流杯。又西有樓五楹，名「小酉陽」，藏書三萬卷。樓之前，有高垣，其下修廊數十丈，枕「廣心池」，即由「文漪堂」出「琅琊別墅」後門。

王世貞在《弇山園記》中說：「弇之奇，果在水，水之奇，在月」，又說：宜花、宜月、宜雪、宜雨、宜風、宜暑，是「弇山園」之勝。他在《遊潘顧諸園畢自題弇園》中寫道：「踏遍名園意未舒，大都京洛貴人居。穿錢作埒難調馬，鏤石鋪池礙種魚。似比幼輿輸一壑，轉令元亮愛吾廬。興來呼得尖頭艇，煨蟻烹鱗信所如。」從這首詩看出，王世貞對他的「弇山園」極爲自賞與自負。

後王氏衰敗，園分售他人，「半園」爲其一，此園小而屋宇

夾雜，不復有昔日舊勝。

離薋園——靜逸園

世人誤稱為「荔枝園」，在太倉城廂鸚鵡橋東第宅之左。《離騷》有「薋菉葹以盈室兮，判獨離而不服」句，「薋菉葹」皆惡草，借喻小人。當時嚴嵩之子嚴世蕃欲得王世貞父王忬所藏宋人《清明上河圖》，未果，嚴嵩即將王忬落職論死。罹此家難，世貞兄弟皆匿迹家鄉，故以此名園，以記其恨。入門有蟠松二株，方竹十餘莖。最南有亭名「壺隱」，有梅二十株，前累石為山，頫盎沼，蓄朱魚，山亘可丈計，中有澗、有洞、有岑、有樑，右為書室，左種竹，竹間有亭名「聆發」。「壺隱亭」後有小圃二，欄以竹，雜種桃杏木藥。圃盡得徑為廣除，列孤峰，累太湖石，左右有玉蝶梅、綠萼梅各一，大可蔭臺，臨臺有屋五楹名「鷃適軒」，左室以得竹而名「碧浪」，右室可棲容而名「小憩」。據《骨董瑣記》云：園中假山為疊山名家張南垣遺製。此園後為府尹錢陛別業，更名「靜逸園」。再後為畢秋帆所有。

淡園（五美園）

王世貞弟王世懋家園，在「弇山園」東半里，面積殺於「弇山園」六分之一，方廣實逾之。園以花美、木美、泉美、石美、建築美著稱，故又稱「五美園」，訛稱「五畝園」。前門鑿池半規，右浚長溝，外植高榆，間以叢篠。入門廣地為收穫場，有軒名「學稼」。啓左廡入精廬，凡四重，各五楹；啓右廡廖廓，平臺前為小池，壘石滋牡丹，中有「明志堂」三楹，後枕大池。堂右折而南為書室，北渡小平橋入一門，循左廊折而北為小軒。中除壘數峰，皆靈壁英石。又折而東穿水閣，三方皆池，多種蓮。

由水閣而北稍西復一軒。由短垣出，夾道修竹，亘而北皆傍池，池半橫一橋，東通果園，極曠，種柑桔等。自橋返竹徑，又有崇臺，雜植諸卉。當時詩人屠隆有詩句「名園樓榭郁參差」，亦可見盛況。後歸陸氏，稱「陸氏園林」。園久廢，惟觀音峰一石尚在，高達尋丈。一九四九年以後移太倉人民公園內。

貰園——梅村（清）

在太倉城廂鎮，王世貞之子王士騏別業，亦名「莘莊」。入清，吳偉業購而新之，改名「梅村」。中有「樂志堂」、「梅花庵」、「交蘆庵」、「嬌雪樓」、「鹿樵溪」、「舍檀亭」、「蒼溪亭」諸勝。吳偉業有詩詠道：「傍城營小築，近水插疏籬。岸曲花藏釣，窗高鶴聽棋」；「枳籬茅舍掩蒼苔，乞竹分花手自栽」。

春玉園——繭園——半繭園（清）

在昆山縣治東城橋北，嘉靖間葉文莊（盛）園第。其玄孫葉恭煥又加增拓。清康熙間，恭煥孫、工部主事葉國華又增拓之，修廣六十畝，改名「繭園」。有「大雲堂」、「据梧軒」、「樾閣」、「霞笠」、「唐亭」、「小有堂」、「綠天徑」、「煙鬟樹」、「濠上」、「舒嘯」諸勝。「小有堂」前寒翠石爲宋代「快哉亭」舊物，上有蘇東坡題識。元時爲顧德輝「玉山草堂」。

後來，葉國華分園爲三，分予三子。其仲子奕苞（字九來）得其東偏之半葺而新之，稱爲「半繭園」。新增「春及軒」、「梅花館」諸勝。嘉卉林立，清泉繞除，一椽一石，皆九來親理。歸莊曾親往園中看桂，有詩詠道：「名園花事競秋風，行度平橋繞曲廊。映日叢叢金粟色，橫空陣陣廣寒香」。後賣給平湖陸氏。

乾隆中為邑廟，重建「舒嘯堂」、「歌堂」，贖回「大雲堂」遺
址，繚以石垣。嘉慶間又重修「樾閣」，建廊榭，又於假山之巔
建「挹山亭」。道光間，又建樓三楹。不久，園廢，張潛之有詩
詠道：「荒園疊嶂草青青，賢主重來此地經。彈指奕公春社散，
桃花紅上挹山亭。」

盧氏園

在昆山小漊東，員外郎盧梗所築。中有「紫薇堂」，紫薇花
開，陰蔽畝許。

養餘園

在昆山馬鞍山西麓，吏科給事中許從龍去官五年之後所築。
其地闢陽而交陰，負城瞰山，竹木森秀，臺榭館閣之類，錯居而
各有所，窈窕靜深，潔不容唾。規池矩沼，負抱婉轉，皆許氏精
思構造。園有堂名「遂初」；有閣名「穆如」，閣之後多種竹；
有亭名「叢桂」，旁多桂樹；有庵名「靜觀」；有館名「貯春」。
王世貞《養餘園記》寫道：「園有畬，可稼可蔬，樂子之恆餘；
園有滉，可釣可網，樂子之能養。」此乃園名之真義。

桔泉園

在昆山正儀鎮，為魏仲文園第。園中植橘百株，有井泉甘潔，
可治危疾。

悠然亭

在昆山馬鞍山前，河南參政周大禮所建。大禮本居千墩，宦
遊二十年。嘉靖三十年，歸來於此僦居。高樓曲檻，雕牖畫棟，

又於屋後構小園。作亭於其中，取陶潛「悠然見南山」之意而名之。

青陽溪館

在昆山馬鞍山東南麓，本太僕周復俊所建「玉蘭亭」，中有「綏成祠」。至復俊子周泉拓而建爲溪館。有「雲東草堂」、「忘歸亭」、「綠竹居」、「桐榭」、「松坪」、「梅林」、「杏圃」諸勝。明季廢。至清康熙間，在其遺址重建「綏成祠」，然不復有園林音韻。

容春堂

在昆山玉山鎮，廣平知縣張擢秀所居。歸有光爲作記，記中說：擢秀爲令清漳，與上司不合，拂衣以歸。占園田於縣之西二里小瀺浦。園有堂，啓北窗則馬鞍山如在檐際，間植四時花木，戶外清水綠疇如畫。

西園

在昆山縣治宣化坊內，爲歸有光第宅之園，內有「承志堂」、「項脊軒」及「西園」等。園爲歸氏祖父始闢，多植薔薇，花時五色燦爛。園南有井，大旱不竭，平泉甘美，能益人壽。

棘園

在昆山拱辰門外，爲駙馬都尉鄔景和別墅。其宅第在半山橋。

巽園

在昆山千墩，天臺主簿邱孫登所築。中有「秀野堂」、「塔

影池」、「桂春齋」、「竹林深處」諸勝。

樂彼之園

在昆山馬鞍山東麓，都事顧藻始建「東岩亭」。至其玄孫錫疇因之築園，中有綉壑，岩巒環互，蒼秀天成，最具景勝。

許氏前園

在張家港市楊舍鎮橫河里，在許莊之「後園」南，故又稱「前園」，爲嘉靖年間許蓉別業。蓉雖布衣，但抗倭有績，性嗜書畫，聚宋元文物，暇則與客賞鑑。園廣五畝餘，植玉蘭數十株，牡丹、芍藥百餘本，盛冠三吳，當時名士多有題詠。後爲倭寇所毀，至清康熙時尚有芍藥二十多本，再後，僅剩池一方，人猶稱爲「荷花池」。

樊春圃

在太倉雙鳳，嘉靖年間，參政郟鼎所闢。有「西山」、「梅岩」、「浣溪亭」、「漏雪峰」諸勝。郟氏棄官歸里之後，十餘年與故舊遊於此。

丹山

在太倉雙鳳，嘉靖時陳汪築，有「竹橋」、「芝屋」、「幽軒」諸勝。周錫有詩詠道：「丹山芝屋竹爲橋，覓徑穿離訪水曹。雙屐遠慚諸老會，一壺兼賀兩山高。雨侵歌館千門柳，風送遊人夾岸桃。我亦淹留叢桂客，酒酣時復一揮毫。」

三山

在太倉雙鳳，嘉靖時周錫築。有「石亭」、「耕耘臺」等。郟鼎《閏九月登三山》詩寫道：「霜落高梧節序侵」、「關高縱目無遮礙，一嘯能傳千里音」、「清泉碧石當年約」、「秋色滿園蓉菊開」。

詒燕堂

在太倉雙鳳，嘉靖年間周土園第。周土與其兄周在皆官居京師，預置此園，作歸田遊憩之所。園景甚佳，時人詠道：「花當綺席偏穠艷，草入名園自鬱芊。」

安氏園

在太倉縣治。入園為竹徑，植花木，有亭閣蓮池。後廢為僧舍，然世人仍呼為「安家園」。

南園

在太倉城南，明閣老王文肅（字錫爵）建以種梅。此園為當時邑城名勝之首，廣三十餘畝，有「綉雪堂」、「潭影軒」、「香濤閣」諸勝。當時王文肅、董其昌、陳眉公三人相善，詩書過往。「綉雪堂」壁間有「話雨」二字，為董其昌所題。園中遍種梅花，其中一株名「瘦鶴」者，為王文肅手植。

清初，文肅之孫、畫家王時敏增拓，有二峰名「簪雲」、「侍兒」，係自「弇州園」移至。乾隆時荒蕪。嘉慶、道光年間重修，同治時又修，後漸破舊，至清末園廢，民國初設蠶桑館於此。園內原碑石甚多，一九三七年日軍侵華，被炸碑毀，惟存「聽月峰」一石。清人錢泳有詠「南園」詩，寫道：「昔年踏雪過南園，古樹斜陽草木繁。惟有老梅名瘦鶴，一枝花影依頹垣。」

一九八九年在南園遺址，出土青石獅子一對，現存太倉博物館。

王氏園

在太倉縣治，大學士王錫爵園第。東西三百餘尺，南北近千尺。其陽為菜畦，畦盡修垣，竇而入，十餘步，橫隔大池，循橋得徑。右為亭榭，亭前壘石為島，於石隙引機作水戲；左為池，稍廣；前後堂楹各具，牡丹至三百多本，菊倍之，又多名花果。中有「梅花樓」、「荒池」諸勝。清咸豐庚申毀於兵火。

東園（樂郊園）

在太倉東門外半里許，王錫爵種芍藥處。入門度石橋，歷松徑，有修廊。廊左修池寬廣，可二、三畝，廊北面池有樓名「揖山」，後多植竹，竹勢參天，有閣名「涼心」。度竹徑南累石。曲折而南又有小山平起，上隱桂林，山盡處有「期仙廬」，廬前鑿方池，中突二峰，前有「掃花庵」。再前有板屋，臨窗而望平疇百十頃。又有「看耕稼庵」、「藻野堂」，遍植芍藥，紫藤下垂，古木十餘章，繞水如拱挹。東折石徑，見梵閣，有小崖，循崖登望，木石起伏，夾路樹影參差。園中計有三橋二樓，二亭二閣，一庵一庭，一佛堂，一水前後通流，嘉木卉無算。文肅孫王時敏曾大加修治。這是建於郊外的私人別業，由雲間張南垣設計，最擅園林之勝。有詩詠道：「冉冉野花落，悠悠溪水香。古藤緣樹立，新竹共人長。」「尚有平泉餘薜蘿，更開別業闢池塘。斜置小橋通鳥路，直從雕檻繫漁榔。」園已久廢，不可追尋。

北園

在太倉沙溪，舉人曹巽學所闢。多植玉蘭、木樨。

小南園

在常熟虞山鎮草橋西南，通判桑瑾所築。瑾與其弟桑瑜日涉其中。有「四二亭」，取四美二難之意。桑瑾有詩詠道：「高榆密竹翠婆娑，曲徑陰明夾細莎。客爲看花成坐久，僧因辨藥持經過。晴窗撤幕來青嶂，水檻垂廉漾白鵝。鐘鼎山林又殊願，不妨留取作吟窩。」

西岩莊

在常熟虞山鎮拂水岩西，亦爲桑瑾所闢。枕山面湖，有「把釣石」、「代茶泉」、「圍棋塢」、「玩易臺」、「葬詩冢」、「紅錦崦」、「碧雲坡」、「振衣亭」八景。沈周爲之繪圖，並贈以詩。

秀野園

亦名「西園」，在常熟虞山鎮北郭外石城里，爲禮部尚書李文安別墅。有「回馬鶻頭巨人」、「漱浪夾鏡」、「瑞芝朵雲」、「楚娥獅口」、「蓮蕊熊耳」、「高髻丫環」、「削玉」諸峰和「觀芳攬秀」、「箬笠寒翠」等亭，又有「屯雲洞」、「談棋塢」、「涵清池」、「雙碧澗」。李與友人結詩酒社於此。

萬祿水居（一本作「萬祿山居」）

亦名「壽樂園」，在常熟虞山之寶岩灣，撫州守陳言所闢。其自詠詩寫道：「水竹湛清華，檉梠密陰翳。紫笋劈錦綳，紅櫻摘火齊。」

藤溪草堂

在常熟虞山西北麓秦坡澗下，為孫柚所闢。古藤盤繞，澗壑泓然。有「藤溪」、「飲虹亭」、「松龕」、「叢桂軒」、「芙蓉沼」、「蕊珠寶」、「曇花庵」、「古逸祠」、「寒香徑」、「松風館」、「蘆埼」諸勝。各饒幽致。後漸荒圮，孝廉顧雲鴻購得之，復加經營。然此園在明朝已廢。

五湖三畝園

在常熟尙湖東渚，兵部郎中邵鏊別業，水光山色掩映有致。有「浣花閣」等勝景。

日涉園

在常熟虞山初平石畔，蔣世卿所構，其子曾加增飾。

孫氏園

在常熟虞山「日涉園」右，孫林所闢。

湖村別業

在吳江同里，任秀之園第，有「釣臺」、「家塾」、「含香館」、「玩月亭」諸勝。

梅園

在吳江同里，醫生陸璘玉所葺。

陸園

在吳江同里，陸府修別業，中有池亭、書齋、梅竹牡丹芙蘂

之勝。

盤窩

在吳江同里，顧昶園居，中有堂、有齋、有閣、有榭。姚明《題盤窩》詩：「栽桑栽竹日殷勤，風景曾從李愿分。千澗落花流曲曲，何人尋得到雲深。」

求志園

在蘇州城東北隅，爲張鳳翼園居。錢叔寶爲繪《求志園圖》。

顧宗孟宅

在天賜莊，中有「高醋亭」，文震孟爲題額。清時崇明施何牧僑居於此，焚香吟詩，翛然絕俗。

蔣若來宅

在婁門接待寺，東有「玉蘭堂」，植玉蘭五株，甚古。

梅隱

在蘇州城郊橫山之徐家塢。大司馬呂純如別業。俗謂之「南宅」。中有「四宜堂」，門首鑿渠引水通湖，左築小閣，壘土成高崗，名「鶴坡」，因有白鶴歸此而命名，居坡遠眺，收湖山之勝於襟帶間。園中又有老梅百樹，扶疏掩映，遊人往來，如在眾香國裡。爲「南村」之後的唯一佳境。明亡之後，爲他人所得，逐漸廢爲菜圃。

桃浪館

在吳縣木瀆東之花園山。嘉靖年間郡人郭仁葬此。子孫就塋旁建築花園，中有「桃浪館」、「靜文閣」等勝。

諧賞園

在吳江，建於隆慶年間，爲福建提學副使顧大典解官歸里之處。顧大典工書畫，妙解音律。

顧氏宅在縣城西北隅，前臨渠，後負郭，左有琳宮、別墅、喬木叢林之勝，遠市而僻，割其左之半爲園。取謝靈運《山居賦》：「在茲城而諧賞，傳古今之不滅」句意以名園。

園在宅居「世綸堂」、「春暉樓」後，樓垣高三尋，古藤翳之，蔓引蒙密，氤氳蔽虧，承以高臺。下有雪竇，朱欄翠幕，曲有奧趣。臺之左築室三楹，名「雲羅館」。館後夾以修廊，啓扉而入爲「清音閣」。閣在園之一隅，登樓遠眺，則粉堞雕甍，透迤映帶，俯視園景，可得十之八、九。竹樹交戛，不風而鳴，琮琮琤琤，天籟自發。閣之後，精室三楹，置福建等地出產之美石。閣後又有一軒，名「美蕉」，置福建所產美人蕉，綠苗紅萼，簇若朱蓮。館旁設一門，非窺園則不啓扃。館外爲「載欣堂」，堂後爲「靜寄軒」，軒前多植桂樹，堂前雜蒔衆卉，隔以短垣，垣之中闢爲門，門枕方池，修廣各百武，踞以石橋，中建水亭三楹，窗扉不啓，四面受景。橋面平臺名「舒嘯」，修廣與池埒，可布長筵。左右藩以柔荑，環以榆、柳、槐、棘，枝葉交蔭，如蓋如幄。前列小山，疏峰灌木，離離相映，蒼松翠柏，蟠層成屏。循故道稍西，折而北二百武，入「淨因庵」，庵甫盈丈，中奉大士像，香燈清淨，儼若禪居。出庵度平橋，疊石爲山，入山皆仄徑，躡級數十而上，山巓有峰屹然，巧而麗，名「錦雲」。下有洞名「棲雲」，群峰環峙，有若騰者，有若舞者，有若人者，有若獸

者，有嵌空者，有窈窕者，有突兀者，不可指計。出洞，復度石
梁，登「翠微亭」，下可俯視澄潭。折而南，跨水爲橋，橋通小
溪，名「武陵一曲」。以樓踞之，琅玕繚繞，碧水周遭，窗牖玲
瓏，蒼潤可挹，名「環玉」。隔水名「枕流亭」，每池水瀉溢，
則激石爲湍。亭之陰，誅茅爲屋，園丁時釀酤酪以待客，匾曰「
宜沽」，野店青簾，宛有流水孤村之致。旁植梅、杏、桃、梨各
數株。循溪而南數十武，畫橋碧砌，有亭翼然，匾曰「煙霞泉石」。亭
後遍植薔薇，棕櫚、木香之屬，駢織爲屏，芬芳錯雜，燦然如錦。
亭之右，修竹萬竿，清陰蔽日，竹間置一石兒，兩石榻。林盡爲
徑，徑繞修垣，垣皆緣以薜荔。徑盡處爲「山神祠」，祠正面溪，
蜿蜒曲折，窈窕陰黝，不辨歸路。至此，園之勝窮盡。

綜觀此園，臺謝池館，無偉麗之觀，雕彩之飾，珍奇之玩，
惟木石爲最古，木之大者數圍，小者合抱，葱蘢蒨峭，宛若林麓。
石之高者梟藤蘿，卑者蝕苔蘚，蒼然而澤，不露疊痕，皆百餘年
物。當時人以爲偉麗、雕彩、珍奇，皆人力可致，而木石不易致，
故稱譽此園甲於吳江。

塔影園──雲陽草堂──靖園（清）

園在虎丘便山橋南，上林苑錄事文肇祉（字基聖，文徵明孫）
建。初名「海湧山莊」，屋宇高爽，中立一亭，蒼梧修竹，清泉
白石，擅山水之勝。後鑿池及泉，池成，虎丘塔影倒映其中，故
改名爲「塔影園」，橋亦改名爲「塔影橋」。有詩詠道：「籬豆
花開香滿園，赤欄橋畔塔影懸。偶思小飲沽村釀，門外魚蝦正泊
船。」園之蕭條疏豁，大概可見。

明末，長洲顧苓（雲美）退官歸里，在「塔影園」原址構築
園庭，名「雲陽草堂」，內築「松風寢」、「照懷亭」、「倚竹

山房」諸勝。歸莊《照懷亭記》謂「園中修廊曲池，木石森布，亭館潔精」。「松風寢」周圍植長松數十株。室中木榻竹几，有顏眞卿法書懸壁。「照懷亭」爲文徵明書額，周植高梧數株。顧雲美棲息園中，直至終老。清光緒二十八年，在園內建李鴻章祠，題曰「靖園」。園中花木亭臺，頗擅幽趣。辛亥革命後，逐漸荒廢。現爲虎丘中學所在。

梅園

在蘇州城內，張朴泉所建。

康莊

在吳江震澤西南匡字圍，故又名「匡廬」。萬歷年間吳秀所築。吳秀進士出身，官至揚州知府。守揚州時，因與當事者政見不合，乃棄官歸田，因築此園。園址地本低窪，即以米易土，增高其地，結廬其上。園中有石室，豎五拳石以象五老，貯一勺水以象天地。此園內坦外峻，亦宛然廬山風景。有「玉皇閣」、「范公祠」、「九賢祠」諸迹。施守官《吳大夫園記》寫道：「弁巘而爲山，」引具區以作池。高樓望遠，則百里萃于目中；華館臨深，則千頃同于几下。石樑婉孿以跨堤，屏嶂逶迤以夾路。密室則隆冬常燠，陰宇則盛夏恆清。又有長梧蒼翠，修竹團孿，珍果累實，嘉木蔭檐，其他奇葩殊卉，異形怪石，耀乎燦爛，言之所不能殫。」（清道光《震澤鎮誌》）有詩詠道：「荷葉滿地梅繞屋」，「洞中供石像，崗底肖山橋」，「素愛名園勝，今同高士來。穿林石翠合，倚磴洞雲開」，此亦可見園景之盛。

至清康熙時，吳秀六代孫吳維翰重修。

寒山別業

在支硎山南。萬曆年間，雲間高士趙凡夫（字宧光）葬父於此，遂偕元配夫人陸卿子居此。自劈丘壑，鑿山琢石，如洞天仙源。徐樹丕《識小錄》亦說它「鑿池開徑，盛植松竹，遂成勝地」。前為「小宛堂」，藏書其中，所置茗碗几榻，超然絕俗。建有「盤陀」、「空空」、「化城」、「法螺」諸庵，皆其別墅。又有「千尺雪」、「雲中廬」、「彈冠室」、「驚虹渡」、「綠雲樓」、「飛魚峽」、「馳煙驛」、「澄懷堂」、「清暉樓」諸勝。「千尺雪」尤為諸景之最。

此園建於山中，既有山林野趣，亦有人工之美。趙氏夫婦及其友人多有詩題詠，如：「松風二十里，花店野棠村。已是山深處，無嫌客到門」；「樹色千重碧，溪聲萬壑流。鳥啼花塢暖，楓落石門秋」；「鳥飛雲天外，泉響隔林聞」；「岩花爭綺秀，堤柳學娉婷」；「自栽叢桂謝塵寰」；「別開斜牖封青山」等等。趙凡夫一傳無後，園遂改為精藍，名「報恩寺」。清高宗南巡，六次臨幸，賜詩至三十餘首。

天平山莊（范園）——高義園（清）

在天平山南麓。本是唐代「白雲庵」舊址，宋時范仲淹請改為「功德香火院」。至明萬曆年間，范仲淹第十七代孫、進士、書畫家范允臨（號長白、字長倩）從福建棄官回鄉，為追念先祖，傍山築室，亭觀臺榭，璀璨一時。引泉為沼，帶以修廊，通以石梁，遠望如蓬萊三島。有「聽鶯閣」、「呪鉢庵」、「歲寒堂」、「寱言堂」、「繙經臺」、「桃花澗」、「宛轉橋」、「魚樂國」、「來燕榭」、「芝房」、「小蘭亭」諸勝。此園皆依山就水而建，故其堂聯云：「門前綠水飛奔下，屋裡青山跳出來」。當時稱名

爲「天平山莊」，時人俗呼「范園」。有《范園有感》、《過范園》諸詩記其事。如明末清初詩人徐崧寫道：「猶思參議居園日，蜃閣虹橋賽列仙。」和范允臨同時人，且親至「范園」遊訪過的張岱描寫其情景道：「園外有長堤，桃柳曲橋，蟠曲湖面。橋盡抵園。園門故作低小，進門則長廊復壁，直達山麓。其繪樓幔閣，秘室曲房，故故匿之，不使人見也。山之左爲桃源，峭壁回湍，桃花片片流出。右孤山，種梅千樹。渡爲小蘭亭，茂林修竹，曲水流觴，件件有之。竹大如椽，明清娟潔，打磨滑澤如扇骨，是則蘭亭所無也。」（《陶庵夢憶》）園中雪景尤美：「山石嵯峨，銀濤蹴起，掀翻五泄，搗碎龍湫，世上偉觀。」（引同上）歸莊亦有記，說它「池館亭臺之勝，甲於吳中。每三春時，冶郎遊女，畫廊鱗集于河干，籃輿魚貫於陌上，舉步遊目，應接不暇。」

後來，范氏後裔又多次興修。清康熙年間，范必英念范允臨復振祖澤之功，又在「天平山莊」建「參議祠」。乾隆七年，范仲淹二十七世孫范瑤等人又重修。一時，祠宇廊房，次第興舉，莊內諸勝，盡還舊觀，並將「天平山莊」改名爲「賜山舊廬」。山半有「白雲亭」。此亭因白居易、蘇子美題詠「白雲泉」而得名。又建「如是軒」，建樓造閣，樓下爲燠室，上爲虛廊，閣爲最勝。山多松、栝、榆，細竹生於石罅。乾隆南巡時，因讚賞范仲淹雲天高義，題「高義園」三字，遂以爲園名。咸豐、同治年間，太平軍攻占蘇南，蘇州成爲戰場，「高義園」等建築遭兵燹。清軍復辟後，范氏後人再次興建。

民國時期，范后甫「仰承先志，尤以興復天平諸古迹爲己任，以身率先，庀材鳩工」，歷時二年，使「高義園」、「范參議祠」等面貌一新。但後來無人管理，年久失修，日漸衰敗。

一九四九年以後數次修整山莊，仍名「高義園」。現爲市級

文物保護單位，對外開放，供人遊覽。現在的「高義園」，占地五千三百平方米，全部建築自東向西，主要由「咒鉢庵」、「來燕樹」、「范參議祠」、「高義園」、「白雲古刹」五區組合而成，既是一個整體，又各自相對獨立。各部分均用廊廡相連，迂回曲折，高低錯落，忽明忽暗，使遊人有猶入迷津之感。

蘇家園（楊柳岸）──密庵舊築

在閶門內後板廠，萬歷間，蘇懷愚御史所治。園西北濱河，河北盡植楊柳，因名曰「楊柳岸」。俗稱「北園」。袁學瀾詩句「探勝南園復北園」中「北園」即指此。循堤而西，即蔡家橋，風景絕佳。後來園漸荒廢，僅存樹石。

兵備道李模遁迹吳門之後，購得此處，闢爲後圃，名「密庵舊築」。中有「桃塢草堂」及「芥閣」諸勝。李模之子李文中常於園中詩酒會友，多有題詠。李模死後，吳人即其故居建祠供奉香火，名「老和尚堂」。

若干年後，此處皆夷爲菜地，爲郡中菜花最勝處，相沿呼爲「北園」。某鄉賢有「憶江南」一闋寫道：「蘇城好，城北菜花黃。齊女門邊脂粉膩，桃花塢口酒厄香，處處弄笙簧。」

李模別業

在吳縣唯亭龍墩墓旁，御使李模葺治。有「春水船」、「紫函閣」、「頤廠」、「唯龕」、「靜寄」、「晶廬」諸勝。李模之子亦絕迹城市，時加修築，終身棲隱於此。

有懷堂

在婁門內直街。萬歷年間，長洲韓菼祖父始建，當時有「開

雲堂」（文震孟書額）、「寒碧齋」、「紺雪齋」（皆董其昌書
額）。至清乾隆時，韓菼又重修，另築「劯軒」、「歸愚咫」、
「聞斗室」等。臨流構敞宇，可遙望西山。

芳草園（花溪）——廉石山莊（清）

　　在齊門石皮巷內，現爲新蘇絲織廠所在。明諸生顧凝遠（青
霞）所築。凝遠工畫，博覽群書，愛蓄商周秦漢文物，名士多與
之交。園之北端有「豐閣」。郡邑誌皆稱此園「水石清幽」，花
竹秀野，別館閑亭，頗擅佳勝」（金寶樹《芳草園記》），《江
蘇省通誌稿》亦謂「頗極幽勝」。

　　清初爲觀察周荃所居。康熙間昆山徐乾學得之。徐氏門閥鼎
盛，平泉花木，艷耀動人。及徐之孫繩武未能守其業，乾隆十三
年售予金傳經。當時有房屋一百五十九間，又披廊亭棚二十九間。
先是園內有亭供奉聖祖仁皇帝御書額爲「勤耕樂織」四字，又有
石壁一，高三丈餘，名曰「瑞雲峰」。園後有石碑一，鐫「花溪」
二字。其構築有「自香池上」、「春暉堂」、「蔭遠堂」、「致
遠堂」、「二虞書屋」、「在水一方」、「下帷處水閣」、「旱
船綠陰」等名。園中土岡回互，高出檐際，磊石多傾圮，而遺迹
俱在，基址縱橫，猶數百步。兩面皆溪，一在「自香池上」之南
迤西，一在「蔭遠堂」之北，「二虞書屋」居其中，環繞映帶而
達於屋外之官河，積水深者丈餘，淺亦數尺，雨盛水漲時倍之。
其木有松柏梧楸榆柳楓桑杪楝之屬；其花有木樨、山茶、杜鵑、
薔薇、玉簪、海棠、芍藥、芙蓉之屬；其果有桃、梅、棗、梨、
石榴、金柑、枇杷、葡萄、香櫞之屬；其草有萱艾、蒲藿、馬蘭、
薄荷、萍蓼、荇藻之屬。春晚夏初，樹林蔭翳，濃綠如幄；秋冬
沉寥，雪月交映，虛室生明。其或晨曦乍升，夕煙將斂，坐而聽

之，則有鳥聲、蟬聲、風葉聲、折竹聲、絡緯聲、池魚唼喋聲，可以陶性情，助嘯詠，如贈如答，而莫知其所以然。

　　金氏居此園百餘年後，其半歸陸氏，更名「廉石山莊」。東鄰爲胡氏，亦占園之一偏。一九四九年之前，園內尚有兩個荷花池、荷花廳、旱船、曲橋、廊和亭子等園林建築。現已廢，其遺存山石、屋料移至「唐寅墓」重建。

梅花墅——二耕堂

　　《姑蘇采風類記》：「梅花墅在甫里姚家弄西，萬曆中許自昌所構，地廣百畝，瀦水蓄魚，榆柳縱橫，花竹秀擢，輦石爲島，攢立水中。」明人鍾惺於萬曆己未冬曾親遊此園，所寫遊記對園景記之甚詳。

　　「梅花墅」本是唐代陸龜蒙的舊居故址。墅內多水，實是由暗穴引外部水入園。步入園門，平地過「杞菊齋」，然後盤旋拾級而登「映閣」。臨閣所見，亭廊橋石，垂楊修竹，倒映水中。鍾星有詩詠道：「閉門一寒流，舉手成山水。」環水爲廊，名「流影廊」，廊外有圍牆，牆外復有一閣，名「湛華閣」，與「映閣」內外相對。此處林木荇藻，一川碧綠，染人衣裾，似近可俯接，然可望而不可即。其構置曲折，使人莫測。下閣沿水而前，至「浣香洞」，洞盡爲石梁，梁跨小池。又穿「小酉洞」，憩「招爽亭」，波含苔石處爲「錦淙灘」。隔水長廊，內外種竹。風吹竹響，與水聲相和；日映水先，與竹色交融。然廊與水與竹，斷續蔽虧，不能盡見。自此折而北有三角亭名「在澗」。竹樹幽深處，又有亭名「轉翠」，「映閣」即在其下。旁有立石甚異，名「靈舉」，「流影廊」即自此始。沿綠朱欄，有亭名「碧落」。南折數十武爲庵，又四、五十武爲「漾月梁」，梁有亭，宜候月。

渡梁入「得閑堂」，此堂在墅中最麗。檻外石臺，可坐百人，為留歌娛客之地。堂西北，有「竟觀居」，奉佛。自「映閣」至「得閑堂」，由幽邃而弘敞；自堂至觀，由弘敞而清寂。「竟觀居」臨水處有「浮紅渡」。渡北有藏書樓，稍入為「鶴籞」、「蝶寢」，此乃主人寢居處，非至交密友不得入內。「得閑堂」之東，有亭名「滌硯」，有門通「湛華閣」。牆內諸勝，自此而分，別開一境，極目清遠。閣外，煙霜著於竹林，花實比之雲霞，池水明淨，涵星漾月。雖秋多蕭瑟，而春日清和妍美之景，宛然猶在。

「梅花墅」皆水，而亭閣廊樹皆美，水與景互為映襯，更見園中勝景。

清朝，園歸汪縉，建為「二耕堂」。

小輞川——水壺園、靜園、虛霽園（清）

在常熟城西九萬圩。萬曆年間監察御史錢岱所築。錢岱官至山東巡撫，告老回鄉後，置田數十畝，構築此園。據屠龍所寫園記，此園絕類唐代詩人王維藍田輞川，又因錢岱雅慕王維為人，故一切臺閣亭樹，悉顏以輞川諸勝之名。此園堂宇華整，宜於舞月歌風。園前有陌，寬二丈，長二十餘丈，植綠槐數十株，題曰「槐陌」。陌之東西各有池，有橋相通，有亭名「擬欹湖」。循陌而南，則至園門，顏為「小輞川」。入門，石砌數十丈，傍池植高槐。北有竹林，林中構亭，名「竹里館」。稍南亙以橋，轉而東，有一門，顏曰「藍田別墅」。為堂五楹，堂後牡丹百株；前有池，池左右垂柳交蔭，顏曰「水木清華」。由堂而西，有洞門，疊石為徑，徑夾兩池，灌木叢密。透迤而入得小洞。緣級而上，有臺可憩，竹陰障日。稍西，境物忽敞，榜其門曰「欒漱」。輞川自此入湖，即架長虹，登臨湖閣，閣名「空明」，高四丈，

聳立波心，窗牖玲瓏，登覽可盡一城之勝。從橋復折而南，越數級，有臺，翠竹碧梧，長松古檜，雜翳交映。循徑稍西，有梅廊，廊南北植梅數十株，名「先春」。自廊西南行，有嶺，嶺上有竹，竹間又有亭。嶺下有洞，俯可入，再越一洞有池，池畔有灘，名「白石」。層級而上有峰危然，高丈五尺。峰南爲臺，臺最高，可四眺，鐫其石曰「華子崗」。臺南有殿，兩廊翼之。殿南有樓，旁施欄檻，可憑而息。稍西有峰，高三丈，突兀林梢。轉而西下復有洞，又南有亭三間，其基甚高，俯臨城河，與城隔水而望，顏曰「孟城分勝」。河中栽荷，約三畝，蘆葦檉柳，蒹葭杜若，鬱然薈翳。稍北有舫樓，題爲「青雀樓霞」，下又有畫舫，可容十人。樓北有池，池西岸有短牆高樹。中有臺。登臺，則園外柳色媚人獨多，名「柳浪」。「水木清華堂」南，有亭跨池，題爲「倒影清漪亭」。亭南有軒，名「風景濠梁軒」。前有橋，橋下有溝，曲折而東，鰷魚出沒其間。其南植桂數株，有竹數千竿覆之，間植以椒，刻石曰「椒園」。堂東爲「聚遠樓」，登樓，園內外景物，盡在眉睫。樓下繪輞川二十景於壁。樓東有廡，廡間書王維輞川二十詠。廡東有臺，繞以朱欄，植玉蘭，題名「木蘭砦」。又有修廊，抵「妙高閣」，閣高三丈五尺。前有臺，宜月，宜雪，宜夕照。其下奉賢人，春秋祀之，名「永思祠」。閣下有池，周以石砌，池內蓄朱魚百頭，池西有亭翼然，旁植杏樹數十株，顏曰「文杏館」，其餘桃李梅橘棘栗柿榴，朱櫻紫柰，不可悉數。又西有小池，疊石，亦蓄金魚，中有一亭，名「金屑亭」。亭之南爲「芍藥欄」、「木香亭」、「薔薇架」、「桃花塢」；亭西植柏，構亭，種芍藥，題名「殿春」，正與梅廊題爲「先春」意思相對。此園後來漸廢。

至清代嘉慶、道光時，吳峻基據「小輞川」部分遺址構園，

初名「水壺園」，又名「水吾園」、「吳園」。同治、光緒間，陽湖趙烈文寓居常熟，購得是園，門額「靜園」，俗呼為「趙吾園」。民國後，園歸常州盛宣懷，更名為「寧靜蓮社」。是園園門東向，全園以水景取勝。景點皆環池而構，參差錯落，布置得宜。「能靜居」南向，是一座三進院落。西行貫長廊，名「先春」。廊中有榭北向，設石製几案，又西側北面有經堂五間，直面長廊，名「殿春」，折而向北，依圍牆而築，中有八角及方形臺榭各一，牆外老柳盈堤，偃臥波上。廊北端有橋名「柳風」，城內之水自「柳風橋」入，名「靜溪」。溪北有「天放樓」，為趙烈文藏書之處。溪南有小假山矗立，暗嵐挺秀，掩映波光。山西麓有石梁與「柳風橋」通。山南有九曲黃石板橋跨水面，中設石臺，繚以石徑。南達「似舫」石船，舫後有柳數株，名「舫樓浪」，澗溪曲折如篆，旁有湖石假山一座，挺拔雋秀，玲瓏剔透，折而東有黃石假山，平崗小坡，上有亭，名「梅泉」。還有檜柏三株，虬枝參天，蟠根嵌石，為錢氏「小輞川」遺物。

同治、光緒間，刑部郎中曾之撰在「小輞川」故址構築宅園，名「虛霩園」，習稱「曾家花園」，簡稱「曾園」。該園以四畝左右荷池為中心，借山取景，水光山色，融為一體，建築別具匠心。園內有「虛霩村居」、「君子長生室」、「壽爾康室」、「歸耕課讀盧」、「蓮花世界」、「邀月軒」、「水天閑冶」諸景。入正門即為池塘，環池有黃石假山，名「小有天」，此假山花六年時間疊成，山頂築亭，下有「盤磯」，鑴刻「虛霩子濯足處」，東、北二隅砌圍廊，壁嵌翁同龢等書法石刻三十多塊。池中央之「蓮花世界」，架木欄紅橋，池內植蓮萬枝，池邊遍植桃柳，間以紅梅、綠竹、翠柏、丹楓、佳木繁蔭，各盡其態。池周圍，或是平崗小阜，或是亭閣榭軒，此園有城市山林之妙。「壽爾康室」

旁有紅豆樹一株，已歷數百年。西有「邀月軒」，東南隅爲「水天閑冶」，庭中有白皮松、香樟，并有太湖石山一座名「妙有」。由此向東越長廊，直達「歸耕課讀廬」，可登「瓊玉樓」。清末民初，曾之撰之子曾樸著作《孽海花》，即在此樓構思而成。

一九四九年以後，「趙吾園」和「曾家園」曾爲常熟師範學校使用，又爲常熟高等專科學校所在。現學校已擇址另建，二園將修復開放。

東皋草堂——趙家花園

在常熟城內大東門外鴨潭頭。萬歷四十四年冬，瞿汝說自江西布政司參議任上歸里，小築於邑之東皋，眉其堂曰「浣溪」，枕山帶水，頗極遊眺之致。後其子瞿式耜又加擴建。三橋之上，曲檻朱欄，映帶參差。無論柳暗花明，月澄雪霽，佳致不一而足。即寒郊木落，風雨凄其，亦足供人鑑賞。凡遠方遊屐，過其地者，未嘗不詠嘆流連，以爲三吳勝景，洵如姜質之賦云「能造者其必詩，敢往者無不賦也」。（瞿玄錫《顯考稼軒府君暨顯妣邵氏夫人合葬行實》）園中有「浣溪草堂」、「貫清堂」、「鏡中來」、「潮音閣」等構築；又有「耕石齋」，蓋式耜酷愛沈石田書畫，凡一縑片紙，不惜重價購之，又刻石田詩文若干卷收藏，顏其室名「耕石」。式耜曾有《東皋三十景》詩，其題爲「桃堤柳障」、「菊圃春城」、「中流塔影」、「竹林禪誦」、「回廊香霧」、「虹橋醉月」、「蓉溪泛棹」、「畫橋煙雨」、「紺閣香燈」、「湛閣聽鶯」、「草堂觀畫」、「別蒲蒹葭」、「水檻乘涼」、「東樓月上」、「野鶴鳴皋」、「修鱗躍浪」、「靜夜潮音」、「茅舍村談」、「春漲流紅」、「秋砧霽月」、「雨窗觀稼」、「煙艇垂綸」、「西嶺雲生」、「茜野浮觴」、「雨沐郊林」、

「波翻夕照」、「梧桐踏月」、「帶雨春耕」、「蕭霜秋護」、「菊花張燈」。時人有「徐家戲子瞿家園」之語,視爲虞山二絕。

此園自汝說至其曾孫昌文,歷四代而廢。後歸諸生趙元愷,題爲「東皋老屋」,俗稱「趙家花園」。至一九四九年前,園內諸景,大都已廢。今鴨潭頭七號內,即爲遺址一角。

春暉園

亦名「西園」,在常熟城內西門外拂水岩左,瞿式耜別墅,亭館丘壑,并繞佳致,此處本爲瞿氏墓田丙舍,稱「程橋山房」,瞿汝說嘗讀書其中。萬曆三十六年冬,式耜自京扶母柩歸厝於此,又葺竹屋數椽,廬墓讀書,構「白雲居」,旁築數楹爲釣遊之區。式耜有《春暉園》二首:「煙靄湖光几榻前,此中一月抵長年。數聲鄰磬來書枕,十里山塘過畫船。茶作松風延夜月,花迎人面笑晴天。枝頭樹底才交付,又見田田水面錢。」「輪囷老樹尙簷前,風雨過從三十年。戶納層峰雲掛席,池通潔水屋爲船。空山豈必人無分,畏路方知我得天。剪燭西窗還記取,粉牆蘿薜綉如錢。」至清朝康熙時,園荒蕪,改爲「曹節婦祠」。

小園

在常熟城內今翁府前,萬曆年間顧氏所建。

多木園

在蘇州寶城橋北,萬曆年間,鄉貢顧雲龍所築,中多喬木,故名。

管園、北園

在油車巷，管正心築。

管家園

在胡厢使巷，亦管正心築。

適園

萬歷年間，宰相申時行第旁別業。本是唐武則天所建「龍興寺」基。當時有老銀杏數十株，皆千年故物。

綠蔭園

在仁孝里。明大參顧豫園居。內有「燃松堂」。後來北部歸樹某，南部歸文起鴻、文起潛。東有「巢鳳堂」，西有「介壽堂」。至文起鴻曾孫文培源擴西隅，穿池疊石，有「卓閑居」。

郭氏別業

在閶門外長蕩東，郭少卿所築，樓榭輝煌，林木陰翳，稱爲偉觀。

竹梧園

在舊學前，顧醉竹築，有亭池樹石之勝。

西塢書舍

在洞庭東山，賀元忠廬墓，構此讀書，有亭館松竹花卉甚茂。

集賢圃——東園（清）

「集賢圃」俗名「湖亭」，位於吳縣洞庭東山「風月橋」北。

萬曆之季，東山人翁彥升光祿所築。近人許明煦撰《莫厘遊誌》
譽之爲「東山第一園林」。《具區誌》云：「背山面湖，亭榭水
石之勝甲吳下」。董其昌、陳繼儒常來吟眺其間。

　　圃建於太湖之中，長堤數百步，從浩渺澎湃中築址。由一石
橋入門，折右數武，爲「開襟閣」。此閣背倚「莫厘峰」，旁攬
「武峰」，西矚「蚪山」，山色蒼翠，浮空接水，照映於左右。
東則「具區」漭泱，「靈岩」、「堯峰」諸遠岫，出沒其中。「
葛洪煉丹墩」正與此閣相直。來鴻去鳥，風帆滅沒，月夕澄波，
眞成一悅。下「開襟閣」有亭，前達「群玉堂」，堂居圃中央，
八窗玲瓏，壘山環之。沿徑西行，有石橋兀聳，下臨碧潭。迤路
櫻桃、海棠間植。前抵「來遠亭」，繞亭叢桂森森，復有三角亭，
名「飛香徑」，琉璃巧構，晶瑩類雪，其下石洞，窅觀莫測。稍
前豁然開朗。從朱橋渡而西，修竹數千竿，琤琮瑟戞。有屋三、
四楹，名「一葉居」，半借竹塢半跨水，棲遲此中，雅堪避暑。
由此漸東而北，仄穿山罅，有類石梁者，下有木蓮一株，亦屬名
產；牡丹臺異苞霞翹，借玉蘭、碧梧爲幄，此俱在「群玉堂」之
後。攀石上薄「寒山齋」，古梅駁蘚，虬松離錯，旁又多美竹。
齋後一小軒，可眺湖之東北，「漪漪館」在此。館內有「積秀閣」，閣
不甚敞，而幽深明靜，中列良書茗具。「群玉堂」南有荷池，與
西石洞外朱橋處相連。池東有亭，可納涼。北有「土神祠」。「
群玉堂」之峰爲主峰，其餘支峰，累累俯仰，緣以牙松，鬚鬛甚
古。其下則洞壑嵌空，白石粼粼，水泉吞吐，與太湖通。亦有樓
榭，可攬山色，可攬湖光。回廊右旋，又與「開襟閣」相連。「
群玉堂」前池較大，水淨深，四面有水口，中有魚萬頭。圃之極
北，連岡皆土坊培塿，種茶數畝，可茗可採。圃之極西短垣，雜
種橘、柚、桃、梨，以爲屏障。綜觀此園之美，雖係主人用心經

營，但置太湖之中，背山面水，大體皆得天然，有城中園林所不可比擬處。

此園清康熙時歸席本禎，名「東園」。聖祖南巡，曾經幸臨。席氏《春仲東園社集》詩詠道：「風光駘蕩日初長，裙屐名流集勝場。靜愛看棋臨石室，閑拼縱酒學高陽。禽聲巧合箏成曲，花氣濃熏翰墨香。好續西園舊聖雅，清詩未許效齊梁。」後漸廢。至民國，僅存水榭和廣池。

湘雲閣

在洞庭東山翁巷，翁彥博築。園中古木交羅，名花奇石，左右錯列，崇臺高館，曲廊深院，入內，幾迷東西。「湘雲閣」爲園中絕勝處。閣以湘妃竹布地成紋，斑斕陸離，如錦綴繡錯。登此閣，憑窗而望，連峰矗其前，太湖縈繞之。山川雲物之奇，林木之茂密，聚落煙火之繁盛，一覽而盡得。閣之中鼎彝書畫，三代秦漢之法物，宋元以下之名迹，粲然布列，目鑑手玩，應接不暇。

無夢園

在孔副司巷，爲長洲陳文莊（仁錫）墅。陳是天啓年間探花，其宅在葑門內下塘，有「耀遠堂」、「白松堂」、「軒轅臺」等。「無夢園」中有「息浪」、「見龍峰」諸勝。旁有「又一村」，陳文莊自署齋聯云：「流水之間心自得，浮雲以外夢俱無。」

春草垞

在高師巷，約天啓間，長洲文震亨就馮氏廢園營構，對面即其曾祖父文徵明之「停雲館」。當初，文徵明曾拓宅其間，建「

百窗樓」。至震亨，添築「四嬋娟堂」、「綉鋏堂」、「籠鵝閣」、「斜月廊」、「衆香廊」、「玉局齋」、「嘯臺」，喬柯、奇石、方池、曲沼、鶴樓、鹿柴、魚林、燕幕，以至纖筠、弱草、盎峰、盆卉，無不被以嘉名。堂前疊石，峰頗高。有石榴樹，爲文徵明手植。

入清，園歸陸純錫，後漸廢。光緒時歸江寧鄧某，舊迹全非。

晚香林

在光福鄧尉山麓。萬歷年間，昆山顧天敘所構。名取前人詩「莫嫌老圃秋容淡，且看黃花晚節香」之意。亭榭樓館，回廊曲檻，園中有「石浪亭」、「畫不如軒」，「賜宦堂」、「蟬葉齋」、「清音閣」、「景范臺」。有寢室名「第一玄」（取前人詩句「欲知睡夢裡，人間第一玄」意），名「炳燭」。又有「翔鴻墅」、「雁影廊」諸勝。至清朝，除巨石橫亘，他則瓦礫無餘。

拂水山莊

在常熟西門外拂水岩下，本爲瞿純仁築，作讀書會文之所。崇禎間爲錢牧齋別業。中有「耦耕堂」、「明發堂」、「朝陽樹」、「秋水閣」、「花信樓」、「留春館」、「小蘇堤」、「玉蕊軒」諸勝。景物攢簇，堤池折旋，三春遊屐駢集，稱爲勝地。牧齋自題山莊八景：「錦峰清曉」、「香山晚翠」、「春流觀瀑」、「秋原耦耕」、「水閣雲嵐」、「月堤楊柳」、「梅圃溪堂」、「酒樓花信」，一時傳誦。今其地稱「花園濱」，尚存石橋廢址及柳如是墓。

映雪山居

在常熟虞山麓石梅地處道弄內，明代高州丞孫森所築。有藏書室名「博雅堂」。其子朝昌增拓之，點綴亭榭花木，具有勝致。後歸陸氏。現遺址猶存常熟市政府內。

歸雲莊──梅皋別墅（清）

在常熟破山寺東南半里。崇禎八、九年間，瞿式耜購得張氏廢圃建「歸雲莊」，植梅三百株，有亭名「臥雪」，有閣名「瞻雲」。立此園內，遙望遠山，佳氣郁葱，松濤萬頃，登臨之際，輒有出世之想。式耜《歸雲口占一首》寫道：「泉奔鸛石林間響，鐘起龍宮風外傳。一幅屏山雲閣裡，千株玉樹雪亭前。」清道光間歸河東道張大鏞，重建一新，改名「梅皋別墅」。其地負山陰而面平野，兩溪環其後，旁建享堂，前門後室，庖湢之所咸備。堂之左闢園，榜曰「梅皋別墅」。前有小亭名「讓亭」。修廊一帶，迤邐而入，其旁為「多讀書齋」。折而前為「妙吉祥館」和「紅杏山房」。右有一門名「離波」。由「離波」而入，佳石奇木錯置，引人入勝，而尤勝者為「春水船」，磴路迂迴，曲水環繞，憑檻俯臨，如泛春江。別有帶水一泓，廣逾丈，有石梁橫其上。躡梁而前，正中有堂名「四時皆春」。閣園之中，春初，梅花百本，香雪漫空，二、三月紅桃綠柳，百卉爭妍；入夏，紅藥蕩漾，竹風襲人；秋則岩桂早黃，畦菊晚艷，嵐翠霏霏，四處溢香；冬則霜楓爛熳，參差掩映，一望無際，加以朝暉夕陰，氣象百變，四時之景，無不可愛，謂之皆春，非為過譽。

石虹園

在南倉橋東北，為崇禎年間許方伯園居。內有三層樓房及池臺花木。清順治時，釋印持購得，建為「金幢庵」。當時人對「

金幢庵」多有題詠，如「樓高雙塔雲天外」、「荒園成鹿苑，高閣出千家。樹密藏啼鳥，庭深積落花」等。

歸田園居

在婁門內迎春坊，為吳縣王心一侍郎棄官歸田後於崇禎四年始建，崇禎八年落成。

園占地十多畝，臨狹巷，編竹為扉。入門不數武，有廊直通，為「牆東一徑」。徑盡北折，為「秫香樓」，樓可四望。自樓折南，皆池，池廣四、五畝。池中荷池灼灼，荇藻茂盛。翠帶柅柅，修廊蜿蜒，架滄浪而渡，為「芙蓉榭」，為「泛紅軒」。軒前有山，自「泛紅軒」繞南而西，叢桂參差，名「小山之幽」。水西數武，有堂五楹，爽塏整潔，取李白「清風灑蘭雪」句意。名「蘭雪堂」。東西則桂樹為屏，其後則有山如幅，縱橫皆種梅花。梅外為竹，竹臨僧廬。其前有池，取儲光羲「池草涵青色」句意，名「涵青」。諸山環拱，有拂地垂楊，高大芙蓉，雜以桃李、牡丹、海棠、芍藥，大半為王心一手植。池南有峰特起，如雲綴樹梢，謂之「綴雲峰」。池左兩峰并峙，如掌、如帆，名「聯璧峰」。峰下有洞，名「小桃源」，內有石床、石乳。南出洞口為「漱石亭」、「桃花渡」。池面諸石，或銳如喙，或凸如背。又北折，沿磴而上，為「夾耳崗」、「迎秀閣」、「紅梅坐」，直接「竹香廊」，以至「山餘館」。洞上有「嘯月臺」、「紫藤塢」，可捫石而登。洞之東，有池名「清泠淵」。池上有屋三楹，竹木蒙密，名「一丘一壑」。自「蘭雪」以東，此處為最幽者。「蘭雪」以西，石磴重疊，皆可布坐，梧桐參差，竹木交映，一徑可通「聚花橋」。東折，諸峰攢翠，下臨幽澗，頗有「茂林修竹，流觴曲水」之意。自此渡「試望橋」，曲徑數折，即得「綴雲峰」。隔水北望即為

「蘭雪」。山徑逶迤，從高趨下，有「連雲渚」，可上接「綴雲」，俯瞰「涵青」。絕澗欲窮，得石如螺，可渡，爲「螺背渡」。又折而東，爲「聽書臺」。西折，爲「懸井岩」，有洞幽邃，蹈水傍崖。北折而出，懸崖直削，勢如井然。再拾磴至頂。臨下，諸峰高下或如霞舉，或如鶴舞，各爭雄長於「綴雲」之下。又西爲「幽悅亭」，亭之左，有石丈餘，夭矯如龍。自此層磴而下，溪澗相連，植楊梅數株，名「楊梅隩」。又北折，有屋半楹，四望皆竹，爲「竹郵」。又西折而南爲「飼蘭館」，庭有舊石數片，玉蘭、海棠，高可蔽屋，頗堪幽坐。北折，回廊曲幽，廊半有小徑，斜通「石塔嶺」。廊盡，由南折西，皆架山茶，有亭名「延綠」。「延綠」之北，有石如玉，拱立檐際，名「玉拱峰」。每至春月，山茶如火，玉蘭如雪，而老梅數十株，偃蹇屈曲，獨傲冰霜，如高士之態。插籬成徑，沿徑至「梅亭」、「紫薇沼」，亦園居之一幽勝。北臨「漾藻池」，遙望「紫邐山」，飛翠撲面，夏月之荷，秋月之木芙蓉，如錦帳重疊，又一勝觀。有橋橫跨池面，爲「臥虹橋」。橋之東，有石，如雲向空而湧，爲「片雲峰」。橋盡，有石可憩，爲「臥虹渚」。轉徑而北，依山傍水，蒼松雜卉，接葉連陰爲「小剡溪」。有石橫亘如門，四山崒嵂，停水一泓，有古杏覆其上，爲「杏花澗」。渡澗盤旋而上，即「紫邐山」，有五峰，名「紫蓋」、「明霞」、「赤笋」、「含華」、「半蓮」，又稱爲「五峰山」。有亭名「放眼」。東南望，煙樹彌漫，浮圖隱隱，直插霄漢，但因林木蓊鬱，不可縱目，故有亭名「流翠」。自「流翠」而南，東折爲「拜石坡」，水石俱備，梅杏交枝，左有花紅果樹，扶疏如蓋。有閣聳樹梢間，名「資清」。「資清」之下，爲「串月磯」。自拜石折北又西，爲紫邐之背，衆峰疊湧，亂石嶙峋。環山有濠，水中結有草亭，架梁而登可通。濠北皆種

柑橘，因名亭爲「奉橘」。至此則山窮水盡。東行長廊爲「想香徑」，梅竹夾道，香韻悠然，額名「可竹」。步出「想香」，即到「蘭雪堂」。

「歸田園居」一直爲王氏子孫所有。據《履園叢話》記載，至清嘉慶間「王氏子孫尚居其中」。再後園廢。現「拙政園」之東半部分即其故址。

秀野園──樂饑園（清）

在靈岩山麓香溪，侍郎王心一別墅。後里人韓璟改建爲「樂饑園」。韓是升在《樂饑園記》中說它溪山風月之美，池亭花木之勝，遠過於其他園林。

潭上書屋──水木明瑟園

在靈岩山和天平山之間上沙村。初爲明末吳江高士徐白（字介白）園居，後爲郡人陸積別業。陸積增拓之後，益爲勝地。園本名「潭上書屋」（潭，《爾雅》：沙出。意謂水邊積沙，漸成平地，即沙灘、沙渚，此與「上沙村」意合）。康熙四十三年，嘉興朱彝尊（號竹垞）被邀作客，爲作《水木明瑟賦》，序云：「愛其水木明瑟，取以名園」，以後即稱「水木明瑟園」。清初，蘇州人何焯有《題潭上書屋》記園景，當時著名畫家王石谷爲繪圖。

此園靈岩峙前，天平倚後，平田繚左，溪流帶右。其中老屋數楹，規製朴野，廣庭盈畝，植以叢桂，名爲「潭上」。書堂之後庭，有皂莢樹一株，高聳雲霄，曲幹橫枝，連青接黛，下有蔀屋，令人偃憩忘返。入園，一路闌干連接，自園門東折而北，再折而東北，左連廣池，右近桂屏，接木連架，旁植木香、薔薇諸

卉，引蔓覆蓋其上，花時觀賞，燦若錯繡。「坦坦碕」，石樑，在「介白亭」之前，廣八尺，長倍之，平坦可以置酒，追涼坐月，致爲佳勝。「介白亭」三面臨水，軒爽絕倫，左則修竹萬竿，儼然屏障；前有海棠一本，映若疏簾；旁有古梅，黝蟉屈曲，最供撫玩。「升月軒」，臨水面東，月從隔岸修篁間夤緣而上，故以名軒。「聽雨樓」，桐響松鳴，時時聞雨，霜枯木落，往往見山。「帷林草堂」三間，北望「茶塢山」，可見側面。其前嘉木列侍，若帷若幕，中有古桐一株，橫臥池上，霜皮香骨，尤爲奇絕。庭後種植草藥，夏日繁茂，秋日開花，先後不絕於目。「暖翠浮嵐閣」，在「帷林」之後偏右，疊石爲山。構楹爲閣，四山嶄嶻，環列如屏障，煙雲蓊鬱，晨夕萬狀。「冰荷墪」乃「帷林」之前廣池，兩岸梅木交映，水光沈碧，臨流孤坐，寒沁心脾。「桐桂山房」，叢桂交其前，孤桐峙其後，焚香把卷，秋夏爲佳。「益者三友之蹊」，名取《論語》「益者三友，損者三友……友直、友諒、友多聞，益矣」之意，細筱蒙密，桐桂交錯，中有微徑，沿流詰曲。「小波塘」爲「介白亭」後一方池，細浪文漪，涵青漾碧，游鱗翔羽，自相映帶。「摘箸岡」，枕池之東，土岡蜿蜒，其上修篁林立，新生竹笋，可供美食，亦幽居樂事。「木芙蓉澂」，在土岡之下，池岸相延，暑退涼生，芙蓉散開，折芳搴秀，宛若圖畫。「魚幢池」，深廣處立一石柱，有游魚繞行。「蟄窩」，陋室北向，窅如深冬，庭有古梅。「飯牛宮」，東皋之涘，翠羽黃雲，草亭低覆，過者以爲牛棚。「東沜橋」，橫跨流水，前後澄潭映空，月夜淪漣泛灩，人行橋上，如浴於清涼世界之中。「硯北村」，修竹之內，茅舍數間，外接平疇，遠非城市可比。

三十年後，此園爲畢秋帆尙書營兆地。嘉慶末年，園荒蕪。

二株園

在吳趨坊周五郎巷，為徐汧住宅後園。徐汧官居京師時，其次子徐貫時家居，常交結賓友，文酒宴會於此。有姬侍、音樂、狗馬、禽魚、花木、亭樹、水石之勝，備極豪侈。徐汧死後，園屬他人。清嘉慶、道光年間為范氏所有。

荒荒齋

在館娃里，湯傳楹所居。此園屋宇卑樸，牆垣窗牖皆無雕鑿。砌上種牡丹數種，其旁有叢桂四株，雜花幾色，點綴曲檻。庭東有一隙地，植梅樹三株，二、三月時，花發滿庭，縟繡可愛。齋西有一斗室，為主人藏書處。庭牆南角有梅樹一株，北角有桂樹一株，旁有瘦竹六竿，小桃兩株，瑞香一株。西牆以木蓮為衣，枝蔓累累，綠陰垂暮，庭不見日。自庭而南為中堂，久圮。庭中蔓草糾葛，略顯荒疏。湯氏不善應酬，惟喜居家讀書。因園呈荒意，又謙稱自己腹中空荒，靠勤讀充飢，故名園為「荒荒齋」。

鸒適園──法雨庵

在昆山西門外倉北，參政馬玉麟所建，中有「聚遠樓」等景。後分售他姓，馬玉麟之女又全部贖回。

至清順治時歸徐氏舍建為精藍。從馬玉麟同時人徐崧和馬氏後人馬鳴鑾的詩句可見當年「鸒適園」和後來「法雨庵」園林特色。如「幾處更僧舍，今朝識馬園。假山行已毀，喬木望尤存。閣斂斜陽暗，池留宿雨渾。前賢棲息地，香火接晨昏。」「夏日重相訪，蓮花出水齊。」（徐崧詩句）「我祖休沐地，久為祇樹園。」「西閣瓏煙冷，南亭竹石存。」（馬鳴鑾詩句）

頤園——碩園

在昆山留暉門外濠倉北，明中丞王澄川置以養親，故名「頤園」。園甚大，廣袤數畝，其堂曰「觀頤」，有「聽松閣」、「萬竹樓」、「雪舫」、「清蔭堂」、「天香隱」、「無住」、「渡香」諸勝。後王澄川殉難，園漸荒蕪。

康熙初，王石玄移家園中，更名「三笏堂」，又立「大宗享祠」於園之東，名·「大耒居」。又修「止止航」、「易居本無軒」、「欣欣草堂」、「得鳳樓」。因故宅都廢，園如碩果之意，更名「碩園」。時人題詠詩寫道：「日麗幽篁閣，花濃古樹岩」（歸莊）、「竹影風中亂，池光雨後添」（徐崧）等。乾隆年間改為新陽縣白糧倉，園即漸廢。

郊園

在昆山西門外「鷃適園」右，河曲知縣馬雲舉所築。

檀園——相在園（清）

在昆山縣治東城，時某所築，亦稱「時家園」。前有張維申所建之「留蘅閣」。清人張潛之有詩詠道：「飛絮飛花滿路旁，一灣野水浸斜陽。行人漫問留蘅閣，知否檀園草已荒。」同治初年，新陽縣令廖綸在此基礎之上建「相在園」，正室名「觀復堂」，左為「敬一亭」，右為「君子舫」。

丙園

在昆山玉山鎮賓曦門外漢浦塘東，光州牧王三錫所葺。初名「東莊」。三錫死後葬此。至其曾孫王志慶重修，易名「丙園」。志慶及其從孫喆生先後讀書於此。清康熙皇帝曾書唐人句賜喆生：

「曉遊臨碧殿，日上望高臺。芳樹羅仙仗，青山展翠來。」

顧氏園池

在昆山玉山鎮楊家巷內，禮部尙書顧錫疇所建。

附巢山園──遂園（清）

昆山的「亭林公園」是名聞遐邇的遊賞勝地，全園以馬鞍山爲中心，自然風光清幽，人文景觀衆多。山上、山前的「文筆峰」、昆石、瓊花、元末顧仲瑛手植稀世珍品雙萼並蒂蓮、顧炎武紀念館、劉過墓等，皆足以使人留連觀賞，品味無窮。而山陰之「遂園」，則是又一處幽雅勝境。

「遂園」之所在，明末爲通參張寰別墅，中有寧化知縣夏津墓，張寰築「梅花墩」以護之。嗣後顧震寰在此建園。震寰別字附巢，因名「附巢山園」。至康熙之際，顧炎武外甥、刑部尙書徐乾學購得重葺，園池清幽，有堂有池有橋，有桃花徑、梧桐崗等景觀。清康乾時昆山人龔煒所著《巢林筆談》寫道：「因山爲屏，疏泉爲沼，有卉木亭臺之勝，無闤闠囂塵之擾。聖祖南巡，常駐蹕於斯，御書『天光雲影』顏其堂」。徐乾學常邀四方名士，詩酒爲樂，爲一時盛事。雍正年間，徐乾學幼子徐駿因寫「明月有情遠顧我，清風無意不留人」詩句，引起文字獄，枉遭殺害，「遂園」也「負帑入官，即時拆賣」。再後廢爲「普義園」。

一九八六年重修「遂園」，幽景勝於當年。

園門東向，門額「遂園」和額背「清游」爲當今園林專家陳從周所題。入園，一玲瓏小橋當面，橋下一溪，繞山而來，自此流入園內。跨橋，沿外牆，土崗壟起，蜿蜒北向再折而西，爲明末「梅花墩」遺址。崗上多植梅花，另有修竹、桃花、多青等花

木輔之。全園以水池爲中心，東西貫穿，時而闊大汪洋，時而狹
窄如帶；又盤屈彎繞，構成一個個小島或半島。水池爲黃石駁岸，
參差交互。池北一亭，飛簷鬪角，亭前廣植花木。亭北爲廊，曲
折西向，中嵌張祜、孟郊、陸游、楊維楨、王鏊、吳寬、衛涇等
歷代詩人歌詠昆山的詩詞石刻，爲當代書法名家趙樸初、錢君匋、
唐雲、胡問遂、費新我等書丹；又嵌「一門三鼎甲」的徐乾學、
徐彥和（吏部右侍郎）、徐元文（戶部尚書）三弟兄和傅山、歸
莊、顧炎武的手札石刻。前賢今人，群彥薈萃，令人駐足。廊前
一水榭，名「家山軒」，取龔定庵「無雙畢竟是家山」句意。此
處爲全園中心，憑欄俯視，池水清澈，游魚可見；軒前一亭，半
入水中；一島玲瓏，花木可人；仰望馬鞍如屏，滿山蒼翠，濃郁
如墨，「文筆峰」巍然在目，悠游之中令人心胸爲之壯闊。池水
西延，如帶飄然，繞山而去。跨一拱橋，至水池彼岸，一梅花亭
供人憩息。池南花木零星點綴，幽徑逶迤。穿花木曲水，過小橋，
至園門而出。園中繁花綠樹，清幽而芬芳。

　　此園前偎高山，後依村原，山色園景，渾然一體。到此遊覽，
既可飽賞園林的幽情雅趣，又可領略山林的博大壯闊，二者兼得，
爲他處所無。

歸有園

　　在昆山玉山鎮西門外，爲徐宗伯園第。後園廢，僅留雙石，
玲瓏犖確。至清道光時，朱右曾居此，葺屋三楹，前後繚以回廊，
雙石立於庭中，易名「歸有山房」。

逸我園

　　在昆山南星瀆，贈禮部主事方麟築，其子方鵬又加增葺。中

有堂三楹，匾曰「溪南書屋」；左爲祖祠名「著存」；右爲精舍名「待盡」。堂下有池，池中有假山，有亭，有檜二株，蓊鬱蔽日。山之右有軒翼然名「遠辱」，堂後有臺，有怪石，有竹數百竿。其間有古木、佳果、繁花、雜卉。園早廢，然相傳鎮南之中巷濱即當年園中之荷花池。濱南民家竹園內早年尚有湖石埋沒地下。

洗心齋

在昆山吳家橋，余良桂建，有荷池、竹塢之勝。

閑止山房

在昆山玉山鎮柴巷東塊蔭堂西，杭州太守王臨亨築。中有「儐儒堂」、「雨尊館」，花竹秀野，頗極幽勝。

怡我園

在昆山張浦，光祿孟紹曾築。

肯獲堂

在昆山小瀘浦，萬歷年間，蕭山知縣許承周之子買舊園而新之，凡六畝有奇，有堂五楹，植竹千竿，杏樹三章，桃李梅之屬以百計。東南有池可漁，池中有洲可屋。堂南有亭名「涉趣」，池上建亭名「小濠梁」。

清心園

在昆山蓤葭濱鎮南木瓜河畔，程丕續築。極花木明瑟之勝。程氏工詩畫，淡於仕進。其園峰嶺泉池，臺榭亭館，參差向背，

靡不審時度勢，各成面目。近則水剪吳淞，一碧無際；村落原隰，錯秀鋪棻。遠而朗朗玉山，繚青縈紫，接天雲樹隱現於晴光滉漾之中，洵乎摽奇結秀，擅絕一時。時人比作顧仲瑛「玉山佳處」，而又兼「獅子林」之勝。園中怪石環列，或立或跪或植或倚或顛或仆，如人坐，如虎踞，如牛馬之飲於溪，如熊羆之登於山，如伸其爪，如出其目，突立交顧，搏人之狀，恍若一獅來而群獅畢集，一獅吼而群獅皆吼，此則似獅林處。而皓皓者高潔，磊磊者瑰偉，粼粼者秀靈，則儼然「玉山佳處」。一時名流題詠甚多。庚申年毀於兵火。

實園

在張家港塘市東（今旗杆村），萬曆年間進士、東林黨首領之一繆昌期私園，內有「讀書臺」、古松柏、碑刻等。

施家園

在太倉璜涇，太學生奚宸最闢。清時廢。

匏園

在太倉璜涇，太學生奚宸最闢。清時廢。

涉趣園

在太倉璜涇，趙某闢。清時廢。

翁家窩

在太倉蔣涇北，翁天章舊居。翁為老學究，精通種植，其園名花異卉，冠絕一時。

黃氏園

在太倉沙溪，參政黃元勛築。

學山園

在太倉城廂海寧寺西偏，尚書張輔之之子、篆刻名家張灝所築，俗呼爲「張家山」。門東向，庭極廣，有池二、三十畝，可行船，俗稱「張家池」；西北二方亘高崗，崗上植松柏，池前有弄，俗稱「張家弄」。園有「罨藹堂」、「談昔軒」、「放眼亭」、「鷗社」、「雲巢」、「佛閣」諸勝。紫藤一架，花時如紫綃結幄。後歸其從兄張溥爲別業。園久廢。

錢園

在太倉城廂鎮東偏，中書錢廷銳別業。

勺園

在太倉太平鋪，毛張健築，俗呼爲「毛家園」。後歸舉人陸建運。

憶園──繭園（清）

在太倉城廂鎮東南，爲侍御陸毅園居。道光間歸江西巡撫錢寶琛，改名「繭園」。毀後其孫又重葺。

趙氏北園

在常熟北旱門街，本邱氏別業。萬歷年間趙文毅購爲別業，不久即廢。

柏園

在常熟東唐市，諸生柏起宗所構，廣約四十畝，董其昌爲題額。以太湖石疊假山二，奇峰峭壁，有透瘦縐之致。傍山鑿池，以石龍爲竅，水漲則從龍口倒噴，仿若虞山拂水。後池涸臺傾，而世人仍稱爲「柏家山子」。

茅亭

在常熟城西讀書里，布政使孫朝讓所構，子孫世居之。此園倚虞山之麓，不剪茨，不斫椽，亭外植梅竹雜樹，石牆繚之。清吳蔚光《茅亭記略》稱：「過往茅亭，流連不能去。」

十五松山房

在常熟虞山東麓，贈文林郎陸尊禮別業，有「嘉蔭堂」、「湧月軒」、「鬱蒼樓」諸勝，林壑俱佳。

半野堂──半野園（清）

在常熟城北旱門內，進士張文麟建，後歸錢謙益，築「絳雲樓」爲藏書處，後毀於火。至清末，張氏後裔、河東道張大鏞，在此築「半野園」，又名「半野新莊」，有五色牡丹。張大鏞有「半野園」記勝詩自詠，其中詠及「飄然堂」、「雲山繪圖樓」、「留春一角」、「煙波雲影」、「萬花深處」、「調鶴亭」、「茂林修竹山房」、「補秋亭」、「群玉山頭」、「半雅軒」、「早春步」、「小滄浪」、「戴月舫」、「綠楊成郭」諸勝。

東莊

在太倉涂菘北印溪之南，隱士鄭輔世構。中有「承訓堂」、

「古香閣」、「小山書房」、「疎庵」、「紅畫軒」，廊檻回互，異花紛呈，雜植桂樹數十本，皆蔭廣數丈。遊者如織。清康熙時，其子元良復葺治之，更增其勝。

蕃圃

在太倉城廂鎮西郊，為天啓年間兵、刑兩部尚書王在晉別墅。

西園（玉樹園）

在太倉直塘楊木橋西，崇禎年間桂林道凌必正築，中多玉蘭，蔭十餘畝，又名「玉樹園」。後歸舉人崔華。

南園

在太倉直塘重岡橋北。亦凌必正築，又名「南垞」，有「九如堂」、「嶼雪亭」等。

依綠園

在太倉州治城廂北巷後，為盛氏別業。

郭家園

在太倉茜涇，詩人郭斯士園居。結構清幽，植桂花等花木。清雍正間為海潮坍毀。

蕚秀軒

在太倉茜涇南門，李虎符園第。疊石栽花，十分幽雅。

吳家園

在太倉茜涇，吳鶴洲園第。園中多植梅竹。

應家園

在太倉茜涇，李夢園之園第。園中梅杏最勝。

周家園

在太倉茜涇，周京致仕歸後所築，額曰「水木清華」，爲地方可覽之一景。

桴亭

在太倉州治東，明末清初陸世儀讀書處。占地不大而花木扶疏，一灣流水中有亭翼然，蕭然有致。

仲家園

在吳江盛澤，明諸生仲鳴岐所築，中駕「小瀟湘閣」，後圮毀。其六世孫、儒士季甫改遷於東，池塘竹樹，石磴孤峰，宛有山林之致，仍築「小瀟湘閣」。時人有詩詠道：「勺水吞雲夢，孤峰秀辟疆。竹疏迎曉日，蕉展送斜陽。」「就地鑿池堪逗目，買山移石爲招雲。新篁古木成陰翳，猶羨樓堂射落曛。」至清雍正年間，園漸荒廢。

徐園

在吳江盛澤，本是萬曆年間武舉卜景川別業，後徐寅又築園於此。

西村別構

在吳江盛澤黃家溪，明處士史鑑築。中有「榆柳園」、「鶴汀」、「桔洲」、「桃李溪」、「回塘」、「迷魚島」、「花嶼」、「芳草渡」、「芙蓉莊」、「碧廬灣」等二十七處景點。水竹幽茂，花木森列。額曰「西村釣游處」。

謝鷗草堂

在平門外四十里吳縣永昌村，爲王鏊之後王勛中之園居。據歸莊《謝鷗草堂記》，陽山在其南，自北迤西，則虞山及梁溪諸山皆在望，而前臨洪流，俗名漕河。河中波濤煙靄，帆檣眾罶，歷歷在目。數點閑鷗，日夕相對，尤似與主人有情。因此主人便取陸龜蒙「裁詩謝白鷗」之詩意，顏其別業爲「謝鷗草堂」。此處本王氏先世爲避亂買田所築，中曾荒蕪。王勛中修葺之，園景特美，日吟詠流連，欣然自得。

東崦草堂

在吳縣光福鎮東崦湖畔，係明末光福人徐鏡湖之私家花園別墅。徐鏡湖之後，草堂曾廢。至清道光年間，鏡湖五世孫徐傅重建。徐傅字月波，博涉經史，久客楚湘，交結名流。晚年歸里，重建祖園，除依原構建「月滿廊」、「欣懷亭」、「延翠軒」、「叢桂小榭」、「讀書堂」諸景外，又增築「看雲處」。

此園南依東崦湖，西依鄧尉山，可見連漪，可聽松濤，當年猶如嵌於山水之間的一顆明珠，玲瓏精美，風物宜人。草堂北向，前宅後園。住宅主體爲二層樓建築，規模非一般草堂可比。花園以荷池爲中心。池西南部一人工小溪蜿蜒曲折，溝通荷池和外湖，有小橋跨溪之上。池南一廳堂，所謂「東崦草堂」者也。草堂之

南本亦爲池，故草堂實建於兩池之上。後堂南之池廢爲平地。荷池及及小溪皆有黃石駁岸，犬牙交錯。岸邊有紫荊、桃、梅等花木。一銀杏老樹，高大茂密，已歷百年。池之東西皆爲曲廊，高下回環。園中間有亭、軒。池東北一亭。精巧典雅，惜於幾年前電線走火燒毀。現池東長廊內有《東崦草堂記》刻石一塊，記中有言：「思夫滄浪之亭，樂圃之居，天鏡之閣，玉山之堂，其林麓煙雲之趣，浩渺幽邃之觀，孰爲勝絕！而四方人士之來是者，牽拂相招至，以不到爲恥。」草堂之勝，於此可知。

後來，徐家衰落，將草堂售予蘇州畫家吳似蘭，故一度改稱「吳家花園」。現草堂格局及「月滿廊」、「欣懷亭」、「延翠軒」、「荷池」及第宅尚存，依稀可見當年勝概，稍加修茸，可復原貌。

耕樂堂

在吳江同里，明處士朱祥宅第，內有花園。現存「鴛鴦廳」、「燕翼樓」、「環秀閣」等清代建築，以及假山、白皮松等，爲縣級文保單位。

秀園

在吳江盛澤西腸圩，諸生仲有儀築。中架「瀟湘閣」，有池塘、竹樹、石磴、孤峰等勝。園早廢，但仍以瀟湘名其地。

朱氏園

距虎丘三里，明晚期朱某賣田圃而創爲園，廣二百畝，費金數萬。園中竹木水石，亭榭樓閣，重疊映帶，極一時之盛。又有

「七松草廬」、「綠蔭齋」等構築。七株松樹皆宋元時物，數里外望之，挺然離立雲表。朱某垂沒而園分授諸子，「綠蔭齋」為其季子所得，季子讀書其間，時召友朋賦詩飲酒。齋東有古桂一株，百餘年物，其枝四面紛披而下，其中可坐數十人。每花開，招客宴集其下，綠葉倒垂，繁英密布，如幄之張，如藩之設，風動花落，拂襟縈袖。行酒者僂而入，繞樹根而周，客無不歡極稱嘆而去。明人賀甫《過虎丘朱氏花園》寫道：「朱氏園林近水濱，王孫公子往來頻。若將金帛來行賞，須與東家種麥人。」至清康熙之際，臺榭傾圮，水涸石頹，竹木存者十不一二，苔生於牖，草環於亭，七松亦僅存一株，唯桂樹仍茂，園已非復曩昔之盛。

澗上草堂

在天平山和靈巖山之間上沙，明末逸民徐枋（俟齋）隱居處。徐枋本崇禎元年進士，授檢討中允等官職，素以忠直詆行聞名。清兵攻下蘇州之後，他離家至西郊諸山隱居，後由靈巖山和尚宏儲為之在上沙建「澗上草堂」，自此，居此凡四十年，守約固窮，鬻畫為生，終生不入城市。「澗上草堂」有屋二十餘間。沈復《浮生六記》曾記其和友人顧鴻千同遊此園之所見：「園依山而無石，老樹多極紆回盤鬱之勢，亭榭窗欄，盡從樸素，竹籬茅舍，不愧隱者之居。中有皂莢亭，樹大可兩抱，余所歷園亭，此為第一。園左有山，俗呼雞籠山，山峰直豎，上加大石，如杭城之瑞石古洞，而不及其玲瓏。旁一青石如榻。鴻千臥其上曰：此處仰觀峰嶺，俯視園亭，既曠且幽，可以開樽矣。」歸莊和袁學瀾皆有詩詠及。

笑園

在學士街升平橋弄，構建於明，園主失記，據說明末遺民徐俟齋臨危時曾以此園交付寡媳和孤孫，清康熙時有自號楓江漁父者居此。以後屢易園主，民國之際歸蘇州巨商陸某。日軍侵華，爲其所占，園乃荒廢。

此園當初風景幽雅，大門面東，有牆門間。其北有轎廳，園中心爲荷池。池北有船廳格局的水榭，池南土丘疊湖石假山，池上架石曲橋。除東面外，圍牆之側，假山高下參差，形仿十二生肖。另有各式亭閣，白皮松、白樺各一棵。此園特點是「園在宅前，園宅相擁」，不同於一般私園園在宅後或左右兩側的格局。住宅五樓五底，上宅下廳；兩側配築略低的三樓三底各一座。

現園廢爲民居，尚存四面廳、閣樓、旱船等園林建築及嘉慶年間的書條石二十多塊，還有大白皮松一株。

小虎丘（香雪藏）

婁關人莫怡（字君和）別墅，在元墓山奉慈村。本名「香雪藏」。疊石栽梅，多具幽致，如入畫境。莫怡結詩社於此。後名「小虎丘」。

圓嶠仙館——琢園（一說為「祝園」）別業

在懸橋巷，明末高士徐波第宅。徐氏國變棄家，入鄁山讀書，以其宅予外孫許眉叟，改築爲「圓嶠仙館」，精雅宏敞，其曾孫又營「來鶴亭」、「碧梧龕」諸勝，後歸諸生祝壽眉，葺爲「琢園別業」。

淡園、小園

在西白塔子巷瓦牆街，明顧貞孝園第。中名「淡園」，西名

「小園」。顧貞孝隱居不仕，日集名流，詩酒其間。

明朝的寺廟園林比較突出的有「寶林寺」和「元和山居」等。

寶林寺

在閭門內專諸巷東，始爲元至正年間圓明大師寶林戀所建。初名「寶林庵」，當時園林特色並不突出。明宣德年間庵毀。後來白雲英重建。正德年間，素庵裻又加修建，園林特色日漸顯著。內有「周文襄公祠」，又有「枡欄徑」、「梧桐園」、「水竹亭」、「山茶塢」、「煮雪寮」、「停鶴館」、「方塘」、「石橋」、「蕉窗」、「薜夢庵」十景。至清康熙年間，又重建大殿，濬龍池，起伽藍、五聖殿等。明朝畫家沈周曾有詩詠十景，如詠「山茶塢」詩句：「葉暗多林黑，花深晚徑迷」；詠「水竹亭」句：「清流環四面，有竹在亭旁」；詠「蕉窗」句：「淨植碧窗下，疏櫺大葉垂」等等。

元和山居

在彩雲裡「西園」之左。天順年間，道士袁德良築塋於此。中爲堂三楹，供北帝。松篁鬱陰，鍾簧森列。至清代，又屢修葺。清人有詩詠道：「粉牆高竹徑，金闕奐雲根。今古林中塔，東西閣外園」；「長松橫翠靄，高閣矗雲霄。雲影池邊石，林陰屋畔橋。」

司徒廟

在吳縣光福，係紀念漢朝大司徒鄧禹之祠廟。現爲縣級文保單位。園內有四株千年古柏，又名「古柏庵」、「柏因社」。鄧

禹乃西漢末年佐劉秀光復漢室功臣，曾隱居光福鄧尉山中，死後經官府批准，為之立祠，以表人們景仰之情。此廟已有二千年歷史，然現存廟宇已非當初所建。廟內本有明代建築一座，已毀，現存房屋皆為清之後所建造。

此廟規模不大，前後兩進，屋宇亦不宏麗。廟門前額書「柏因社」三字。正廳內有鄧禹塑像，正中端坐，氣宇軒昂。又有銅觀音像，據《光福志》記載，宋朝康定年間，鎮上張氏從廟旁泥中獲得，至今已一千餘年。觀音像保持著唐代風格，臉部肥碩，衣服貼體，造型生動，姿態裊娜，是一件較好的藝術品。西邊廂房，陳列現代名人字畫，亦可供遊人駐足觀賞。

園林在廟東側，全園以千年古柏「清奇古怪」為主景。這四株古柏相傳為鄧禹手植。清朝，乾隆皇帝曾六次到此觀賞，贊嘆不已，譽之為「清、奇、古、怪」，自此，「清、奇、古、怪」之景聞名於世。清者，碧郁蒼翠，挺拔清秀；奇者，主幹開裂，一空其腹；古者，紋理紆繞，古樸蒼勁；怪者，臥地三曲，狀如蛟龍。明末徐枋以為「不減少陵所咏孔明廟柏」。李根源先生曾將「清、奇、古、怪」和文徵明手植藤、「環秀山莊」假山、「瑞雲峰」並列為蘇州四絕。歷代贊詩多不勝舉。清代詩人孫原湘有《司徒古柏》詩一道，狀其形神最為精警，詩寫道：「司徒廟中柏四株，但有骨幹無皮層。一株參天鶴立孤，倔強不用旁枝扶；一株臥地龍垂胡，翠葉卻在蒼苔鋪；一空其腹如剖瓠，生氣欲盡神不枯；其一橫裂紋縈行，瘦蛟勢欲騰天沖。」這四株古柏歷兩千年風吹雨打、霜欺雪壓，依然鬱鬱蒼蒼，四季常春。人們流連觀賞，不僅會感受到自然造化之美，也能從中得到歷劫不磨、拼搏奮發的精神啟迪。現代文學家田漢賞柏之後，亦曾發而為詩：「裂斷腰身剩薄皮，新枝依舊翠雲垂。司徒廟裡精忠柏，暴雨飄

風總不移。」

　　古柏之南的長廊裡，鑲嵌著八十四塊「楞嚴經」石刻，全文近七萬字，爲明代崇禎年間所刻，由當時著名婁東書畫家王時敏等書丹。這部「楞嚴經」石刻是研究佛經和書法藝術的珍品，現爲省級文保單位。長廊中間還有「金剛經」碑一塊，經文布局作七層寶塔形，造型別致，構思奇巧，也是少有的碑刻珍寶。

　　賞柏廳外的黃楊，也是司徒廟一景。這株黃楊亦千年古樹，幹粗身高，枝丫蓬鬆，綠葉婆娑，甚爲罕見。

　　在「清、奇、古、怪」之東、北，沿牆雜植花木修竹，雜花綠葉，爲庭園的蒼古氛圍增添了清新幽雅的色彩。

馬鞍山

　　昆山玉山鎮西北隅的馬鞍山，本來有自然風光之美。至明朝，構築景觀更多，形成了一個天然加人工的大園林。

　　正統年間，天如禪師始栽培松柏十萬餘株。嘉靖時，倭寇侵城，盡伐之。其後又植小松三萬餘株。山上臺榭參差，「華藏寺」巋然而出。山門左有「石王廟」，右有「樊公祠」。萬歷年間建「天王殿」。「玄秘閣」，殿左爲「雲居庵」，右爲「玉林精舍」，上爲「大雄寶殿」，旁有「碧霞元君行宮」。嘉靖時，又重修南朝梁所建寶塔。內有「百里樓」，西南爲「臥雲閣」，旁接「含秀山房」，登「隱王樓」可望虞山。又南爲「春風亭」、「文筆峰」、「白雲洞」、「三元殿」、「玄帝宮」、「武安王廟」。山之西爲「仙人橋」，橋下爲「試劍石」、「一線天」、「飛來峰」、「斗母石」。寺西有「四面觀音殿」、「楊威侯廟」、「次探抱玉洞」。洞左爲「玉泉禪院」，內有「玉泉井」。禪院西有「疊浪軒」舊址。過「天關」、「三茅」、「眞武」諸殿，即到「東岩

亭」。亭下有南宋詩人劉過墓，墓旁有梅花石。山麓有小溪，橋下有泉名「不竭」。又西爲「山王廟」。後有「海眼泉」，附近又有「三貞祠」、「鎮山土地廟」。「桃源洞」在玉峰右半山。萬歷間，造「定光殿」、「佛樓」、「曇花亭」、「藏經閣」及「禪堂」、「小樓」、「翠微樓」。其餘尚有「長陽洞」、「四賢祠」、「留憩亭」等等，不能盡列。

清 朝 時 期 （ 1644—1911 ）

自明朝中葉起，蘇州出現興建私家園林的熱潮。入清之後，蘇州經濟又進一步發展，康熙時進士、山西人孫嘉淦在《南遊記》中寫道：「姑蘇控三江五湖而通海，閶門內外，居貨山積，行人水流，列肆招牌，璨若雲錦。語其繁華，都門不逮。」迨至乾隆盛世，經濟繁榮之狀，超過前代最高水平，《紅樓夢》第一回中寫道：「城中閶門，最是紅塵中一、二等富貴風流之地。」因之，造園熱潮依然持續如故。清末詩人袁學瀾寫道：「茲自承平日久，閭井繁富，豪門右族，爭飾池館相娛樂，或因或創，窮汰極侈。」（《蘇臺攬勝詞》）同治《蘇州府志》記載：清代蘇州第宅園林一百三十多處，依然稱雄於天下。

清朝是中國歷史上最後一個封建王朝。自康熙起，歷代皇帝多熱衷於離宮別苑之事。尤其是乾隆，以風流才子自居，數下江南，遍覽風景名園，並擇優圖畫以歸，仿建於「圓明園」、「避暑山莊」等宮苑之中。乾隆此舉，大大推動了江南園林的興建。可以說，江南園林至乾隆時達到高潮。清初，揚州園林曾盛極一時，《揚州畫舫錄》：「杭州以湖山勝，蘇州以肆市勝，揚州以園亭勝。」其實這種說法並不準確。據筆者統計，明代，揚州園林比蘇州少得多，清代兩處大體相當，因之，清朝實際存在的園林蘇州仍然大大超過揚州。況且揚州園林至道光中葉即又荒涼；蘇州則因其經濟文化發達，自然環境清幽，以及造園基礎堅實，園林之藝卻歷久不衰。那些遍布大街小巷，鑿一池，架一山，中

築一、二小亭的庭院，更不可勝記。誠如康熙進士沈朝初在《憶江南》詞中所贊譽：「蘇州好，城里半園亭。」

繡谷

在閶門內後板廠，長洲舉人蔣垓購得此地構園，掘地得石，石上書「繡谷」二字，傳爲王石谷手筆，遂以名園。園寬不過十笏，背城臨溪，芟其荒蕪，新其架構，長廊回環，繞以短牆，松石之間，雜花夾蒔。嘉木珍林，清泉文石，修竹嫋娟，雜英飄搖，粉紅駭綠，爛若敷錦。有「繡谷」、「卒翠堂」，堂之左有「餘清軒」、「松龕」、「湛華山房」、「羊求坐嘯處」，圃名「匿圃」，廬名「吾廬」，庵名「個庵」，齋名「蘇齋」。

蔣垓之後，園主屢易。蔣垓之孫蔣深自朔州歸來，重加修葺，疏泉壘石，栽竹蒔花，並新構「開徑亭」、「小杏梁」、「桃花潭」、「含暉臺」、「西疇閣」，閣爲最勝處。人說此時「繡谷」堪與王維「輞川別業」相伯仲。蔣深曾集郡中名宿作送春會，賦詩作畫，集一時之盛，當時沈歸愚（德潛）尚書年才二十七歲，居末座。深之子仙根亦耽風雅，後來他也作送春會，而此時沈歸愚已居首座。嘉慶中，園歸葉觀潮。道光時歸南昌謝椒石，旋爲婺源王鳳生所有。庚申兵火，鞠爲茂草，其「繡谷」石刻，經後裔移入虎丘蔣參議祠中。當初，蔣氏欲出售此園，猶豫未決之際，問於乩仙，仙判一聯云：「無可奈何花落去，似曾相識燕歸來。」此爲宋代詞人晏殊之句。蔣氏當時不解其意。迨歸葉氏，上聯應驗。後葉氏轉售於謝，謝又售於王，則下聯應驗。此一故事雖屬無稽，但足證「繡谷」餞春韻事。清末詩人袁學瀾有詩詠道：「排日餞春春欲歸，櫻桃紅綻筍鞭肥。一聲啼鴃驚芳草，繡谷園中遊客稀。」

雅園（檉林小隱）

在史家巷南，即「檉林小隱」。考功郎顧予咸所築。顧氏長洲人，順治進士，官至吏部員外郎，因故落職歸里。本來，在其住宅「檉林小隱」之東有曠土一片，俗呼爲「野園」。他拮据數年，購此築園，按吳語諧音易「野」爲「雅」，而爲「雅園」。此園水木淳泓，倏然絕俗。中有八景：「虹橋春漲」、「綠沼荷香」、「明致桐陰」、「臥雲石壁」、「渚閣朝煙」、「荷亭晚霽」、「爽軒叢桂」、「曲徑寒梅」。後范揆臣所購宅第即「雅園」一角，故其門楣曰「鄰雅」。其子范煙橋仍居此。有船廳、花廳、書房、廊等園林建築及假山、水池和牡丹、山茶、棕櫚、臘梅等名貴花木，惜「文革」中被毀。現其遺址處仍呼爲「雅園巷」。

依園——息園

在閶丘坊南，爲顧予咸之子顧嗣協在宋代「藏春園」故址所築，因與其父「雅園」相依得名。潘貞邦《吳門逸乘》認爲「依園」故址非爲宋代孟忠厚之「藏春園」，而是黃州舊守閶丘孝終之園。蘇東坡曾於雨中過其所飲酒，且有詩詠之，詩序云：「波瀲方塘，十眉列座，仙袂行雨，清歌駐雲」。文宴歡娛情景，猶可想見。《吳門逸乘》又說：「中具水木亭臺之勝。明代中葉，遊人四時不絕。」園中有土丘屹然高峙，傳爲梁武帝女妙嚴公主墓。妙嚴公主下嫁郡人孫瑒，並修梵行，異室以居。瑒居西，曰「禪興」；公主居東，曰「妙嚴」，死後葬此。「依園」內另有「妙嚴臺」、「妙嚴亭」、「妙嚴泉」、「妙嚴池」等景觀。楓林蕭瑟，池水寒漪，游其間極有幽致。而紅橋碧沼，映帶左右，是園之最勝處。其東爲「話雨軒」，軒之南多叢桂，雜以太湖堯

峰之石。又南爲「暢軒」。有「學詩樓」，樓不甚大，可遠眺，與「妙嚴亭」遙對，當月夕花晨，置酒高會，弦管迭陳，即景賦詩。金侃、潘鏐、黃份、金賁、蔡元翼、曹基往還酬唱最多，時稱「依園七子」。嗣協之弟嗣立亦曾在園中濬池。

後園廢。至嘉慶間，錢榮溪參軍在其舊址建園，名爲「息園」，「妙嚴臺」仍存，並又鑿濬池塘。俗呼「妙嚴墓」爲「薛娘墓」，因又訛爲「薛家園」。至清同治年間，袁學瀾遊其地，所作遊記，有「瓦礫礙履，亭樹毀圮，廢池萍涸，喬木半枯」之語，可見已衰落荒涼。

秀野園

在乘鯉坊，爲顧予咸之子顧嗣立築以選元詩處。此園導以回廊，通以曲徑，壘石爲山，望之平遠。中有「秀野草堂」、「大小雅堂」、「因樹亭」、「野人舟」、「閶丘小圃」諸景，極水木亭臺之勝。顧嗣立爲康熙進士，博學有才名，尤工詩，風雅負天下望，常聚賓朋酬唱此園，極風流文宴之盛。許多詩句描繪了「秀野園」的情景，如「中庭蒼翠兩峰寒，修竹高梧傍曲欄」，「開遍芙蓉新月上」，「叢桂青青取次栽，小池清淺綠於苔」等等。朱彝尊曾寫《秀野堂記》，稱它「登者無攀陟之勞，居者無塵埃之患」。亦有詩贊道：「秀野堂深曲徑通，巡檐始信畫圖工。小山巢石屋高下，清露戎葵花白紅。」

堯峰山莊

在蘇州西南堯峰山麓胡巷村，翰林院編修汪琬所置。中有「御書閣」、「鋤雲堂」、「梨花書屋」、「墨香廊」、「羨魚池」、「瞻雲閣」、「東軒」、「梅徑」、「竹塢」、「菜畦」等。

南垞草堂

在堯峰山麓胡巷村。醫士吳士繽曾屢訪汪琬，樂其居，亦買宅其旁築小園名「南垞草堂」。堂前有喬柯數株，文石參列，飛泉瀊瀊鳴於其下。堂東爲「漱石廊」，又東爲「搴雲閣」，又東北爲「容安軒」。園中清泉漱石，老樹干霄，汪琬曾說堯峰勝景，未有踰此草堂者。康熙年間歸貢士金拱辰，益加修整，時與名流觴詠其中。

丘南小隱

在虎丘二山門之東，面積不足一畝。係汪琬別業，又名「十四石圃」。園內有圓石，光滑可鑑。還有「乞花場」、「山光塔影樓」諸勝。康熙南巡，曾賜御書懸於「丘南之堂」。「當樓蒼翠影層層」、「階前桃李紛成列」等詩句，略見園林之概。

後園廢。民國十五年，改建爲商團紀念碑林，旋更名「雲集山莊」。後因開渠，此處成爲河埠。

石塢山房

在堯峰山西麓，王鏊六世孫王咸中築，最擅泉石之勝。王氏本居城中，亦有亭臺池館之美。因崇拜汪琬，故來卜鄰。園中有「眞山堂」、「木瓜房」、「魚樂軒」、「快愜窩」、「自遠閣」、「梅花深處」、「面峰臺」、「牡丹徑」、「芍藥畦」、「曝背廬」、「葦間」、「松陂」、「蓮溪」、「藤門」等勝景。

涉園（小鬱林）——耦園

在婁門新橋巷東。清順治年間，保寧太守陸錦所築。園不甚廣，約十一畝，東近城垣。據《吳門逸乘》記載：跨虹而南，三

面皆臨流。陸氏鑿池引流，以通其中。建「得月臺」、「暢敘亭」。繞曲檻不加丹腹，以掩樸素。庭中雜卉喬木，滲淡蕭疏，無濃陰繁葩，壅障風月，更不令棟宇多於隙地。花時洞門大開，縱人遊觀。清元和袁學瀾《蘇臺攬勝詞》詠「涉園」道：「近山園林更面城，櫓枝帆葉記分明。卅年勝景虛尋蝶，數友春遊入聽鶯。池館舊營廉石俸，兒童今識細侯名。雲煙滿壁遊仙句，眷屬依稀住玉京。」有「小鬱林」、「觀魚檻」、「吾愛亭」、「藤花舫」、「浮紅漾碧」諸勝。又有「宛虹橋」、「浣花井」、「覓句廊」、「月波臺」、「紅藥欄」、「芰梁」、「篔簹徑」、「流香榭」八景和「吟窩」、「陸宣公墓」、「柏重青碑」等。園中有題聯寫道：「誰知太守山林之樂，時有群賢觴詠其間」。後爲崇明祝氏別野。

　　光緒年間，歸湖州人沈秉成。沈爲安徽巡撫，辭官隱退後偕夫人來此，聘請畫家顧潭主持增築此園，改名爲「耦園」。入園，有「耦園住佳耦，城曲築詩城」聯語，可見當日林下優遊、伉儷唱和之樂。園在其宅居東西兩側。唐人有詩句「東園載酒西園醉」，移之此園，更爲吻合。東園有「城曲草堂」、「雙照樓」、「筠廊」、「樨廊」、「邃谷」、「受月池」、「宛虹杠」、「山水間」、「枕波軒」、「聽櫓樓」十景，西園有「織簾老屋」、「還硯齋」、「水木明瑟」等。此園樓閣掩映，於諸園中別具一格。清末之際，詞壇巨子朱祖謀、鄭文焯諸公，常至斯園，與秉成孫沈邁士等剪燭話舊。其詩情雅韻，付諸筆端，多有詠「耦園」詩傳世。

　　民國初，園歸劉國鈞。一九四九年之後重加修葺。一九六三年，列爲市級文物保護單位。現對遊客開放。

從吾館

在昆山西門內，清初葛芝（字龍仙）讀書處。龍仙當時避跡

山中，晚歸是館，閉戶著書。館約一畝之大，偏西有小屋三間，可以靜息，名「容膝居」；偏東名「蓮舫」，爲葛芝祖父當年讀書處，「蓮舫」四周是一大池，且有雜樹藕莧；北面有長廊，看山儼如屏幛，爲夏月觀魚納涼之地。

苕華書屋

在閶門外陸宅巷，此處傳爲明正德間尚書陸完故居。清初編修汪琬歸老後建書屋於此。地不甚廣，有老屋二十餘間，庖湢略具。庭前後雜花藥三株，老梅各二本。前庭有石直立。陵苕放華，其蔓循外垣而下，羅絡石之四周，梅皆數十年物。汪琬晚年，妻死友亡，頗感寂孤，唯以此園爲守，他在《苕華書屋記》中寫道：「予亦遂老矣，幸有此一楹，以爲讀書歌詠之地，自分可以少休。顧獨馳驅奔走，役役而不止，不亦大可太息哉。」

織造署

在今蘇州第十中學內。蘇州自古是全國絲織生產中心之一，自元代起就在蘇州專設供奉皇室絲織品的織造局，明代在今小公園一帶，清順治年間移至現十中處（此處原爲明代宰相王鏊別墅舊址）。當時廣五十畝，規模壯觀，體制宏敞，有廳堂、廨宇、吏舍、機房等共四百多間。康熙二十三年於「織造署」西偏建行宮，內有花園，康熙、乾隆南巡至蘇皆駐蹕於此。花園內林木蔥郁，樓閣連亘，曲池假山，別有幽致。乾隆於四十四年春幸蘇，太監將原置於「留園」的「瑞雲峰」移至「織造署」行宮花園，立於水池中央，池周環列配峰十餘個，奇姿異態，若眾星拱月。至民國初年，「織造署」改爲學校。「瑞雲峰」屹立校園至今，現爲省級文保單位。

秋水軒

在昆山西門內鰲峰橋南,係清初聞密齋太史在其宅前所建別業。竹籬板橋,西通荷池,花時最盛。池上有亭有閣,憑欄望之,目曠心開。池中荷池游魚,極盡園林之勝。

西田

又名「西廬」,在太倉城廂鎮西門外六七里許,明末清初畫家王時敏晚年歸里所築。這是一個田園式別墅,有水田二頃,並有湖池、假山等。王時敏曾與諸多畫家在此聚會,賦詩作畫。王時敏晚年自號為「西廬老人」。

東園

在常熟虞山賓湯門外,司寇翁叔元所構。有詩詠道:「綠水春帆載酒遊,延緣一棹葦間留。園扉西版才開處,拍面東風散繡球。」園後歸諸生蘇桐。

景園

在常熟梅李北景巷,西寧道景如柏所構。山池花木,具園林勝概,春日游舫雲集。時人詩比之為「輞川」、「金谷」,有詩詠道:「花徑透迤留倦履,畫橋屈曲臥清波」等。

東園小隱

在張家港市妙橋鄉金村,金坤元所構,又稱金家花園。有「漱六齋」、「麗矚樓」等構築,其水木亭臺,頗具勝概;有梅數十株,碑帖數十幅。五十年代初,碑帖移於蘇州「獅子林」。

楊園

在張家港市港口鄉恬莊，楊岱所構。此園華敞幽靚，如在山谷，檐前喬木數株，皆近一、二百年物，倒映池水，幽雅可愛。文人雅士常聚此高吟密詠。

泛月樓

在吳縣吳山之麓，張大純築爲丙舍。中有「錦雲草堂」、「永言齋」、「志喜亭」、「翠幄」諸勝。而「泛月樓」前臨石湖，後矚靈岩，名賢遊覽，吟詠成帙。其姊丈顧沔有詩詠道：「月駕霄升泛九州，賞心應上最高樓。清風直挾秋聲至，宿霧長疑匹練浮。天籟悠揚和磬管，林光掩映半松楸。墓田繞舍西成候，卜日嘗新好薦羞。」

雲壑藏舟（泛香居、西崦草堂）——韓園

在吳縣光福馬駕山，又名「泛香居」、「西崦草堂」，汪琬題曰「雲壑藏舟」。里人陳玉亭築以娛親。此園依林傍澗，軒楹列護。有「回波榭」、「逍遙鄔」、「心月山房」、「同湖舫」、「泛香居」等勝。當梅盛開，一望皎然，爲吳山勝景。同治年間，中丞潘霨得之，葺爲家祠，名「韓園」，亭軒池館，別饒幽韻。彭玉麟爲畫梅壁上，縱橫徑二丈許，外以朱欄護持，有亭名「守梅」。彭玉麟並有七言古詩一首題壁：「韓園粉壁淨於雪，令我狂醉污潑墨。亂寫梅花縱復橫，千株萬株虬如鐵。縱有五丁六甲來，費盡神力不能折。任他美人月下看，任他高士山中歇。羅浮仙子竟歡顏，如射神人開笑靨。繁華最厭軟紅塵，清芬壓倒衆香國。記得當年顧虎頭，滿壁滄州畫妙絕。我今潑墨畫梅花，寫與鄧尉滎陽宅。道子傳神筆已枯，疏影暗香寫不得。主人有鶴守天

寒，冰雪心腸有誰識。世事原如壁上觀，何必定須分黑白。留將
清氣在乾坤，十二萬年不許滅。」此詩蒼古，與畫壁合。《木瀆
小志》謂「園林得此，亦足與剛直公手筆並傳不朽」。

耐久園

在吳縣皋峰山東南麓，繆彤所築。

崦西草堂

在吳縣光福西崦畔，亦名「小雲臺」。相傳為「石埳庵」下
院，有水閣三楹，擅湖山之勝。

茜園

在太倉茜涇，為顧德輝園第。

留臥園

在婁門內，康熙年間，長洲人王汾所建。

依綠園

在洞庭東山的「武山」麓，康熙十二年，隱士吳時雅（號南
村）所構。

此園高軒廣亭，臨池面山，俯仰之間，令人心目皆爽。堂之
東南，有雙扉，映柳色而濱水，謂之「柳門」。其西修廊數折，
如若方舟浮於波上，名「水香簃」。其南數武，度平橋，循山拾
級而登，有亭翼然，參古桂、蒼松而出，名「飛霞」。有閣憑虛
而俯綠野，名「欣稼」。閣之外，平疇千頃，可歷覽而盡。南湖
水光一片，與天無際。自西而北，層巒疊嶺，青紫萬狀，皆排闥

而入幾席。自「飛霞亭」後小阜折而東下。迤邐平岡一帶，遍植歲寒三友，又有石幢高峙其間。岡之南，闢地為圃，嘉樹成列，望之蔚然。又折而東北，有小樓聳於萬綠叢中，名「花鳥間」，上沙高士徐俟齋隸額，樓壁鐫董其昌書《歸去來辭》。依樓北望，「錦鳩峰」、「濮公墩」，皆在檐廡間。其前則「桂花坪」、「芙蓉坡」、「鶴嶼」、「藤橋」相望。其鱗比而南者為「凝雪樓」，俯瞰平岡梅花，如在群玉山頭。迤北則回廊一曲，琅玕數十。至「蘺畦小築」，邃室六楹，縹緗滿架。庭有奇石，如雲浮湧，上植盤柏一株，覆口青蓋，此為園主課子藏修處。自曲廊而西轉，竹屏湖石，繚以短垣，有「斗室」，為冬日藏蘭之所。其中為「花間石逸」，其後設庖廚，貯美釀佳茗，以供賓客。

「依綠園」廣不過數畝，而曲折高下，斷續其間，令人領略無盡。園中假山為著名疊山家張南垣之子張陶庵所疊，清初著名畫家王石谷為之繪圖。園初名「蘺畦小築」，又名「南村草堂」。康熙二十九年，徐乾學等人奉命集於東山編修《大清一統志》時，陶子師據杜甫「名園依綠水」句意，為之更名為「綠水園」。民國之際，李根源西山訪古，園已圮廢，而池橋山石，宛然猶若桃源。後全廢。

桔園

在洞庭東山社下里西，里人翁天浩別業。流水周階，青山在牖，不事雕飾，然有林壑之勝。其中構建以「社西草堂」、「敵雲樓」為最。每遇良辰，主人集群從昆弟及朋舊，觴詠為樂。四方人士聞而慕之，亦時以扁舟過訪，賓主流連盡歡，題詩以賞而去。康熙庚午，刑部尚書、昆山人徐乾學請告歸里，康熙命其修《明史》、《大清一統志》，徐即假館於此。

桃園山莊

在洞庭東山桃園里，占地十畝餘。處士鄭登遠築以娛親。山中園亭多尙雕繪，此莊獨以樸素見稱。歸莊曾於此看梅飲酒花下。金礦《鄭氏桃園山莊》詩寫道：「小築依山十畝賒，煙霞作拱隔塵紗。眞成谷口躬耕地，兼種秦人避世花。生久異葩飄硯額，夢闌好鳥報檐牙。應憐我是知津者，待得明春再命車。」

逸園——西磧山莊

在太湖之濱、吳縣鄧尉之西西磧山南麓。康熙四十五年，孝子程文煥（字豫章，號介庵）葬父於此，乃築室墓旁廬墓（古人葬親後，作室留居墓地，以志哀慕）。先由蘇州名儒何焯題名「九峰草廬」，後又由康熙間進士邵泰題爲「逸園」。

園廣五十畝，右臨太湖，四面皆種梅，不下數萬本。前植修竹數百竿，檀欒夾池水。過「飲鶴澗」，古梅數株，枝幹橫斜多姿，可入畫圖。歷廣庭，拾級而上，爲「九峰草廬」，因遠近高下有九峰得名。庭前邱壑雋異，花木秀野。庭後牡丹一、二十株，旁構小閣，額名「花上」。後爲「寒香堂」，嘉興朱彝尊題額。堂西偏之室，名「養眞居」，爲程文煥廬墓時棲止之所。草廬之東爲「心遠亭」。亭北崖壁峭拔，有室三楹，名「釣雪槎」旁有欄檻，可爲坐立之倚，佳花美木，列於西檐之外。下則鑿石爲澗，水聲潺潺，左山右林，交映可愛。槎之東，銀杏一本，大可三、四圍，相傳爲宋元時物。稍東有廊名「清陰接步」，又東爲「清暉閣」。草廬之西，曰「梅花深處」。引泉爲池，曰「滌山潭」，潭上有亭，曰「澡淥」。石梁跨其上，曰「盤荷」。之北，遇芍藥圃，竹籬短垣，石徑幽邃，乃「白沙翠竹山房」。旁有斗室，曰「宜奧」。每春秋佳日，主人鳴琴竹中，清風自生，翠煙自留，

曲有奧趣。後爲「山之幽」，古桂叢生，幽蔭蓊蔚。由竹籬石徑
折而西，飛橋梯架岩壑，下通行人，爲「滌山」。出園，登西磧
山之巔，「莫厘」、「縹緲」諸峰，隱隱在目。東則丹崖翠巘，
雲窗霧閣，層見疊出；西則水天相接，不見邊際，風帆沙鳥，煙
雲出沒，如在白銀世界中，此爲「逸園」最勝處。

　　約六十年後，園傳至程文煥之孫程在山，在山善詩，其妻顧
蘊玉（號生香）亦能詩，夫妻唱和，頗多雅興。每當梅花盛開，
探幽尋詩者多至此園。袁枚至鄧尉探梅時亦曾過訪，並有詩記其
事。從《履園叢話》等記述可知，此時「逸園」，新增「茶山」、
「石壁」、「在山小隱」、「生香閣」、「騰嘯臺」、「鷗外春
沙館」諸勝。

　　程在山夫妻死後，乾隆四十年，園歸揚州江橙里，易名「西
磧山莊」。袁枚爲作《西磧山莊記》。山莊之內，依然是古梅鋪
茱，芳樹蓊蔚，曲澗巉岩，環廬而呈。昔日景觀仍在，而後增「
騰嘯臺」尤奇。臺袤夷畝許，蒼然而臨太湖，三萬六千頃煙波浮
湧臺下。以後，又爲地方官買得而造行宮。乾隆四十五年，高宗
南巡，曾駐蹕於此。回鑾後，此園漸廢。再過四十年，已成瓦礫
場，不知有其處。

己畦（二棄草堂）

　　在橫山之北，康熙之際，葉燮購得五畝廢地所建園居。其建
築，有「二棄草堂」，取李白詩「君平既棄世，世亦棄君平」句
意而名之。草堂之前，點綴一、二頑石，旁植草木，多四時不花
者；花者唯桂梅數株。草堂之南爲方池，蓄金魚數十尾。池東南
畔爲「二取亭」，和「二棄草堂」相對而取名。亭方廣丈，西面
臨池，南北爲牖，可坐數人。東爲圓洞，導池東南行，曲流繞亭，

亭外繞以竹。草堂之後，累累然築石。爲山，曲徑螮蚪，登瞰闥
闢，雕蔓綉錯，如置身千仞岡。石後築室三楹，名「獨立蒼茫室」，取
杜甫「獨立蒼茫自詠詩」之意。此園居，房舍建築占三分之一，
其餘爲「己畦」，畦圍籬落，雜蒔花竹桃柳。亦種豆麥蔬果，主
人親自勞作，夏忘其暑，多忘其寒。

香雪海

在吳縣光福，爲縣級文保單位。這裡鄧尉山、馬駕山、玄墓
山等諸峰連綿，重巒疊翠，一年四季繁花似錦。而「二十四香花
信風，梅信第一」，每當多末春初，群芳酣睡，梅花卻冒寒而開，
滿山遍野，燦似銀海，凝若積雪。當此之時，「四方名流騷客，
或尋勝，或探梅，舟車往來，絡繹而至，報一春之盛。」（《光
福志》）清初，江蘇巡撫宋犖，酷愛鄧尉梅花，每年花事，從不
放過。一次，他逸想聯翩，給這裡的梅花起了個千古叫絕的名字
——「香雪海」。

光福種梅，始於兩千多年前的西漢。據《光福志》記載「鄧
尉山區植梅者，十恒有七。」到了宋、元時代，這裡已是「望衡
千餘家，種梅如種穀」。自宋犖題「香雪海」之後，鄧尉梅花更
名揚四方。《清嘉錄》對鄧尉探梅盛況有過具體生動的描繪：「
暖風入林，驚蟄爲候，玄墓梅花吐蕊，迤邐至香雪海。紅英綠萼，
相間萬重，郡人載舟虎山橋畔，撲被遨遊，夜以繼日。」文人雅
士，遊賞之餘，吟詠贊嘆，留下許多詠梅佳作。清朝皇帝康熙、
乾隆也都有詩題贊。康熙詠道：「鄧尉知名久，看梅及早春。豈
因耽勝賞，本是重時巡。野靄朝來散，山容雨後新。繽紛開萬樹，
相對愜佳辰。」乾隆詠道：「香雪舊曾聞，眞逢意欣欣。」豎立
在馬駕山上的梅花詩碑即刻有乾隆第三次來此探梅時留下的墨寶，

至今字雖漫滅，但依然是舊時帝王酷愛鄧尉梅花的文物見證。「香雪海」梅事代有盛衰，但至今依然是蘇州一處勝景，早春季節，梅花盛開，蘇滬市民，中外遊客，來賞者車水馬龍，摩肩接踵，堪稱大觀。

在「香雪海」區內馬駕山東坡有「梅花亭」，為香山名匠蒯祥後又一營造宗師姚承祖於一九二三年所建，造型別致，富有地方特色，亭和周圍梅花融為一體，可謂匠心獨運。亭高兩丈，上下錯彩，花磚地墁均作梅瓣，觀者無不詫為奇妙。「聞梅閣」是一座單層長方形磚木結構建築，石柱上刻有一副對聯：「尋宋商邱題詠遺文入勝出幽十里梅香歸吐納，訪清高宗遊歡陳跡撫今懷舊四圍山色話興亡」，字跡清楚，斐然可誦。遊人於此憑欄賞梅，觸目所見玉梅萬枝，上下輝映，更知「香雪海」之勝。

清華園

在閶門外上津橋，觀察毛達齋買朱氏廢園所建。園內池濬而深，木培而壅，石壘而高，清澈如鏡，雲天倒映，魚游行空，古木林立，雜花時開，洲岸鋪秀，微風送香，泓演明麗。其間為殿堂，為樓閣，為亭臺，為涼房暖室，為長廊曲檻。又有橋梁、汸椅、陂陀、村柴之屬，無所不備。而一木一石皆見「清華」之意。登「清華閣」遠眺，吳山在目，北為陽山，南為穹窿山，靈岩見前，虎丘峙後，其餘天平、上方、五塢、堯峰俱可收入。

盤隱草堂

在吳縣硯山之東，為毛逸槎園居。園中高閣清池，水檻平橋，幽房邃闥，凡適於登眺憩息者咸備。前庭後圃，草樹花石，四時皆宜，其堂即名「盤隱」。

六浮閣

在吳縣光福茶山之麓。明朝李流芳欲在此建「六浮閣」未果。康熙間，張文萃買山營建，仍以「六浮閣」名之。此閣背阜面湖，周樹石楠、栝柏以爲藩，閣崎其南。當春梅放，拓西窗俯視，繁花百萬，若積雪之被原隰，遊人詫爲勝景。文萃歿後，其子又加修葺，有徑有堂有庖有湢，四方之士相招而過訪。

亦園

在封門內滾繡坊，爲尤侗園居。尤侗，長洲人，康熙十八年舉博學鴻詞，授翰林院檢討，居三年告歸。園約十畝，池占其半。園無樓閣廊榭，層巒怪石。有一亭名「揖青亭」，此爲登高攬勝之地。白雲青山、丹城綠野、竹籬茅舍盡收眼底。池上一軒名「水哉軒」。此二者爲園中勝景。另有十景，曰「南園春曉」、「草閣涼風」、「封溪秋月」、「寒村積雪」、「綺陌黃花」、「水亭菡萏」、「平疇禾黍」、「西山夕照」、「層城煙火」、「滄浪古道」。尤侗有十景竹枝詞詠之。堂前懸御書「鶴樓堂」三字匾，兩楹刻「章皇天語眞才子，聖上玉音老名士」。四方至吳門之文人雅士，必過訪，故酬唱之什極多。太平天國時，此宅爲攻破蘇州城之臟大王所占。臟大王能書能畫，曾在住宅牆上自繪小像與梅、蘭數枝。

李果宅和封湄草堂

皆長洲人李果所治。李果宅在大石頭巷，係割李廣文園之一隅而成。中有「萊圃」、「種學齋」、「悔廬觀」、「槿軒」諸勝。「萊圃」之名來源有二：一是圃久荒蕪，多蒿萊；二是奉老母以居，取老萊子娛親意。宅中有古柏四株，蔚然蒼翠。「種學

齋」前有黃梅、柑桔、古桂及小石假山。

後來，李果又在葑門鷺鷥橋別築「葑湄草堂」，有屋十餘楹，書堂高敞，有軒有齋。中庭有枸櫞、香橙、石榴、梅樹、桂樹，疊石爲坡陀，藝蘭其下。

志圃

在太平橋南。本爲明代繆國維宅。康熙年間參政孫彤在宅旁構「志圃」。園成之日，彤父對他講：你祖父宦游二十年，歸田之日，欲治一圃，未果。今你能成祖父之志，故名園爲「志圃」。園中有「雙泉草堂」、「白石亭」（石爲白居易遺物）、「媚幽軒」、「似山居」、「青松塢」、「大魁閣」、「小桃源」、「不繫舟」、「更芳軒」、「紅畫亭」、「梅洞」、「蓮子灣」諸勝。

遂初園

在吳縣木瀆東街。康熙間安吉府知府吳銓（字容齋）所築。此園極園林之勝，樓閣亭榭臺館軒舫，連綴相望。垣牆繚如怪石，嵌如古木，槎枒，篔簹蕭疏，嘉花名卉，四方珍異之產，咸萃於園。

遊此園，循修廊西折至西南，爲「拂塵書屋」，深靜閑敞，林陰如幄，宜於休坐。經林叢北迤，爲「掬月亭」，俯臨清流，倒涵天空，影搖几席，宜於玩月。自亭而東，隨堤南折，爲「聽雨篷」，宜夜臥聽雨。東望爲「鷗夢軒」，宜於徙倚。又東爲「凝遠樓」，宜於眺覽，登樓四望，娃館西峙，五塢東環，天平北障，皋峰南揖，其餘若醫、若奔、若倚、若伏，蒼煙晴翠，鬥詭獻異。樓東爲「清曠亭」，綺疏洞開，招納遠風，宜臨風暢懷。

自亭而南，拾磴級，穿梅林，聳然而高者，爲「橫秀閣」。登閣東北送目，平疇萬頃，縱橫阡陌，綠浪黃雲，夏秋盈望，宜於觀稼穡。其他尚有「補閑堂」諸勝，平室深窩，交窗複壁，敞者宜暑，奧者宜寒，約略具備。園後歸葛氏、徐氏，光緒年間又歸柳氏，皆有園林之概，再後漸廢。

三益園

在昆山馬鞍山老人峰下，本爲葛氏業。康熙十五年，徐開任、葉九來、吳扶風三人釀金築室，背溪臨池，奇石齒齒，或抱膝讀書，或飛觴醉月，爲一時勝地。有屋數間，短垣環匝，啓窗而望，「夕陽岩」、「一線天」、「八公石」、「老人峰」等，近在眼前。

自耕園—鳳池園—省園

在鑾駕巷（俗呼鈕家巷）。相傳爲泰伯十六世孫吳武眞第宅，有鳳集其家中，有池沼，因名「鳳池」。宋朝顧氏居之，明爲袁氏，又爲鈕氏所居。入清，顧氏族人月隱君拓治爲「自耕園」。康熙時河南巡撫顧汧去官歸家，園已易他姓，乃厚金購得，修建園第，名「鳳池園」，益擅勝名。

此園極大，池亦廣。園之門名「日涉」，園中石徑逶迤，桐陰布濩，四時野卉，紛披苔麓。前爲「武陵一曲」，列嶂環蹊，板橋壓流，回廊盤互。嶺有梅，寒葩凝雪，疏影橫雲，恍若羅浮清夢。亭有桂，金粟交柯，天香籠月。又有石臺、爽塏、寒塘、浸玉，官柳起舞於鳳前，文杏斜倚於欄畔。其後杰然而高者爲「賜書樓」；窈然而靜深者爲「洗心齋」；曠然臨流而西望者爲「康洽亭」。菊畦繚繞乎籬邊，藥圃低亞乎坡側。左則虹梁橫渡，

鶴浦偃臥，桃花夾岸。有榭名「擷香」，閣名「岫雲」，右則崇丘崔嵬，洞壑陰森，牡丹錦發，朱藤霞舒，竹木蔽日，檇李凌波。迤西，老樹參雲，軒名「抱樸」，石橋宛轉，榆槐夾路，薇花對溪，柏岡環護，石壁列屏，「見南山」位此。

　　清末，東部歸陳大業。陳氏又於其東買鄰隙地，一並增葺，易名「省園」。在隙地鑿小池，池旁築室，象舫，名「愛蓮舟」。在池南老屋處，建新堂名「春華」。池北樓名「飛雲」。循西而南，修廊曲徑，窈然靜深者名「樓下宿」。有軒名「知魚」，有橋名「引仙」，有洞名「浣香」，有亭名「接翠」。池東南峙有杰閣。仍舊名為「鳳池」。後有「鶴坡」。左榭名「筠青」，右墅名「梅山」。袁學瀾有詩贊道：「閱世亭臺草木新」，「此境幽閑迴絕塵」。中部歸王資敬。西部歸大學士潘世恩，仍名「鳳池園」，其孫又在對岸築「養心園」。園之勝，清流繞屋，花竹交映，有亭翼然，背山面水，名「鳳池亭」；燕居之室，環擁圖書，室外喬松如龍，亭亭霄漢之表，名「虯翠居」；岑樓聳然，高出林表，芳華迎春，繁英如雪，名「梅花樓」；樓下粉牆迤邐、修廊環繞，名「凝香徑」；芳堤夾水，平橋通步，飛泉漱石，聲如鳴玉，名「瀑布聲」；幽房邃室，眾喧不到，名「蓬壺小隱」；泉出石間，味如甘醴，名「玉泉」；蘭寮東啟，空明無礙，名「先得月處」；枕水作屋，中貯法書名畫，名「煙波畫船」；竹木交蔭，萬綠如海，名「綠蔭榭」。

　　太平軍蒞蘇，英王陳玉成擇此園為駐節之所，人稱之為「英王行館」。然陳氏軍旅倥傯，只留三日而去，終其身未嘗一返。以後，園漸為民居，只存一「紗帽廳」，殘落破敗，不堪寓目。一九八二年，按「英王行館」原狀整修一新，以保留太平天國遺跡，垂教後世。

潭山丙舍

在吳縣光福潭山，顧沄築。有詩自詠道：「高山閴寢護松筠，十畝園林手澤新」。

東齋

在城南槐樹里，吳枚庵園第。此園方圓不過十笏，有樓，直蔣氏園，老樹出牆外。有假山石。牡丹一片，高至樓半，薔薇負牆而上，花時嬌艷溢目；另有綠萼梅一株，木芙蓉一株。主人過從皆四方名士。

佚園

在吳縣陽抱山下，爲侍郎蔣雲九別業。有門、有堂、有寢、有書室、有小閣，翼以亭軒，花欄文砌，流水瀄瀄，蔣氏常和客人觴詠其間。

慕家花園—畢園—遂園

在黃鸝坊橋南近處，現蘇州兒童醫院內。康熙間，巡撫慕天顏所築。後歸河南人、紹興大守席椿。其後畢沅割其東部築園，題名「小靈岩山館」，俗稱「畢園」。園以水池爲主景，綴以假山亭臺曲橋花木。旋亦頹廢。後又歸觀察董國華，董氏重加修茸，有「曠觀樓」、「梅花園」等。

宣統間，安徽人劉樹仁（一說雲南人劉詠臺）購得，更名「遂園」。有「綠天深處」、「聽雨山房」、「映紅軒」、「容閑堂」、「逍遙室」、「琴舫」諸勝。皆臨池，池有荷，夏日極盛。池上架小橋，曲折有致。

民國二十六年，紅葉造紙廠企業主、東山人葉蔭三在「慕家

花園」之西部建花園別墅名「蔭廬」，建築式樣模仿歐洲文藝復興時期羅馬式建築風格，花園占地二千多平方米。建築之南緊聯荷花池，有石階與池水融會。曲橋飛虹，池周環以假山涵洞，山頂涼亭與池畔石舫相映。花園裡還有自流井和噴水池，增添了動態情趣。葉氏還遞次修復了「容閑堂」等多處舊園景。抗戰開始，葉氏外出，此處爲顧祝同所有。「八一三」之後，蔣介石、何應欽、白崇禧等人曾在此匆匆小住。一九四九年以後，葉氏將此花園出賣，現爲公房。仍存水池、假山、石舫、亭子等。

藝雲書舍

在閶門外山塘，觀察汪士鍾藏書處。堂宇軒敞，樹石蕭森。堂中懸楹聯云：「種樹似培佳弟子，擁書權拜小諸侯」。

渌水園

在碧鳳坊，康熙時布衣朱襄所築。清池峭石，窈若深山，不知在城市間。

憺園

在昆山縣治半山橋西，爲尚書徐乾學宅第後園。園中有「怡顏堂」、「看雲亭」諸勝。後廢。

賁園

在昆山馬鞍山陽，本爲李氏園，爲一邑之勝。徐開任以百十金得之，名「賁園」。

半枝園

在昆山西關外，編修王喆生別業，爲其奉母之所。

汪氏庭園

在東花橋巷。園在宅東，有水池、假山、亭子、小橋、四面廳等構築。住宅共三路七進，有康熙嘉慶年款門樓各一。現遺存花廳和湖石假山。

寄葉庵

在麒麟巷，建於康熙初年，庵中有小園。道光、同治時兩度重建。現庵舍仍存，小園全無。

劍浦草堂

在常熟縣治城南，諸生陳文照宅。康熙年間，常熟詩人多陳姓，陳玉齋居城東爲東陳，陳協居城爲西陳，陳如鎏居城北爲北陳，陳文照爲南陳。四陳居第獨「劍浦草堂」爲秀。中有「山爽閣」，具竹石之勝。春秋佳日，三陳皆邀諸詞人至南陳觴詠。

鋤園

在常熟芝塘東，諸生陶式玉別墅，澄潭叢篠，最爲靜雅。後歸處士張九苞。

一松山房

在常熟言子墓南，園中有「雙池」、「茅亭」，古松一株，爲數百年前物。言氏構築以護祖墳。巖石競秀，嘉禾茂林，四時遊憩不絕。

小楞伽

在常熟錦峰山麓，兵部主事嚴栻別業。後爲佛廬。

語溪小圃

在常熟東唐市，孝子李時日闢。

亦園

在常熟東唐市，兵部司務陳壁歸隱之所，與李氏「語溪小圃」一水相望，觴詠往來。

鳳基園

在常熟東唐市，都昌知縣楊彝所居，亦爲「應社」名流會文之所，因之又名「應亭」。

東勝園

在常熟支塘，處士朱樂隆別墅。

藕花居

在常熟湖田，副都御史錢朝鼎別業。

來青閣

始在常熟縣治石梅之東，畫家王翬建。太倉畫家王時敏爲題額，久圮。後六世孫元鍾重建於鎮江門大街，咸豐十年又毀於戰火。元鍾子又重建爲「石谷先生祠」。

松梅小圃

在常熟東唐市，處士王維寧別業。吳歷爲之繪圖。王氏宅在韓墩。

虞麓園

在常熟縣治石梅，道光年間，糧儲道倪良耀署東之園，種樹疊石，榜曰「石梅仙館」。

顧園

在常熟，顧涇，顧鏞所構。欄楯回互，花石紛羅，春秋佳日，士女遊觀，登臨之勝，甲於里閈。

王氏園

在吳江黎里作字圩，康熙間王俊彥別業。園中多梅花，時人有詩詠道：「幽情兩不厭，隨意涉鄰園。臨水花窺鏡，依山石作垣。鳥鳴隔岸樹，魚唼小池繁。」光緒時已廢。

五峰園

在吳江黎里發字圩，邱玉麟園第。方圓不滿二畝，有假山曲池，梅林竹塢，特爲幽勝。入園，路極狹，從小徑曲而北，水聲清泠。循水北渡，轉「尋芳徑」西折，爲「拄頰岩」，有石磴可坐臥。野鳥啾啾，飛徊蓼芷間。有「白蓮渚」、「竹塢」、「漁臺」，皆別具野趣。由「平坡」過「梧蔭橋」，入「錢月廊」，松濤陣陣。另有「餐雪草堂」、「玉照峰」、「風軒」、「晚安閣」諸勝。有詩詠道：「疊石爲山兼皺瘦，疏泉作沼任方圓」、「新構閣成延野色」、「臘月已開梅」、「松筠無改舊園林」、「重來已忘舊池塘」、「峰峰突兀添苔綉，樹樹輪菌絕雪霜」等

等。

西園

在吳江盛澤，仲文濤園第。建成之日，計某有詩題詠：「西園欣落成，碧潭映衡門。開荒築長圃，繞屋列長垣。垣中濬方池，溶溶水潺湲。引流灌蔬果，花草隨時繁。亭榭既幽敞，樓閣又掀騫。洞庭落照裏，竹樹羅遠村。」園中竹、梅、蓮、芍藥甚盛。有詩爲證：「森森翠竹萬竿強」，「梅香驚撲鼻」，「荷開卻映醉顏酡」，「芍藥芳菲已久知」。

寶峰園

在吳江盛澤，湯維桩築。後人有詩詠道：「舊說園林好，黃花繞洞門。」

五柳園

在金獅巷，亦名「城南老屋」，爲康熙時翰林學士何焯「齋硯齋」故址。乾隆間，吳縣石韞玉重加修葺。因池旁有五棵柳樹，更名爲「五柳園」。園中柳樹綠陰如幄，池水常綠，名「滌山潭」。柳陰築屋三楹，面水者名「花間草堂」。其西即何焯「齋硯齋」，石韞玉易其名爲「花韻庵」。其東南有屋三間，臨水名「微波榭」。榭西有廬若舫，環植梅樹，顏曰「舊時月色」。後有小閣，象柁樓，名「瑤華閣」。閣外玉蘭一株，高與閣齊，花時如雪積於簷端。舫之北疊石爲洞，洞外石中有泉，名「在山泉」。洞內構屋三間，名「臥雲精舍」。由此繞出「花韻庵」之左，東北有斗室，名「夢蝶齋」。園東何氏「語古齋」舊基改築樓五楹，因落成於鞠有黃華之時，名「晚香樓」。樓東有小樓二間，名「靜寄閣」。樓

北是「鶴壽山堂」。再北爲「獨學廬」，藏書二萬餘卷。其東北爲「舒詠齋」，爲童子讀書之所。其北爲「徵麟堂」。還有「玉蘭舫」、「歸雲洞」、「瘞鶴堂」諸勝。

咸豐年間，俞樾自河南罷歸，曾寓此。有詩句詠道：「一椽聊借詩人屋，大好城南獨學廬」。太平軍攻占蘇州後，成爲廢墟，僅留水一掬。

太湖廳治

太湖廳爲清太湖同知署衙，太湖同知自雍正八年設，駐吳江同里鎮，專修太湖水利。十三年移駐太湖東山，加督捕銜兼理東山民事，是爲太湖廳治之始。治所在王衙前，即今吳縣工藝美術研究所內。占地五畝多，屋六十多楹。司馬常居之所名「葵向堂」，堂前栽桂樹兩大株。堂東爲「綠筠山館」，此處宜聽雨；堂西爲「青桐軒」，宜望月。秋夜，月棲桐蔭，透過珠簾，直射軒中羅幕。「綠筠山館」之東南角曰「碧桃居」，春日朝煙半籠，嫣然窺戶下。「碧桃居」北爲庖湢之所，達內室院，重樓矗起高百尺，長五楹，廣二楹，名「望山樓」，樓下中室，洞達院內，荼蘼映護。夏日盆蓮盛開，額曰「蓮室」。「蓮室」東西各有二室；北橫一戶，窗外樹木叢雜，此爲「梁孟閣」。樓後爲小園，園中有四時花木。園東牆外，石堤障水，日夜潺潺；西爲「野綠齋」，中一亭名「梅雪亭」。同知每治事於「葵向堂」，無事則「綠筠山館」聽雨，「青桐軒」望月，「望山樓」看山，春坐「碧桃居」，冬上「梅雪亭」，夏秋納涼於蓮花池旁，臥歸「梁孟閣」，治古文於「野綠齋」。道光時同知劉鴻翺在《太湖廳治記》中說：「太湖之奇，廳治也各具湖山小景。」

紅豆書莊

在城東南冷香溪之北（今吳衙場），惠周惕構築。先是東禪寺有紅豆樹，老而朽，後復萌新枝。惠周惕移一枝植階前，生意郁然，因自號「紅豆主人」。僧睿目存爲繪《紅豆新居圖》，惠周惕自題五絕一首，又賦紅豆詞十首，和者二百餘家。四方名士過吳門必停車往訪。傳及子孫六十年，鐵幹霜皮，有參天之勢。庚申兵火，樹被伐。

可園

位於「滄浪亭」對面，現蘇州醫學院內。原係宋代「滄浪亭」之一部，面積四畝半。建於乾隆三十二年，朱珏寓此，取「智者樂山，仁者樂水」之意名「樂園」。又因庭宇清曠，有山林野趣，亦名「近山林」。長洲沈德潛曾讀書於此。道光年間梁章鉅任江蘇巡撫時，重加修茸。園有堂，深廣可容，堂前池水，清泓可挹，名「挹清堂」。池廣畝許，游魚可觀，種荷。緣涯磊石可憩。左有平臺，臨池可釣。右有亭，作舟形，名「坐春艫」，可臨風，可觀月，四周繞廊廡。出廊數武，有屋三楹，可延客，名「濯纓處」。迤北復有小園，有小池。池上啓軒，列碑五、六，可考曩跡。有人以爲此園簡樸，不擅曲榭崇樓、奇花美木之勝，可否謂樓；朱珏循孔子無可無不可之意，斷然曰「可」。即名「可園」。光緒年間，江蘇布政使黃彭年建「學古堂」，又拓建書樓五楹。後有土山，遍植梅樹。山頂築亭名「浩歌」。書樓之左，又建講堂、齋舍，周植玉蘭、海棠、桃李、紫藤、木香，入春花事最盛。園有八景：「學古堂」、「博約堂」、「黃公亭」、「思陸亭」、「陶亭」、「藏書樓」、「浩歌亭」、「小西湖」。

辛亥革命後，「可園」爲江蘇省第二圖書館。現爲市級文物

保護單位。

怡園

在吳縣木瀆下沙塘，乾隆初年邑人陶縫築以娛親。園分水陸，中有「舞彩堂」，右為「愛吾廬」，後為「環山閣」。登高而望，山翠四圍，煙雲吐納，近在眉睫。左則小橋流水，引人入勝，有「星帶草堂」、「蕉綠軒」、「玩月軒」、「容膝軒」諸勝。極北為「湘竹亭」，斑竹環繞，亭中几榻器皿悉稱，此處景物最為幽雅，春秋佳日，主人常歡奉板輿，以怡其親。

止園—樸園—半園〔北〕

在白塔東路。乾隆間郡人沈世奕所築。中有「懷雲亭」。後售予太守周晶齋，周氏拓而廣之，頗有幽趣，改名「樸園」。園有一峰名「歸雲」，甚峭。其東為蔣氏「種梅亭」，春時百花齊放，群芳爭艷。後歸潘氏，為「古香亭」。徐崧等人有「踏莎行」唱和詞贊詠，如「徑點蒼臺，牆遮翠柳，閑亭面面開疏牖」，「瘦竹連松，衰梧映柳」，「風颭枯荷」，「為叩名園，歡尋良友」諸句，可見此園概貌。

清末歸陸氏，經改造，取知足不求全之意，易名「半園」，俗稱「北半園」。面積約一畝半。園在住宅東，以狹長水池為中心，周圍環以四面廳、榭及半亭等建築。水池之東有小橋，跨水達旱船。此園布局緊湊，建築小巧。園中半橋、半廊、半亭、半船等建築均以「半」為特色。東北角的重檐高閣，外觀二層半，精美獨特。園中植有白皮松、廣玉蘭、黃楊等，環境雅致，有「少少許勝多多許」之妙。此園現已修葺一新，為蘇州第三紡機廠使用，是市級文物保護單位。

鷗隱園

在城之西偏，吳縣潘功甫所築。中有廣榭曰「清華池館」，饒花木之勝。潘氏嘗與友人結詩社於此，遠近爭目，稱為「吳門七子」。

塔影園

俗呼「蔣園」，在虎丘東南隅。乾隆時蔣重光（字子宣）在程氏廢壞上葺為別業。敞者堂皇，俯者樓閣，繚者曲廊，靜軒閑龕，邃窩深房，亭臺高峙，垣牆外環。隙地植梧柳榆檜桃杏，芍藥滿畦，寒梅成林，藤蘿交絡，桂樹成陰，此南岸之勝概。迤北通以虹橋，沿以莎堤，突以高岡，岡上植松杉、烏柏、銀杏之屬，石級縈繞，丘岡連綴，洗鉢有池，翻經有臺，第三泉注入白蓮池，瀉入澗中，幽幽淙淙，此北岸之勝概。園三面繞河，船自斟酌橋進，叢生葵荷，朋聚鳧鷗，回塘迂徐，沓淑分流。山搖青而點黛，水繞白而曳練，此園外周遭之勝概。園內諸景尚有「寶月廊」、「香草廬」、「浮蒼閣」、「隨鷗亭」等。

嘉慶二年，太守任兆炯即「塔影園」改建為「白公祠」，中有「思白堂」、「懷杜閣」、「仰蘇樓」等。

漁隱小圃

位於寒山寺江村橋南。乾隆間，王庭魁（字岡齡）所構。初名「江村山齋」。岡齡工詩善畫，多藏名跡，畫宗文徵明，因襲文氏「停雲館」之名改齋名為「小停雲館」。後歸其婿袁廷檮，易名為「漁隱小圃」。後又歸袁氏之弟袁廷檮（字又愷），廷檮拓而新之，園景和蘭亭之勝更盛於前，人以為可和昔日「樂圃」、「南園」並美。

園廣百步，入門，「貞節堂」三楹。後爲「竹柏樓」，爲奉母之處。樓旁有「洗硯池」，池水湛碧，芙蕖花時，香滿庭戶。沿池遍植木芙蓉，有徑達「夢草軒」。旁柳陰，架橫石，名「柳汃碕」。由碕而入，左爲「不繫舟」，右爲「水木清華榭」，再前爲「五硯樓」，因藏有元明間袁氏名人所遺五硯而得名。登樓，遠山出沒，平疇在目，可供吟眺。樓東有「楓江草堂」。南有「小山叢桂館」，植桂甚繁。前有小阜突起，建「吟暉亭」於上。亭下接「稻香廊」。廊盡爲「銀藤稜」。西向最高者爲「挹爽臺」。草堂之後，栽牡丹、芍藥，名「錦繡谷」。東則「漢學居」，爲又愷著書之地。再後爲「紅蕙山房」。累計有十八景。此外，園景尚有「足止軒」，僅容二人膝語，甚奧；「睇燕堂」，長牀重楹，可以張飲會宴賓，甚恢宏；「列岫樓」，高可遮蔽「穹窿」、「靈岩」諸峰，甚曠；還有「烏催館」、「來鍾閣」、「小衡山亭」、「戲荷池」，皆回峰迂流，有屒厱溟漾之觀。春秋佳日，吳中勝流名士，多會於此。遠方賢士過吳者，亦多繫舟造訪，往往塡咽江村，車水馬龍。

青芝山堂

在葑溪上，直棣新樂令張良思所居。園中壘石爲山，雜種茂密，有荷池。

萱園

在閶門外下津橋東，乾隆間周瑾所居。

勺湖

在閶門東，廣東人方還（字蓂朔）所築。園方廣六畝，池占

其半。池本非湖，取《莊子・齊物論》義，因以湖名。湖中央有亭翼然，名「丹亭」；稍前而西名「西亭」；又前爲「廣歌堂」，以示思念故鄉。「丹亭」之東，峣然峙於湖者爲「楮蔭軒」，此處楮樹叢生；「丹亭」之西，藤木森布，石塊累累，若突若仆，旁可列坐，名「蔭臺」；臺之西，有橋蜿蜒與亭相連，名「雁齒橋」，因象形而名。園之隙地，半種竹，餘治圃，植瓜瓠蔥韭莧芥。旁有老木數十株，爲梧、桂、梅、桃、榆、柳、槐、楝、桑、柘、檿、檀之屬；又有花卉，爲紫藤、白萼、萱、蕉、薔薇、刺梅、金雀、木芙蓉之類；池中遍植芙蕖、菱芡、菰蔣、荇藻，牽引參差，搖漾繽紛，又有游魚躍波，或聚或散。主人無事，輒來園中，或孑影自適，或偕親朋，倚闌檻，坐高閣，彈琴詠詩，酌酒爲樂。

靈岩山館

在靈岩山南西施洞下。乾隆年間，湖廣總督畢沅（字秋帆）所築，占地三十畝，館甚雄麗。營造之功，亭臺之勝，凡四、五年而成。相傳耗資四十萬金，袁學瀾有「四十萬金輕一擲」之句詠之。頭門題額「靈岩山館」，二門題額「鍾秀靈峰」。入門，蟠曲而上，至「御書樓」，皆長松夾道，有一門甚宏敞，上題「麗燭層霄」。樓上奉御書墨寶及字畫法帖。由樓折後而東，有「九曲廊」，過廊爲「張太夫人祠」。由祠而上有亭爲「澄懷觀」。道左有房三楹，名「畫船雲壑」，三面石壁，一削千仞，其上即「西施洞」。前有一池，水甚清洌，游魚出沒可數。其舍名「硯石山房」。此園亦爲文人詩酒歡娛之地，袁枚曾訪之。畢沅有詩詠道：「梧宮故苑，硯石名山。石城雙雙，香水潺潺。我有板屋，十間五間。竹簾不卷，木榻常閑。梅花壓磴，古苔斑斕。」嘉慶

間歸虞山蔣氏，故亦名「蔣園」。咸豐中毀於兵燹。清末詩人袁學瀾有詩詠道：「花草香溪築菀裘，林泉結構信風流。」「石牆縈帶圍層麓，來道濃陰松檜簇。高低隨勢作亭臺，九曲回廊依修竹。」「堂前池水浸雲根，紅鱗吹絮浮清浪。」

芥舟園

位於洞庭西山東蔡秦氏宗祠旁，乾嘉之際世醫秦氏所建，故亦稱「秦家花園」。

此園面積不大，占地僅二分，但小而精致，「芥舟」之意，由此而來。花園南部，以黃石假山為主體，配以天竺、枇杷、萬年青、羅漢松等花木。羅漢松為數百年之物，英姿勃發，清新挺秀，給人以萬年不老之感。假山盤曲錯漏，奇峰異洞，蒼老古樸，巧布於數尺之間。花園之東，有小池一泓。與假山相映成趣。花園西邊，有石壘琴桌，桌前立靈芝狀太湖石一塊，十分玲瓏。石上刻「洞庭波靜泛秋水，楚甸林稀見遠山」等字句。主人每憑桌而琴，對石而歌，頗有雅趣。花園之北，有書屋三間，稱「微雲小築」。屋內板壁上雕刻琴棋書畫及博古圖案，還有春蘭、秋菊、芍藥、牡丹、松、竹、梅等文人花鳥畫，為書屋平增添幾分幽雅、古樸的色彩。

「芥舟園」雖小，但高雅不俗，體現了設計者高超的藝術修養和造園技巧，是蘇州乾嘉年間小型第宅園林的代表作。現為縹緲小學附設幼兒園所在，是縣級文保單位。

春熙堂

在洞庭西山東蔡村，蔡某所建。蔡氏早年經商湖南，建造該堂後，為祈求合家和樂，財運通達，故取《老子》「眾人熙熙，

如享太牢，如登春臺」中「春熙」二字作爲堂名。

「春熙堂」創建於乾隆年間，以後歷代都有增建，範圍最大時，除門廳、大廳、門樓、女廳、書屋之外，還有七個三樓三底的住屋，及位於書屋南面的四面廳、九曲橋、八角亭等許多建築，是一座大花園。

書房，名「綴錦書屋」，取楹額「運生花妙筆，聯詞綴句而成錦繡文章」之意。房建於道光二十五年，環境十分雅逸。

書房前花園面積僅七十平方米。園中以黃石假山爲主景，栽有黃楊、天竺、臘梅、棕櫚、枇杷等花木。地面以方形板岩石塊斜紋鋪地，前有矮牆，牆上有透空花窗。

書房後面的花園，面積約九十平方米。四圍有高聳的實體牆，牆上有「爬牆虎」，將花園封閉得嚴嚴實實。園中有三寶：一爲白皮松，雪枝翠葉，生機勃勃，粗二米多，極爲罕見。二爲牡丹花，乃數百年之物，花時繁艷嬌妍，滿園紅遍。三爲湖石假山，拔地雋秀，上有三峰，中峰似一隆背老人，故稱「老人峰」，左右兩峰名「太獅」、「少獅」，以古代高官名稱「太師」、「少師」之諧音命名。「太獅」羸瘠骨立，皺、透而漏，三米多高，是一塊完整湖石，可與「留園」冠雲峰、原「織造府」之瑞雲峰相媲美。據說這塊湖石也是宋代朱勔採辦花石綱時鑿出，未及運走，便丟了官，於是留在西山，被蔡氏覓得，在建造花園之前，就將此石和那株白皮松移至園中。

現在，「春熙堂」除大廳、門樓、後樓之外，書房及其前後的兩個小花園依然存在，爲縣級文保單位。

愛日堂

在洞庭西山縹緲西蔡村，創建年代稍晚於「芥舟園」和「春

熙堂」。花園位於宅西，面積約一百五十平方米，有書房、亭子（旱船）、花廊等建築物。園內以黃石假山爲主。假山盤曲，中有洞、可盤旋而到亭中。閑坐亭中，可飽覽園中景色。亭南有水池。花木種類很多，有桂花、紫薇、山茶、臘梅、天竺、棕櫚、竹等，桂花樹很大。山茶二本，均開「十八色」重瓣花，故又有「十八學士」美稱。花廊原是大廳通往書房的通道，在途經花園之處，砌齊膝高半牆，上有「萬福流雲」，下有「美人靠」，可以憑欄賞花。

「愛日堂」現爲一農民居住。原大廳已被拆除，花園仍在，爲縣級文保單位。

西溪別墅

在虎丘下塘甫里先生祠旁。乾隆五十一年，陸龜蒙三十四代孫陸肇域建。肇域倣原甫里祠之名目景觀，隨地勢曲折而構築。高者爲堤，洼者爲池，傑者爲閣，翼然者爲亭。水石清曠，卉木敷榮。中有「清風亭」、「桂子軒」、「鬥鴨池」、「四美樓」諸勝。

娛暉園

在蘇州城內，乾隆年間，顧培元所建。

下塘山景園

在虎丘下塘，乾隆時戴大倫建，有園林之概。中有「坐花醉月亭」、「拳石勺水堂」，臨流有「留仙閣」，閣聯云：「鶯花幾緉屐，蝦葉一扁舟」。柱聯云：「竹外山影，花間水香」。

燕園

在常熟城內辛峰巷。初名「蔣園」，乾隆五十四年，臺灣知府蔣元樞建。五十年後，歸同族蔣因培所有。此園占地不多，構築奇巧，曲折有致，以小取勝，以小見大。園內廊小、池小、屋宇小，假山也小，但由於結構精致，建築與園景安置得自然、得體，顯示了「園雖小而不覺其小」的藝術效果。園中假山由常州疊山名手戈裕良所疊，東南隅一座用湖石，西北隅一座用黃石。黃石假山尤勝，此山以環橋法將大小黃石勾搭而成，因而假山環環相扣。黃石假山的粗拙與湖石假山的靈巧形成對照，相得益彰，相映生輝。黃石假山中有洞壑幽谷，山上植名樹珍木，極富自然之趣。此山名「燕谷」，因易園名為「燕園」。「燕谷」峻險清奇，向與蘇州「環秀山莊」、揚州「小盤谷」、如皋「文園」等相頡頏。園內有「一瓻閣」、「十願樓」、「涵春塢」、「詩境」、「梅屋」、「五芝堂」、「賞詩閣」、「三嬋娟室」、「天際行舟」、「童初仙館」、「引勝岩」、「過雲橋」、「夢青蓮花庵」、「綠轉廊」、「冬榮老屋」、「竹里行廚」諸勝。又有池塘荷花、松竹之屬。道光二十七年，園屬歸氏。後歸氏又售出，售園時，盡撤其題詠匾聯，攜之俱去，乃使園中不存一字。光緒年間，園歸《續孽海花》作者張隱南，故又名「張園」。張隱南受《孽海花》作者曾樸臨終之托，續寫《孽海花》。「燕園」內的亭臺樓閣裡，都是他構思謀篇、日夜筆耕的好場所。書出版之後，「燕園」的名聲亦隨之益振。一九四九年以後，曾為工廠使用，現工廠已部分搬遷，園已修復開放。是省級文保單位。

黃氏北宅園—飄香園

位於常熟唐市鄉，原為「黃氏北宅園」，乾隆五十年後歸黃

廷煜。後又歸程氏。咸豐之際曾毀於火。民國初年龔維才得而重
建宅園。園內疊假山，鑿荷花池，建曲廊，亭臺石橋，小徑兩側
植丹桂數十株。此園樹木蔭翳，理水得當，引外河之水貫入，有
小園門，可通舟楫。二百年後仍存殘跡，八十年代重加修葺，仍
具園林風光，更名為「飄香園」。現為唐市文化中心使用。

半畝園

在常熟城北報慈橋，原係明宣德間副御史吳訥別業「思庵郊
居」及萬歷年間吏部郎中魏浣初「樂賓堂」兩遺址。清乾隆嘉慶
年間由趙用賢裔孫同匯購得，合老宅進行擴建，為自娛會友之所。
道光十二年，同匯孫奎昌於舊居東闢地半畝，營治「半畝園」，
有「貞遠堂」、「溪山平遠閣」等。同治間，奎昌子宗建「舊山
樓」（曾國藩題額）為藏書處，又建「梅花百樹」、「秦權漢鏡
鐵如意之齋」、「梅花一卷廊」（因藏元人王冕「梅花手卷」而
名）、「總宜山房」、「梅顛閣」、「雙梓堂」、「古春書屋」、
「過酒臺」、「拜詩龕」、「非昔軒」等景，遠近名流，悉來嘯
詠。園內有白皮松及香樟、銀杏、紅豆等古樹名木，紅豆樹迄今
仍開花結子。此園現為林場使用，大部建築被毀或被改作他用。

梅園

在常熟城內北門外，建於清朝中期，已廢。

小園

在常熟城內陶家巷，清朝中期龐氏所建，現由陶樂酒廠使用。

瓶隱廬

在常熟虞山西麓鵓鴿峰下，建於清朝中期，現由林場石洞工區使用。

明瑟山莊
在常熟城內山塘涇岸，建於清朝中期，已廢。

壺隱園
在常熟虞山鎮西門內西倉橋。本明朝尙書陳必謙第宅。嘉慶間，吳峻基在其故址構築亭臺，後又得明朝錢氏「南泉別業」故址，增拓園池。有「不礙山雲閣」等景。後歸丁氏，臨池築「湘素樓」，藏書三楹。園久廢，現爲中學宿舍。

水園
在九萬圩，亦吳峻基所築。

四美亭
在昆山縣治城隍廟後，其東爲花神廟。乾隆年間里人在廟後廢地爲園池，建亭其中，規制宏敞，後臨馬鞍山，爲山麓眺覽最勝處。

亦園
在昆山賓曦門內，光祿丞李謹所構。李世望葺而新之。園之正室名「春畬草堂」，西有「五薇塢」、「不繫舟」、「香滿樓」，東爲「看奕軒」，後園有「攬筆亭」。庚申年毀於戰火。

逸園

在昆山南陸家橋夏甲村，司馬顧運銓別墅。園內有「聽鸝吟館」、「春暉草堂」、「秋雲一覽樓」。同治初年毀。

磊園

在昆山周莊鎮，乾隆年間貢生徐棱園居。園中多湖石假山，多植佳果，門外有大樹數株，綠蔭四覆。

池上草堂

在昆山周莊鎮太平橋西北，乾隆初詩人俞達築，前後臨池，波光四映。

藏秋塢

在太倉茜涇，陶菊泉園第。四圍皆石牆，中有「界石居」、「醉古齋」，房廊曲折，花木繁盛，而牡丹、蘭花最勝。有老梅一株穿月洞而出，古幹清奇，形如瘦鶴。又有疊石玲瓏，梧桐高聳。園主之孫集文人雅士結詩社於此，飲酒賦詩，互相唱和。

月湖丙舍

在吳江姚田，贈南昌府通判王梁築。園有勝景二十處，為「白華堂」、「瞻雲閣」、「深柳讀書堂」、「微尚軒」、「雲俱步」、「稻香亭」、「觀刈所」、「松間草屋」、「靜寄東軒」、「清涼塔」、「爻田」、「偃仰橋」、「指月庵」、「龍溪」、「月湖」、「金石扃」、「簣壑」、「磬池」、「棟花阡」、「飲犢灘」。

淡廬園

在吳江平望，副貢生汪棟園第。中有「春雨樓」、「淡廬堂」、「百城閣」、「賓影亭」等，又有水池假山。

端本園

在吳江黎里鎮，清乾隆初陳鶴鳴建。同治年間重修。現存「雙桂樓」、「六角亭」和部分回廊、假山等，爲縣級文保單位。

閑圃

在蘇州城內，乾隆年間蔣坦庵所築。有阜桎如，有池瀏如。眺望有閣，偃臥有亭。春秋佳日，主人攜子孫至圃中觀魚賞景，怡情適志。蔣氏去世後，其子又加補葺，地不加廣，楹不加多，一切悉循其故。唯開徑通阜，架梁通池，圍修廊，穿邃壑，更植花木，延綠接翠，蔭宇藏檐，益富幽致。

虹映山房

在吳縣木瀆虹橋下，山人徐士元讀書處。中有玉蘭一株爲二百年物。乾隆四次南巡，詞臣隨扈必住宿於此。

賦竹齋

在吳縣唯亭，沈見隆園第。疏池疊石，栽花蒔竹，有林泉趣，爲里中勝景。主人與沈德潛等四方名士常流連觴詠其中。有詩詠道：「曲徑春深花亂落」、「萬竿修竹碧池清」。

張氏莊房

在吳縣湘城南塘，有假山池沼。

共怡園（東園）

在吳江縣治城隍廟東，亦名「東園」。乾隆十五年知縣龍鐸築。本來在平望鎮東南數里楊家村，神廟煥然，旁建園亭，湖石林立。居民多探丸胠篋之徒，行劫前必禱於神。龍鐸奉上級令，拆廟毀像，用數巨艦載石至城隍廟東，疊石爲山，建「共怡園」。張士元《東園看花》詩寫道：「東園花卉誰滋培，蓊葧香氣聞池臺。辛夷片片吹落地，諸花含萼黃鸝催。」「海棠欲發猶掩抑，半面已露千玫瑰。桃花正放南北塢，風如雨意嬌群材。或如朱霞妙裁剪，或如白雪飄成堆。又或一木三五色，下枝揪斂高枝開。」「小草布地作茵席，篁竹梢雲頭不回。」「泉石結構類天造，叢祠閑靜容徘徊。」

五畝園

在吳江黎里發字圩，工部尚書周元理築。邱章有詩詠道：「殘山剩水說平泉，老樹吟風鳥語圓。新沼平翻蒲岸語，暮樓橫鎖柳塘煙。」「高館先秋意，疏桐散月華。」「雕欄閑獨倚，蛩語靜無華。」陳燮詩寫道：「爲訪名園結伴行，迂回沼水曲闌生。茸茸芳草二三徑，好著芒鞋踏嫩晴。」「半庭稚竹半庭花。」

池上草堂

在吳江分湖，乾隆年間迮雲龍別業。雲龍歷游黔滇既歸，築室種樹，有池塘數畝，爲棲隱之所，後易他姓。

一榭園（憶嘯園）

在虎丘斟酌橋。邑人薛雪別業。榭前有池，環以林木竹石，登榭而憑眺，如臨鏡奩，塔影山光，歷歷入畫。嘉慶三年，太守

任兆炯購於薛雪之子薛六郎，在其舊址改建庭園。後爲觀察孫星衍所得，改爲「憶嘯園」，又名「隱嘯園」。中有「授書堂」，堂前依山臨壑，疊石疏泉，擅幽棲之勝。其左又建「孫武子祠」。

錢氏三園（潛園、端園、息園）

在吳縣木瀆。「潛園」本明朝李氏「小隱園」，多老樹奇石。後歙人汪某卜築於此，買石移花，經營數年。嘉慶十八年里人錢炎得汪氏廢圃構園，名「潛園」，亦名「桂隱園」。園中有涼堂、奧室、山閣、水榭。園中老樹扶疏，濃蔭覆廬，紅蓮藍蘻，清襲衣裾。主人喜蘭，種蘭十數，又畦菊數百本。袁學瀾有詩詠道：「閑敞幽棲處，園林傍水涯。綠波新郭市，喬木舊人家。」仲弟端溪，道光八年，於北岸再葺一園，疊石疏池，多樓臺廊廡，有「友於書屋」（石韞玉書額）、「眺農樓」、「延青閣」諸勝，名「端園」。季弟煦於「潛園」之西百步。得薛氏舊圃十餘畝，重新葺之，鑿石築亭，憩息其中，名「息園」。一時題詠頗盛，如龔自珍詩句「妙構極自然，意非人意造」，「綺石如美人」。顧震濤有《兄弟咫尺三園記》。三園在咸豐年間兵火時，多成灰燼，唯「端園」獨存。旋歸嚴氏。光緒二十八年重修一新，號爲「羨園」。仍存「友於書屋」、「延青閣」等處。此園北臨田野，登樓憑窗，遠矚天平，近望靈岩，極游目騁懷之致。園內布置疏密曲折，高下得宜。木瀆本多良工，雖近山林，而斯園結構之精，不讓城市。李根源在一九二六年寫的《吳郡西山訪古記》中寫道：「乏人經紀，漸榛蕪，殊可惜也。」

香雪草堂

在吳縣鄧尉山。編修潘遵祁於道光二十七年秋歸田後所築。

堂之西治圃，名「西圃」。本來潘氏在城中舊有「西圃」，泉石
幽深，花木蔭翳，牆頭薜荔，幕青帷綠，徘徊其下，不忍離去。
草堂之「西圃」，實襲舊名。堂之東有小閣，閣中藏宋代楊逃禪
四梅花卷。庭前又植梅四株，因名閣爲「四梅閣」。俞樾曾爲草
堂作記，自嘆「曲園與之相比，實猶磧礫之於玉淵」。

怡園

在吳縣光福河亭橋，嘉慶二十二年，觀察潘奕璪建。中有「
思原堂」，園中有「石榴園」，榴樹甚多。

覹園（柴園）

在醋庫巷。園主姓柴名安圃，浙江上虞人，同治中葉卜居於
此。世人稱爲「柴園」。安圃辭世，子繼之，乃名「覹園」。此
園造型和裝飾精美。前爲「鴛鴦廳」，軒敞豪華。後爲「楠木廳」，淳
樸雅潔，額曰「留餘堂」。中有旱船水榭，與相呼應，間以林木，
葉茂布陰，玲瓏剔透，湖石假山，堆疊有致，盤旋迂回，丘壑自
具。入山之口有「繚而曲」三字，取登降不遑，如往而復之意。
更有曲廊延綿貫連。東北爲書樓，乃主人藏書讀書之所。西北建
堂屋，爲主人棲息之地。堂懸聯云：「只看花開落，不問人是非。」園
廣不足三畝，而有亭館臺榭之美，又具郊墅林泉之趣。抗日戰爭
爆發之後，園漸散爲民居，以後又有更迭，諸多改觀。

一九八五年次第修復「鴛鴦廳」、旱船、水榭、曲廊、半亭
諸處。現在聾啞學校內，爲市級文物保護單位。

小辟彊園

在崇甫巷。本爲吳縣人顧嗣芳別業，當時名「試飮草廬」，旋廢。嗣芳玄孫培業重新構置，始廣爲園林，有「來鳳堂」匾。培業子錦章又重新之。道光四年，錦章子震濤請林則徐手書「小辟疆園」名之北隅，遂爲當時名園。園約三畝，多栽桃李，花木扶疏，四方皆池。園中多舊石。時人題詠甚多。

栩園

在昆山馬鞍山前。本爲明朝禮部尙書顧錫疇第，入清朝中書王緝購得，於宅旁疏泉累石爲園亭，因中有古栩，故名「栩園」。

得樹園

在昆山縣治半山橋東塘，大學士徐元文園第。內有古樟樹一株，千尋直上，巨幹連圍。嘉慶間園爲沈氏家祠，旋毀。

古芬山館

在吳江黎里，嘉慶提舉周芝沅園居。園在宅後，庭廣二丈，雜植花木，疊石齒齒爲小山，有臺可登眺，有洞可繞徑出。後有軒，軒北修竹脩脩，綠蕉扶疏。稍東爲「求眞是齋」，齋南爲「稼墨莊」，四壁多名人字畫。又南爲讀書室。庭有泉名「沁雪」，水涓涓滴出，自石罅西流至老梅下，有潭淵然，中有錦鱗。

啞羊園

在吳江平望，嘉慶時副貢生吳載園居，園中以假山爲主，高低參差，其狀不同，然皆大類似羊，故以「啞羊」名庵。後闢小池，時有魚躍。面池而築者題「魚背三千」，高立魚背之上者爲「蓮華九品」。由石徑而上，有半亭，湖光山色，青翠可挹。春

時油菜作花，遍地布金。

採柏園

在吳江平望，州同知凌壇築。庭有古樹，故園名「採柏」。有「苑委書堂」、「疏蟲魚館」、「晤研齋」、「鍼孔庵」，皆爲琴書文酒之地；有「披襟閣」、「煙波洞天」，高可見洞庭諸山，近可挹鶯脰湖光；有「寸寸秋色廊」，遍植叢桂；有「奉飴樓」，爲奉親之所。園中疏泉疊石，種樹藝花。面勢高下，位置曲折，皆主人自營而心度。

流暢小榭

在吳江城西門內，金二雅園居，鑿池疊石，築亭其中。咸豐中爲黃小谷所得，蒔紅梅數十本，因名亭爲「艷雪」。

一枝園

在吳江城北門外，俗稱「百間樓」，爲徐氏園第。有「豐草亭」等景。園擅林泉之勝。庚申年毀。

芳草園

在吳江新橋河，王氏園第。本爲明朝駙馬府，有春夏秋冬四園，此爲春園。

西柳園

在吳江同里，鄭氏園第，名重一時。

知止園

在吳江吉水港，丁氏園第，名重一時。

曲江書莊

在吳江金家壩雪巷，沈氏園第，名重一時。

藝圃

在吳縣唯亭，嘉慶年間王有經築以奉先靈。圃面東，有堂三楹。迤南為「迎來舫」，舫臨小池，環以竹石，間以桃柳，名曰「思泉」，其上為「虛中小築」，又進而為「思五齋」。

龐宅花園

在顏家巷。園在住宅東，住宅門樓有嘉慶年款。園中湖石假山，體量較大，另有曲橋、半亭、白皮松、黃楊等園景。現已毀廢，僅存殘跡。

真如小築

在胥門外泰讓橋弄，嘉慶二十五年沈琢堂所創建，後歸繡貨莊老板顧蔭農，又俗稱「顧家花園」。園在宅北，面積不大，僅五百平方米左右，而假山魚池、涼亭曲橋、花果樹木等，凡園林之構，無不畢具。其中大黃楊兩株和用彩色瓷磚鋪砌楠木廳前走廊，更為其他園林所僅見。現園保存尚好，楠木廳、《真如小築碑記》等尚存。顧氏後裔仍住其中。為市級文保單位。

翠娛園

在吳江城東門外長橋之濱，沈翊為園第。沈氏九世祖明嘉靖時顯於朝，曾有別墅名「水西莊」，沈翊即在其遺址築園。

鴨漪亭

在吳江縣城東門外，舊傳唐代詩人陸龜蒙養鴨於此，故名，俗呼爲「阿姨亭」。嘉慶初，訓導沈沾霖兄弟三人築別業於此。此處四面皆水，水中爲「浮玉洲」，洲前爲「垂虹橋」。亭傍水而築，一仍舊名。本有沈氏先祠「愛遺亭」，又築「怡怡堂」、「浮玉草堂」、「攬勝樓」、「梅花館」、「養鴨欄」、「芳草亭」、「桃花堤」、荷池、竹圃諸勝。

八愔園

在吳江平望前街，吳格所築。後來俞樾曾爲題額。

七峰園

在吳江黎里發字圩，蒯承濂所居。徐達源詠詩有句：「園花含隱約，庭樹見輪囷。」

且園

在吳江黎里，陳兆鳳園第。園在住宅西偏，有山有水有亭有閣。入園，有東西二路。沿東路行，自廳事折北而東，過回廊爲「耦杏山房」，此處杏花兩株，勺池蛇徑，位置天然。又折北迤西爲「秋宜室」，前置芭蕉、方竹、蕉雨竹露，皆於秋爲宜。又折西有門，蔽以石洞，洞不深，然頗玲瓏。洞西爲「舫齋」，匾曰「得少佳趣」；後窗嵌玻璃，又臨池水，一片空明，匾曰「小玻璃」。再北折而東上山坡，至「梧亭」，亭六角，雕鏤極精，西有老梧樹。至山巓，與「環水閣」相接，閣三面環水，其南可攬全園之勝。其北平疇萬頃，曠望無際。此閣爲全園最佳處。循舊徑至平地，入「曉翠堂」。堂西爲「夕陽遠樹亭」，亭臨水，西望古木槎枒，斜陽晃耀。自此東行，一路度小橋，即爲「梧亭」，一

路西而南，傍池行，即至「舫齋」。池寬半畝，四面砌湖石，有金魚數十尾。

自「耦香山房」向南再折而西，爲「味根草堂」，堂南爲「繡佛龕」。

東園

在吳江震澤，處士陳棟園第，花竹泉石，頗爲雅致。內有「補畦池」、「醉吟寮」、花徑、竹籬、斷橋、綠萼梅諸勝。

先蠶祠

俗稱「蠶花殿」、「蠶皇殿」，在盛澤鎮大適圩今五龍路，道光十二年絲業公建，爲盛澤絲業公所。右有園亭、樹石、小橋、圍廊、書舍等勝。今園亭建築已廢，房舍有遺存，爲縣級文保單位。

辟疆小築

在甫橋西街，道光二十年顧沅建。園不甚大，而具城市山林之致。其最勝處爲「思無邪齋」，地勢高曠，無纖忽障翳。巨石突兀，異立階前，如冠珮貴人，不可褻視；小者如英英露爽，羅立如兒孫。喬木數章，干雲而上，雜花繞之，開時爛如雲錦。齋前爲「蘇文忠公祠」，祠中竹樹隔牆，相視而笑，如一家然，祠中又有「蘇亭」、「蘇軒」、「嘯軒」、「雪浪軒」等。總督陶澍題區曰「心境奇絕」，林則徐書聯爲「嶺海答傳書，七百年佛地因緣，不僅高樓鄰白伎；岷峨回遠夢，四千里仙蹤遊戲，尚留名剎配黃州」。古「壽寧寺」在齋之東南，仰而視之，雙塔夭矯，如天外飛來，搖搖欲墮几席間，尤爲絕勝。西折循石磴而下不數

武，有屋如舟，名「不繫舟」。又下而稍西名「心妙軒」。軒之北曰「清照泉」，有古井在此。梯而上名「據梧樓」；梯而下稍北名「金粟草堂」。草堂之西，精室三楹，爲「如蘭館」。建閣其上曰「春暉」。自是東西往來皆以弄。而西爲「藝海樓」，樓縱橫環列三十六櫥，貯書十萬卷，顧氏藏書之富，甲於東南。下爲「吉金樂石齋」，商彝周鼎晉帖唐碑之屬，無不具，亦無不精。又西爲「傳硯堂」，蓋因其曾祖有端硯傳子孫而得名。堂左一區，築室建樓，宏深精潔，爲奉母頤養之所，名「白雲深處。」沿弄而東，窈而深者爲池，森而峙者爲石，繚而曲者爲廊。廊盡臨池而面者爲「古泉精舍」。石有穴，蛇而行，猱而升，石盡有亭名「不滿」，亭踞西北之極偏。與亭斜值而面西者爲樓，名「得月先」。由此度石，矼而南，復返至「思無邪齋」，小築之勝畢具。庚申兵火，園遂荒廢，「蘇公祠」亦劃入「定慧講寺」。至二十世紀三十年代，廢園中尚存「傳硯堂」、「藝海樓」、「白雲深處」、「據梧樓」、「不滿亭」、「金粟草堂」、「如蘭館」諸構。一九五六年後漸失舊觀，現僅存銀杏二章，其餘蕩然無存，現爲市職業技術培訓中心所在。

閑園

道光年間建於郡署之內，園內有亭名「辟疆亭」。因明正統年間郡守況鍾於五顯廟南建「辟疆館」，並自制碑碣。至道光時，館廢，碑碣亦沒於苔蘚。「閑園」建成，乃移之於其中，嵌於亭壁，並因以名亭。

莊蒙園

韓有能修。道光間程炳重構。池之左右，有園亭樹石之勝。

秋綠園

在蘇州城內、唐詩人皮日休故居原址，道光年間，吳縣人、進士吳嘉淦建，有亭沼之勝。吳嘉淦有自詠詩句：「緋桃爛熳映碧水，參差高下欺層嵐。」

棣園

在洞庭東山葉巷，道光之際潘敦荸園第。有「松雲軒」、「面山樓」。鑿池疊石，蒔花植卉，饒林壑之致。

熙余草堂

在吳縣黃埭鎮西市，道光末年鄉紳朱福熙建。面積一百多平方米，三間房廊，另有廂房等。廳正中樑上懸掛匾額一方，題爲「熙余草堂」，後爲蘇州著名書法家余覺所題。廳前院中，左邊植白玉蘭一本，高過屋簷，現仍存；右邊有枇杷一株，綠葉扶疏。左邊花廳，富麗堂皇。屋外小樹槎枒。靠北長廊有葡萄架遮陰。

「熙余草堂」是一處保存完好的清代古式廳堂，具有較高的建築藝術價值。爲縣級文保單位。

退園

在城東井儀坊巷，爲吳縣人吳嘉淦園居。吳氏爲道光進士，官至戶部員外郎。自京師歸遷鄉里，於咸豐初年築此園。園不大，而有水木明瑟之勝。園中有池，方廣百步。向南有室名「微波榭」，折而左曰「秋綠軒」。園之偏右曰「儀宋堂」。池北有室三楹，名「初日芙蓉館」。又有楓楊二株，大可合抱。循榭右轉，三分其室，左是家祠；右爲曲室，乃憩息吟詠之所；中室庭廣七、八尺，築臺其上，植牡丹數本，花時張燈宴客於此，名叫「群玉山房」。

堂之偏右爲「思樹齋」，夏日移榻於此以避暑。園中花木，四時備具，每至春日，繁英璨然，如入桃源。夏則方池荷花，蕩漾綠波。秋月皎潔時，叢桂著花，芬郁襲人。冬則臘雪飄漾，滿園縞素。

咸豐庚申，園毀。嘉淦移居海外，常懷蓴鱸之思，曾補作園記兩篇。

半園（南）

在倉米巷，咸、同間，溧陽人史杰（字偉堂）所築。俞樾曾欲在此構園未果。園僅占地一隅，其鄰尙有隙地，有人勸史氏籠而有之。而史氏不求其全，甘守其半，故以「半」名園。入門處，即有一聯云：「事若求全何所樂，人非有品不能閑」。此園雖小，然藻室華椽，山石累累，池水瀰瀰，崇麗而幽雅。園中主屋名「半園草堂」，堂前植紫薇、碧桃、芍藥、玫瑰、牡丹諸花。堂前又有小池，石橋橫於上。東北有小室名「安樂窩」。迤東有屋三間，名「還讀書齋」，以修廊亙之。中有二小亭，名「風廊」、「月榭」。東南隅有室，正方前臨菏池，後栽修竹。因竹、荷皆有君子之稱，即名室爲「君子居」。其西南隅有屋如舟，名「不繫舟」。從「不繫舟」後繞出西廊，有樓屋三重，其下層顏額「且住爲佳」，中層名「待月樓」，上層名「四宜樓」，憑欄而望，姑蘇城中，萬家煙火，了然在目。另有「挹爽軒」、「雙蔭軒」諸勝。此園高高下下，備登臨之勝；風亭月榭，極檉柏之華，視吳中諸多名園，所讓無多。

現此園部分構築尙存，爲蘇州第三光學儀器廠使用，是市級文物保護單位。

蕭家園

在梵門橋近處，道光年間建。

廣居

在閶門外寒山寺東，道光間，戈宙襄所居。門外環水，入門折而西，有書室三椽，茅屋紙窗，僅蔽風雨。前庭深五尺，植大香櫞樹一株。後有一小室，室外即小圃，占地不足半畝，雜蒔花木，四時皆備。

羽陵山館

在昆山縣治馬鞍山之陽東塘街，本為康熙之際侍郎徐秉義故宅。道光五年，龔自珍遊昆山，買下築園以奉母避暑。龔自珍在給友人的信中寫道：「有別業在蘇州府屬之昆山縣城⋯⋯其地則花木蔚然深秀，有一小樓，面山，樓中置筆硯」。樓名「寶燕閣」，因最上層藏漢代趙飛燕玉印得名。園中有亭，頗高峻。龔自珍本擬在此長期居住以著書立說。他有詩寫道：「萬綠無人囀一蟬，三層閣子俯秋煙。安排寫集三千卷，料理看山五十年。」後因赴京做官而去。「羽陵山館」之名是因昆侖山又名羽陵山，龔自珍以昆侖山比昆山。此園又名「海西別墅」，是因昆山在東海西邊之故。

小神仙館

在昆山縣周莊鎮化字圩，道光間陶保宗所構。園在宅後，屋宇二十多楹。前後有兩池，前池環立湖石，一小亭翼臨水面，漁梁橫渡。，後池疊石為山，山頂可坐五、六人，旁有洞，下通池上小橋。雜植花果，間以竹樹，風晨月夕，雅足留連。因園之所

在，地勢較低，某年水過半扉，畫檻雕欄，多遭摧折。至光緒年間，荒蕪已甚。

逸園

在太倉城西北隅，道光年間，皖籍鹽商蔣省齋始創，工未竟，遭庚申兵火，已建之物，蕩然無存。光緒初年，其孫蔣亦樹鳩工重建，部分工匠爲香山名手，建築藝術別具一格。全園占地面積不廣，而亭臺樓閣、假山池沼，應有盡有。全園屋脊，構成一條龍形，首尾不絕。門窗雕刻花牆圖案，無一雷同。假山堆垛，玲瓏剔透。水閣、廊、屋、屏門，精美絕倫。童雋《江南園林志》稱此園「精雅爲一地冠」。陳從周《園林叢談》有云：「水亭之採用方勝雙亭式，則爲新例，及今唯太倉逸園僅存一端。」

息園

在張家港市楊舍鎮東郊，原是「大生庵」後廢地。道光年間，郭蘭皐始倡、里人集資構爲「會文社友遊憩之所」，這是蘇州園林史上最早的不屬於私人的古典園林。因「私之一姓誠不若公諸衆有之爲能息息不已」而命名爲「息園」。園廣二畝，築亭闢軒，鑿池疊石，插柳栽荷。舊有古樹數本，增植梅、桂三十多株及竹木雜卉。命亭曰「綠香」，額軒曰「留客處」。後又增廣畝許，復栽牡丹、芍藥、虞美各數十及諸藥草，編竹爲高籬矮欄，繚格曲折，入玩者輒誤所往，庚申戰毀，僅存廢池石。

靜觀樓

在張家港市楊舍葉氏支祠內（今裝卸社內）。葉廷甲建前後院，栽岩桂，蜜梅數株，點綴湖石，中藏書五萬多卷。時人多題

詠，庚申戰毀。

之園

又名「九曲園」，習稱「翁家花園」，位於常熟城區西南隅荷香館，係光緒間布政使翁曾桂（翁同龢之侄）所築。是園建築得宜，小中見大。園內水池環繞，池架九曲石板橋，涓涓清流從里城河貫入，並有亭臺舫榭諸景。回廊映水，榆柳垂蔭，花木扶疏，別饒佳趣。「半溪亭」、「抱爽軒」、「漾碧橋」等匾額，多爲翁同龢手筆。現園景大部已廢，爲市人民醫院使用。

唐一葵宅園

位於常熟城內縣南街，占地僅半畝，然匠心獨運，有亭臺軒榭，中心一小池，上有三曲石橋，四周堆假山，植花木，俯視水池，有如臨深淵之感。沿牆環以遊廊，其北築旱舫半截，又築半亭多處。園景玲瓏，富有詩意。現爲圖書館使用，爲常熟市文保單位。

亦園

在常熟荷香館，四川布政使錢鋆別業。道光年間歸進士俞焯。

憩園

在張家港市塘橋，爲龐家別業，分東西二園，園內景色清幽，假山奇突，有參天石筍、九音石、紫藤長廊、九曲橋等。一九四九年後改作他用，園林風物，靡有孑遺。

開鑑草堂

在吳江黎里，周憲曾園居。有詩詠道：「凌霄樹木空生籟，傍水軒窗迥貯寒。裊藤絡石盤盤翠，曲沼游魚寸寸瀾。」

隱梅庵

在吳縣東山莫厘峰南麓卜塢，道光間顧春福築。顧氏家景不富，經營八年始成。占地十畝，茅屋四十椽，樹梅三百本。草堂名「臥雪」，環以梅花。堂中通曲廊，名「玩月」。廊盡有閣，名「聽濤觀海」，憑欄一望，雪香如海。閣後長松屏列，濤聲滿耳。堂後軒名「看到子孫」，後屋名「夢蘅仙館」，為主人休息處。院中滿目紅梅綠萼。其左偏有屋三楹，階前植山茶兩株，名「天雨曼陀羅華之室」。曲廊修竹成林，中有小齋名「不可無竹居」。山頂有亭名「可眺」，登此亭則五湖三萬六千頃波光皆可游目。有澗名「春雨流花」，澗之寬處，倚老樹，架板橋，扶以紅欄。竹林後有石壁名「梅岩」、「蘭坂」、「桂壑」，此處藝蘭植桂。山徑名「穿珠嶺」，嶺旁一堅，即主人所營生壙。

樓園

在蘇州城內馬醫科。園建於高三米多的土墩上，故名。住宅樓上有門通入。此園不知始建於何時，道光、咸豐年間歸王鴻皋。園東南是假山，其餘幾面繞以廊屋廳堂，形成封閉空間。現猶存山石數塊。

蘭園

在太倉城廂鎮，咸豐初樹桑百株。庚申兵火，鞠為榛莽。

百花莊（孔園）

在太倉城廂鎮南街。咸豐年間，孔慶桂所建。全園以水池為中心，池有四：長形、方形、園形、曲形。「百花莊」、「東瀛草堂」、「亭榭」、「石舫」等臨池而建。整個園庭好似浮於水面。池周點綴太湖石，姿態各異，倒映池中，清晰如畫。池旁有釣魚臺，池上有三曲橋，橋上有紫藤棚，池中植紅蕖白荷，每當夏日，荷面撲風，清香四溢。沿牆廣植紫竹，修竹挺勁，石筍崢嶸，充滿一片綠意。「百花莊」前有牡丹、芍藥、春蘭、秋菊。「東瀛草堂」後軒，紗隔八扇，雕鏤全部《西廂記》，線條流暢，人物生動。軒後植叢桂。花徑均用鵝卵石與碎瓷拼成「鹿鶴同春」、「瓶升三戟」等各種花紋。奇花異木，遍布滿園，昆曲同好，時在園中拍曲，笛韻悠揚，極一時之盛。其後裔家道中落，不事維修，漸次荒蕪。一九三七年遭日機轟炸，園大部被毀。

汪園

在太倉城廂鎮皋橋南，原為水山陸家，旋為蔣氏別業。民國後築「平陽莊」，又名「半園」，沿稱「汪園」，內設碑廊，現無存。

錢氏花園

為清末河南巡撫錢鼎銘家祠後花園，在現太倉縣公安局內，為縣級文物保護單位，尚存湖池、假山、石舫、亭子等。

慕園

在現富仁坊郵局內。據傳此處曾為太平天國慕王府花園。原有假山、水池及樹木花卉等園景。假山堆疊精巧，層次豐富，水池有分有聚，山池結合自然，峰石玲瓏，樹木蒼古，十分優雅。

一九六二年，曾加修葺，對外開放，以觀賞盆景爲主。「文革」中，園景建築被毀，僅存水池、假山。

三景園

在滄浪亭對面，原爲沈歸愚尙書講堂，後爲「三景園」，花竹滿庭，盆景小樹，環繞如屏。袁學瀾詩句：「此地年年到，垂楊依舊青」。再後廢爲茶肆，花圃一時仍在。

壺園

清末詩人鄭文焯（叔問）園居，在竹隔橋。吳昌碩、金鶴望等名流雅士常過訪聚飲，詩酒盡興。鄭叔問等有多首詩篇吟詠，如「曲曲青瀾抱竹庭」、「窺籬且喜竹新活，墮砌猶憐花爛芳」等。

墨莊

在城南，朱愚溪所治軒名。軒前嘉木蒼鬱，多疊石爲小山，絕壁下有清池。軒北爲崇阜。

一枝園

在楓橋，段玉裁寄居於此，中有「經韻樓」等。

鋤經園

在吳江震澤鎭師儉堂內，同治三年建。面積近四百平方米，內築亭子、船閣、佛堂、假山、回廊等。現爲縣級文保單位。

雙塔影園

在官太尉橋西雙塔近側，為元和人、諸生袁學瀾別業。園因塔名，其處本盧氏舊居，堂構宏深，屋比百椽。東北隅有廳事三楹，名「鄭草江花室」，是其羅列文史、聚會朋友、談藝論文之所。旁有盈畝隙地，復草創數楹。庭中有花木玉蘭、山茶、海棠、金雀之屬，叢出於假山磊石之間。園中回廊曲繞，高樓矗立。總觀此園較為疏曠，無亭觀臺榭之崇麗，綠墀青瑣之繁華，溪徑爽塏，屋宇樸素。袁學瀾在《雙塔影園記》中說：「余之園，無雕鏤之飾，質樸而已；鮮輪奐之美，清寂而已。杜陵詩云：『避人成小築，乘興即為家』。雪泥鴻爪，偶然留跡，正如鷦巢萍寄，托興焉耳。」

怡園

在尚書里，面積九畝。同治年間，收藏家顧文彬在其所建「春蔭義莊」（顧氏家祠）之東建園，取「頤性養壽」之義，定名「怡園」。園東部本為明成化時吳寬「復園」故址，西部為顧氏擴建。這座「怡園」，耗費銀子近二十萬兩，建造七年始成。園中一丘一壑，皆出於其子顧承之手，顧承為有名畫家，他邀任阜長等花卉畫家參與規劃布置，所以園的構築特色具有花卉畫章法。「怡園」建造年代較晚，在造園藝術上吸取了蘇州其他古典園林優點，博採眾長，自成一格。如復廊採取「滄浪亭」部分格局；假山參照「環秀山莊」布置；荷花池與「網師園」相仿佛；旱船取法於「拙政園」的「香洲」；「面壁亭」懸鏡仿「拙政園」、「網師園」；假山洞壑頗得「獅子林」之趣。據說造園之初，顧文彬曾宿於「耕蔭義莊」數旬，揣摹「環秀山莊」的疊山藝術。

入園，有一軒，名「看到子孫」，庭植牡丹。軒之東有屋如舟，名「舫齋」，其前三面環水，左有蒼松數十株，其上有閣名

「松籟」，憑檻而望，郭外青山隱隱。繞廊東南行，有石壁數仞，築亭面之名「面壁」。又南行，桐蔭翳然，中藏精舍，名「碧梧棲鳳」。又東行，屋三楹，前有石欄環繞，梅樹數百，素艷成林。後臨荷花池，有橋三曲，紅欄與翠蓋相映，其前名「梅花廳事」，後名「藕香榭」。「梅花廳事」之西，鑿環於垣，名「遁窟」。窟中一室名「舊時月色」。循廊東行，為「南雪亭」，又東為「歲寒草廬」，有石筍數十株，蒼突可愛。其北為「拜石軒」，庭有奇石，佐以古松。又北為「坡仙琴館」，內藏東坡琴。館之右有石似老人，傴僂而聽琴，築室其旁名「石聽琴室」。又西北行，翼然一亭，顏題「繞遍回廊還獨坐」，亭中有「芍藥臺」。牆外有竹徑，遵徑而南，修竹盡而叢桂見。又用辛棄疾詞意名一亭，為「雲外竹婆娑」。亭前即荷池。循池而西至於山麓，由山洞數折而上度石梁，登其巔，為「螺髻亭」。自其左沿石梁而下得一洞，有石天然，如大士像，為「慈雲洞」。洞中有石桌石凳，石乳磊磊下注。洞外多桃花，為「絳雲洞」。洞之北為「古松之陰」。出松林再登山，有亭名「小滄浪」，後疊石為屏，臨前俯視，又即荷花池。此外，園中尚有「玉延亭」、「四時瀟洒亭」、「玉虹亭」、「鎖綠軒」、「金粟亭」、「鋤月軒」、「梅林」、「湛露堂」等勝景。諸景皆安置妥貼，疏朗宜人，湖石玲瓏，隨意點綴，突破成規，深得自然之趣。此園東南多水，西北多山。為池者有四，曲折可通；山多奇峰，極湖岳之勝。俞樾《怡園記》稱此園甲於吳下。

一九四九年之前，「怡園」已荒蕪不堪。一九五三年進行整修恢復，並開放供人遊覽。現為省級文保單位。

韜園

在濂溪坊，同治年間，吳江金鶴望所建。有亭翼然西向，花竹滿園，又移其家鄉「笏園」之石構巒嶂壑谷。因面勢較窄，乃舒兩膊屈折抱亭以東，反觀張之如弧。主人日與詩文至交論文議事於園中，良以為樂。

擁翠山莊

在虎丘山上，是山林中的一個小園林，位在「月駕軒」故址，為賽金花的丈夫蘇州狀元洪鈞和鄭淑問、朱修庭於光緒十年所建。占地一畝餘，依山勢起伏而築成。莊中有「抱甕軒」、「靈瀾精舍」和「問泉亭」諸勝。「靈瀾精舍」為山莊主體建築，內有洪鈞一聯云：「問獅峰底事回頭，想頑石能靈，不獨甘泉通法力；為虎丘別開生面，看遠山老虎，翻憑劫火洗塵囂。」院牆之外南面和東側都築有平臺，登臺俯視園景，翠木茂密，石徑盤轉，深得山林之趣。在東側平臺南眺，可見「獅子回頭望虎丘」的立體風景畫。「問泉亭」在山莊中部，內置石桌石凳，可供小憩。亭西北並立玲瓏剔透峰石數塊，形似龍、虎、豹、熊。花壇內散植夾竹桃、石榴、紫薇、黃楊、白皮松、青桐等花木，布局簡潔緊湊。圍牆隱於樹叢之中，使院牆內外林木連成一體。「問泉亭」對面是舊時「月駕軒」，南軒壁間嵌巨碑，刻「海湧峰」三個大字。沿石階而下至「抱甕軒」，「憨憨泉」就在軒牆外東側。舊時有聯云：「香草美人鄰百代艷名齊小小；芳亭花影縮一泓清味問憨憨」。出莊門，山莊外壁有「龍、虎、豹、熊」四個石刻大字，異常雄偉。

曲園

在馬醫科。本吳縣潘世恩舊第，同治十二年，德清俞樾購得，

靠朋友資助資金、山石、花木，建成「曲園」，半生居此。俞樾有詩記其構園原委，詩序說：「余故里無家，久寓吳下。去年於馬醫科西頭買得潘氏廢地一區，築室三十餘楹，其旁隙地築爲小園。疊石鑿池，雜蒔花木，以其形曲，名曰『曲園』。」園第之中，廳事名「樂知堂」，取《周易》「樂天知命」之意。堂之西爲便坐，以待賓客，由曾國藩書「春在堂」三字爲匾額。「春在堂」後有隙地，俞樾夫婦偕往相謀而構「曲園」。「春在堂」後緊連處構一小軒名「認春軒」，因園在西而軒在其南，便取白居易詩句「認得春風先到處，西園南面水東頭」之意名軒爲「認春」。軒北雜蒔花木，屏以小山，山不甚高，且乏透瘦漏之妙。山徑亦小，有曲折，自其東南入山，由山洞西行，小折而南，有梯級可登。登其巔，廣一筵，支磚作幾，置石其旁，可以小坐。自東北下山，遵山徑北行，又得洞山，出洞而東，花木翳然，竹籬間之。籬之內有小屋二：一名「艮宦」；「艮宦」之西，修廊相連，循之行，曲折而西，有屋南向，窗牖麗鏤，名「達齋」。「曲」、「達」意對，意爲由「曲」而「達」，這是園主人的美好願望。由「達齋」循廊西行，折而南有一亭，小池環之，周長十一丈，池名「曲池」，亭名「曲水亭」。循廊而南至廊盡處，即「春在堂」之西半部。大約自南至北長十三丈，廣三丈；自西至東，廣六丈餘，長三丈。「達齋」與「認春軒」南北相值，「曲水亭」與「回峰閣」東西相值。「艮宦」居最東北隅，「艮」爲「止」意，意思是園止於此。然「艮宦」南有小門，自內室住園，可從此入，則「艮宦」又爲入園之始。俞樾有詩細致地寫出「曲園」的園林之美：「曲園雖褊小，亦頗具曲折；『達齋』、『認春軒』，南北相隔絕。花木隱翳之，山石復嵥岏。循山登其巔，小坐可玩月。其下一小池，游鱗出復沒。右有曲水亭，紅欄映清洌。左有回峰

閣，階下石凹凸。循此石徑行，又東出自穴。依依柳陰中，編竹補其缺。」「曲園」是清末具有園林特色的書齋庭園，曾名極一時。後又在「春在堂」前增建「小竹里館」，稱爲「前曲園」，呼原「曲園」爲「後曲園」。

一九五四年，俞樾曾孫、紅學專家俞平伯將「曲園」獻給國家，被列爲市級文物保護單位。一九八六年起已陸續修復對外開放。

徐氏園

在閶門外，園中「桂馨閣」最勝。繞閣修竹萬竿，梧桐兩株，蔭大幹高，又有池水一泓，紫藤一架，滿園牡丹，紅橋翠嶂，爲文人薈萃之地。同治年間，詩人袁學瀾有詩詠道：「春晚遊人惜景光，兩濠亭觀會流觴。橋穿月洞移香屧，石縐雲峰坐靚妝。廿四番風花信息，十斤美酒醉家鄉。綠陰芳草行吟處，猶戀欄干倚夕陽。」「濃陰深護牡丹開，路轉青雲濕徑苔。燕蹴飛花風觀閣，人歌折柳雨池臺。紅橋翠嶂開圖畫，脆管清弦勸酒杯。一架紫藤香霧密，春泥滿屐醉忘回。」

荊園

在馬醫科東口，本爲明朝文徵明之侄文彥可舊宅，後歸陸氏，俗稱「陸家門牆」。清末售予田紹白太守，名「荊園」。民國後歸昆山程守初，重加修茸，仍名「荊園」。園在住宅西，占地五畝，曲折得宜，結構有法。有假山、花廳之屬。守初風格高邁一時，名士皆從之遊。

鶴園

在韓家巷，光緒三十三年，洪鷺汀觀察始建。以俞樾所書「攜鶴草堂」而名曰「鶴園」。此園布局以水池爲中心，周圍以山石花木相點綴。園在住宅西側，園門向南，有門廳五間，以粉牆花窗爲屏障。出門廳，東北有長廊，貫通全國。廊西爲「四面廳」，額以「枕流漱石」，廳南栽花種樹，點以立石，有丁香一株，乃第三代園主、詞人朱漚尹自宣南移植，有「漚尹詞人手植丁香」八字鐫諸石而嵌於花壇，花時芳馥，至今猶盛。臨西牆處假山上有六角亭（今已廢）。「四面廳」北與「攜鶴草堂」相對，廳堂之間有池水一泓，狀如瘦鶴。環池疊湖石，配植多種花木，蔥蘢爛熳，爲園中主景。池西是重檐梯形館，造型別致，俗名「扇子廳」。「鶴園」占地不足三畝，處理簡潔，不落俗套，是頗有特色的一個小園林。

園屢易其主，一九五八年嘗大事修葺。一九六三年公布爲市級文物保護單位，一九八〇年又全面修繕，恢復舊觀。現爲蘇州市政協使用。

聽楓園

在金太史巷。光緒年間，曾爲蘇州知府的歸安人、金石書畫鑑賞家吳雲（字少青）所建。吳雲先居虎丘，後移於此。全園占地僅畝許，以「聽楓山館」爲中心，西爲「味道齋」、「兩罍軒」，東爲「平齋」。前有「待霜亭」，以長廊折西南爲「適然亭」。園爲前後兩部分。東南疊石爲山，拾級可登「墨香閣」，閣在山上，構思精巧，是前半園的精華所在。「聽楓山館」西北一潭泓碧，清澈見底。池南堆土疊石爲山，曲徑逶迤，花木掩映。池北水榭，靜僻秀雅。池西長廊挑出半亭。園內花木扶疏，山石參差，齋館雅潔，玲瓏精致。

吳氏衰微之後，數十年間，此園屢作他用，日就頹圮。一九八二年公布爲市級文物保護單位。後市文化局鳩工重修，因其規模，疊石植樹，重整亭臺，乃復舊觀。現爲蘇州國畫院所用。

之園

在長春巷，即「全浙會館」。光緒間，浙人宦吳者集資公築，頗有水石花木之勝。現已無存，原址爲印刷廠所在。

暢園

在廟堂巷。道臺王某所建。園在住宅東，面積一畝餘。入園過門廳及小院，到「桐華書屋」。園以水池爲中心，水池南北狹長，池南用曲橋分水面爲二，多以湖石爲駁岸。疏植花木，周圍建造廳堂、船廳、亭及廊，錯落有致。長廊在池東廊南有六角亭名「延輝成趣」，北面有方形半亭名「憩間」，二亭都是一面臨水。曲廊與牆間留有小院，內置湖石，並植竹叢、芭蕉、在廊牆開洞門及漏窗，構成一幅幅小品圖畫。「憩間」折西是主廳「留雲山房」，廳南露臺寬敞平坦。池東船廳名「滌我塵襟」。假山上有「待月亭」，爲園內最高處。由亭順石級而下可通「桐華書屋」。

此園建築雖然較多，但布局處理手法細膩，山石花木少而精，可稱爲小型古典園林的代表作。此園清末已衰敗。民國初年潘某曾加修葺。現爲民居，水池、曲橋、旱船、「桐華書屋」等尚存。爲市級文物保護單位。

退思園

在吳江同里鎮，爲任蘭生於光緒十一年所始建。任氏原在安

徽鳳陽等地任兵備道，因營私肥己而被解職。回鄉後，請同里著
名畫家袁龍構思設計，歷二年而建成。取《左傳》「進思盡忠，
退思補過」之意而名園爲「退思」。此園簡樸無華，清淡素雅，
更以「貼水園」聞名於世。現爲省級文物保護單位，對遊客開放。

「退思園」占地九畝八分，因地形所限，故突破常規，改縱
向成橫向，自西而東，左宅右園。宅分爲二，西側建有轎廳（門
廳）、茶廳、正廳三進。但平時不用，僅在婚喪之事及官場往來
時進出，以示隆重。轎廳明間兩側原有「欽賜內閣學士」、「鳳
穎六泗兵備道」、「肅靜」、「回避」四塊硬牌執事，一旦重門
洞開，森嚴威威，令人爲之卻步。東側爲內宅，建有南北兩幢各
五底五上的「畹薌樓」，樓與樓之間由東西雙重廊與之貫通，廊
下各設樓梯，可供上下，俗稱「走馬樓」。樓南六間平房，供侍
者所用，稱爲「下房」。住宅雖分東西，但布局緊湊，可分可合，
分者各成院落，合者渾然一體，可謂慮之縝密，匠心獨運。

園在宅左，中庭內園，以高牆相隔，庭係園之序，中置「旱
船」，雖似錦屏障目，但隔而不斷，放眼庭中，樟樸如蓋，玉蘭
飄香，清雅幽邃，引人入勝。北乃「坐春望月樓」，當春暖花開
之時，乘月明風清之夜，獨步樓前，踏月吟詠，令人爲之陶醉。
若登樓進「覽勝閣」，憑欄遠眺，則滿園景色，一覽無餘。南有
「迎賓室」，乃文人雅士吟詠舞墨之處。旁側「歲寒居」，觀賞
冬景之所，歲暮風雪之時，於此圍爐品茗，透過景窗，靜觀迎風
傲雪的冬梅，挺拔蒼翠的青松，亭亭玉立的翠竹，猶如「歲寒三
友圖」赫然映入眼簾。品雪壓青松之韻味，聽翠竹敲窗之清音，
眞乃靜中有動，動中有靜，聲情並茂，非畫而勝於畫。

庭園之間有「月洞門」相通。園內亭臺樓閣、廊舫橋榭、廳
堂房軒一應俱全，建築體量尺度得宜，花木泉石布局得體，既玲

瓏小巧，又樸實無華。園以池爲中心，樓閣亭臺皆緊貼水面，如出水上，故又有「貼水園」之稱。

「水香榭」檐牙高啄，懸挑水面，似芙蓉出水，凌空而起，其下池水清澈如鏡，游魚歷歷可數，俯視水中倒影，宛然如畫，別饒情趣。隔池相望「眠雲亭」，翼然山巔，氣象萬千。殊不知此亭乃拔地而起的雙層建築，周貼湖石，假以屏障，若登亭待月迎風，更使人心曠神怡，飄然欲仙。若於風聲乍起，松濤貫耳之時，遠看「鬧紅一舸」，似劈波斬浪迎面而來此石舫似船非船，船身由湖石所托，半浸碧波，水流漩越湖石孔竅，則水聲潺潺不絕於耳。靜觀舷側水面，白雲藍天，倒映水底，游魚如懸浮碧空之中。碧水行雲，使人似覺船身晃動，扁舟行駛，眞是「天上有行雲，人在行雲裡」。遙望「三曲橋」，則輕盈樸實，平臥水面。漫步橋上，如有臨波之妙。進北側「琴房」，近可俯視窗前小橋流水，遠可仰觀隔岸假山亭子，有遠有近，俯仰皆宜。東牆下，幾叢幽篁，於夕陽西斜之時，粉牆竹影，似畫非畫，清新典雅，使人超凡脫俗，忘卻塵世。隔岸「九曲回廊」，曲折有致，漏窗紋飾各異，中嵌「清風明月不須一錢買」，漫步其間，透迴漏窗，步移景異，使人應接不暇。「菰雨生涼」取意於彭玉麟題西湖「三潭印月」聯句「涼風生菰葉，細雨落平波」。軒南芭蕉蔥綠，棕櫚蒼翠，若信步其間則鬚眉皆碧。軒北貼水，一葉蘆葦，幾枝菰草，燕雀穿梭其間，頓覺野趣橫生。中立明鏡，遠望似園中有園，幽深莫測。若逢盛夏酷暑，於此剖瓜賞荷，眞是「心靜自然涼」，頓覺煩渴盡清。若陣雨突至，風鞭蘆葉，雨打芭蕉，其聲如玉彈跳，使人如置身於美妙的音樂世界之中，別有一番樂趣。「天香秋滿」俗稱「桂花廳」，秋景也！庭周遍植叢桂，每當桂花飄香之時，盈室繞階，馥郁芬芳，此乃「天香秋滿」題名的意

境所在。更有那紅楓、金桂、綠葉、粉牆、黑瓦、藍天，絢麗多姿，相映成趣，於朝花夕月之時，在此賞月玩花，使人爲之神往。透過「金風玉露」亭門框，湖石假山突現眼前，高低錯落，玲瓏剔透，宛如大型山石盆景，瘦、漏、皺、透、清雋秀逸，耐人尋味。堪稱江南園林一絕的「天橋」，於「辛臺」東側，橫空飛越山巔，循山洞，繞石徑，拾級登臨，則豁然開朗，精神爲之一振。北岸「退思草堂」係全園主景，體態輕盈，位置適中，於堂前貼水平臺上環顧四周，由「琴房」、「三曲橋」、「眠雲亭」、「菇雨生涼」、「天橋」、「辛臺」、「九曲回廊」、「鬧紅一舸」、「水香樹」及「攬勝閣」等圍成一個曠遠舒展，彼此對應的開闊景區，如一幅水墨山水畫長卷濃淡相宜，恬淡靜謐，使人樂而忘返。而每一建築既可獨自成景，又是另一景點的對景，彼此呼應。即在同一景區內，由於觀景角度變換，所見景色則不盡相同。在這以水爲主的景區中，建築物的設置、位置、體量、造型，既得體而又富於變化，與周圍蔥郁的花木，低矮曲折的池岸，清澈明淨的池水，隨波漾動的倒影融爲一體，透出一股沁人心脾的清幽氣氛，於此品賞這貼水臨波的江南園林，其濃重的水鄉韻味，別饒意趣，使人百看不厭，百遊不倦。

復齋別墅

在吳江同里，爲袁龍宅後小園。袁龍爲「退思園」的建造者，長詩詞，善書畫，富藏書。其自建小園粉牆作紙，疊石種竹，遠看山石壁立，竹影婆娑，酷似倪瓚平遠小景。

殘粒園

在裝駕橋弄，建於清末，本爲揚州某鹽商住宅之一部。園在

住宅東面花廳東側。民國十八年歸畫家吳待秋，取李商隱詩句「紅豆啄殘（餘）鸚鵡粒」之意，名爲「殘粒園」，面積約一百四十平方米。由住宅後部「錦窠」門入園，迎面湖石峰與東南牆角及池邊諸峰相呼應。園以水池爲中心，花臺、樹叢沿周布置。池岸用湖石疊砌，並以石磯挑於池面。錯落種桂、天竹、臘梅等花木。池西是湖石假山，山上有半亭「括蒼亭」，是主要觀賞處，也是園景構圖中心之一。

西圃

在白塔西路，太平天國時，爲民政長官熊萬荃王府，光緒年間，爲編修潘遵祁所得。原來規模較大。原是仿明建築，木雕彩繪，精雅秀麗。園內長廊曲徑，亭池假山，名貴花木，景色俱全。一九五九年前尚完整，以後陸續拆毀。現僅存門樓大廳及黃楊、木瓜各一株，爲吳縣人民武裝部所在。

萬宅花園

在王洗馬巷，建於光緒年間，曾歸鐵瓶巷任氏，其後歸萬姓。花園在東側，有方池、湖石、假山、走廊、花廳、書齋等勝。書齋一區，藏而不露，尤爲幽靜，有比例尺度較小的亭、廊建築及湖石所疊石洞、花臺和峭壁，有曲徑以登山並穿山洞而下。庭院面積雖小，但迂曲而有層次，堪稱爲庭院代表作，現爲民居。

任宅東花園

在鐵瓶巷，爲光緒年間道臺任筱源宅園，在住宅東側，有花廳、船廳、小方亭等園林建築。建築十分精美，園亭小巧精致，任意散置湖石。現爲民居。

愒園

在洞庭東山施巷，光緒年間，進士鄭言紹所築。園廣不盈畝，而花木之勝，覽之無窮。建園之日，鄭氏大病，園成而病愈，故名園爲「愒」。

澄碧山莊

在常熟水北門外菱塘沿，清末沈氏所構。綠水澄碧，青山屏帶，得天然畫圖之勝。中濬雙潭，名「天鏡」。有「菱溪草堂」、「觀稼室」、「止齋」、「小滄浪」、「涵虛室」、「潭水山房」、「水花閣」諸勝。東樓五楹，名「希任齋」，爲藏書之所。回廊中，嵌有《金吉圖》石刻。日軍侵華時被毀。現爲報慈小學所在。

植園

在城南文廟之左，清末江蘇巡撫陳啓泰命蘇州知府何剛德所建。當時此處多燹餘叢冢，得地三百一十四畝，繚以圍牆，相其叢葬疏密，地勢狀況，繪成山形，然後鋤地面瓦礫，堆積其上，加以土抔，逐一掩蓋，一雨之後，草活泥勻，蒼翠可觀。何剛德詩句「因冢成山青不斷，貼泥蓄草翠如黏」即寫此。又在園內植樹二萬餘株，大者檜柏椿杉及羅漢松五種，皆夾道分行，餘以散種桑秧爲多。花則梅及桃李，每種劃地數畝，各種小秧數百株。叢冢一區，多種棗梨。何氏辭官回福建故鄉之後，曾寫《夢遊植園》詩，小序說明「詩中所敘，皆園中實景」，詩寫道：「夢中忘卻卸朝衫，遊眺芳園眼尙饞。唼渫群魚貪餅餌，放青五馬脫轡銜。分區佳植攢梅杏，夾道新陰擁檜杉……」。宣統三年，江蘇巡撫程德全廣爲拓展，分爲園林區、農田區等，布置一新，規模稱宏。「植園」之名更著。民國初年曾闢爲公眾遊憩之所，花木

掩映，裙屐往來，頗極一時之盛。幾年後，漸告冷落。

淡園

在昆山陸家濱西涇上，清末吳成佐所築。地僅數弓，而壘石爲山，掘地爲池，高梧修竹，翼帶軒楹。聯額多爲名人題寫，清雅不俗。建園不久，三易其主，漸次荒蕪。

咫園

在常熟城內衝天廟前，建於清末，已廢。

錢園

在常熟大東門外，錢璣所構。

費家花園

在現桃花塢大街新華小學內。原爲名宿費仲琛宅園。園在宅西，有假山、水池、亭子、曲廊、花木等。住宅部分有門廳、轎廳、大廳、堂樓等四進建築，有光緒年間題款門樓。現園已毀，住宅部分尚完好。

龐家花園

在馬醫科。原爲龐家宗祠花園，本屬鶴園主人龐衡裳之「居思義莊」。花園內有花廳、曲池、小橋、湖石假山、石筍、水榭等。園爲曲尺形，廳、榭、廊皆臨水。園北有大廳、轎廳等。現爲民居，保存基本完好。

吳家花園

在梵門橋弄，是吳姓大宅東路庭園，有花廳、書房、半亭、湖石假山等。住宅中堂樓有明代建築風格。宅和園都保存尚好，現爲市級文保單位。

顧家花園

在申莊前。園以水池爲中心，築有湖石與黃石混堆的駁岸和石板橋兩座，四周有花廳、半亭、琴臺、方亭、曲廊、書房等園林建築，其中有一半亭名「松茅亭」，木料全部用未去外皮的松樹，不加油漆和雕飾，此種結構在園林建築中比較罕見。園內還有一株名貴的瓶花樹，開花如瓶，也是罕見之物。此處還有雪松、木蓮、棕櫚、紫薇、黃楊等花木，園小而幽雅。至今保存完好，現爲民居。

王宅花園

在西花橋巷，王氏懷新義莊祠堂東側。原假山、水池已廢。現存花廳、船廳、書房及湖石花壇。現已散爲民居。

晦園

在東美巷現十七中學內。光緒年間，當時清政府的欽差大臣汪冠群構建。辛亥革命後，屢易其主。原有規模較大，現存花籃廳、半亭及住宅部分的照牆、轎廳、大廳等古建築，還有玉蘭、雪松、香樟等古木。

靜中院

爲閭丘坊詹姓宅園，園在住宅西側，有花籃廳、書房、角亭、假山和月洞門等。原有水池已被塡，其餘現狀較好，現爲民居。

張氏庭園

在繡線巷，建於清末。第一進東側有庭院一處，內有楠木花廳十分精致，廳前有湖石小假山，現保存基本完好。

周氏庭園

在馬大籙巷。庭院在宅西，有花籃廳、書房建築。前後有四個小庭院，築有湖石花臺，植有花草、竹子等小品，爲蘇州典型的庭院實例，現保存完好。

季氏庭園

在馬大籙巷。庭院在西，有花廳、亭子、小水池等，保存基本完好。

葉氏庭園

在西花橋巷，葉啓英居此。庭院在東側。原有水池、假山已毀。現存花廳、鴛鴦廳、半亭和廊等庭院建築。現已散爲民居，住宅基本完整。

潘宅花園

在衛道觀前，花園在住宅東側。現存鴛鴦廳，建築精美，前後均有庭院。原有假山，已毀。白皮松、天竹、紫薇等樹木，至今尙好。

三山會館

在閶胥路泰讓橋畔。清代福建旅蘇商人公建。原有小型園林，水石曲橋亭閣俱有。現全廢，爲工廠車間。

種梅書屋

在東北街，爲清刑部尙書韓菼宅園。據《吳縣志》載，韓菼宅在華陽橋畔，中有「種梅書屋」，極軒敞。現園已廢，原址已由長風機械廠建宿舍樓。住宅尙存大部。

河南會館花園

在通和坊，會館內原有小型園林，有假山、水池等。現已廢，原址爲塑料三廠所在。

薛家園

在婁門外下塘，薛宗濂築。中有「月波樓」、「錦香亭」諸勝。

錢江會館花園

在桃花塢大街。園在會館西側，有水池、假山、臘梅、天竹等，現皆無存。原大殿已移建至雙塔西院，花廳尙存原處。

養素園

在閶門外楓橋下塘，醫士陳莘田所構。

顧氏庭園

在盤門新橋巷，其住宅部分之門廳、大廳爲清代建築，第三進爲西式樓房。後爲國民黨要員顧某姨太太住宅，有湖石假山、廣玉蘭等。現狀尙好。

菼水園

在葑門外，馮勗築，中有「含青堂」、「紅香亭」等。

繭園
在葑門蘇家巷，長洲彭南屏築。

匠門書屋
在長元學宮之東，張大受讀書於此，中有「孝廉船」、「讀書亭」、「潮生閣」。

浣雪山房
顧嗣曾建，在天平山下汝村。

錢家園
在通安橋。

學圃草堂
顧筆堆築。

有清一代的寺廟園林，可以提及的約有十多處。

採香庵
在吳縣雲岩山南。順治初，里人沈如桩置，白庵宗禪師開山。取「撮群經而爲果，採百花以爲漿」之意，名「採香」。初時茅屋五楹，白庵宗禪師濬池築石，治蔬圃，葺寮房，花果竹樹，四時灌藝。遊其地者如領旃檀香風，使人自適。當時題詠甚多，如「幽棲自得山林趣，小築寧求殿宇工」、「修竹青松起惠風」、

「池流竹雨渾」等詩句，皆可見其園林風貌。

湧泉庵

在虎丘後過新塘西北半里。初建時，鋤潭化灰而泉湧，因鑿為池，故名。內有「月滿樓」、「清足堂」、「翠竹軒」。徐崧的一首詩比較真實地反映了它的園林景觀：「砌石山根似，停泓水一方。游魚穿樹影，落葉點天光。岸盡煙籠壁，池深月映廊。依欄塵世隔，不覺心清涼。」

斗壇

在金閶門外北濠，本南宋始建之「崇元道院」分院，歷代或有興廢。順治時，曾加修葺。康熙年間，道士周韞玉募建「禮斗壇」。乾隆時，道士張雲龍謀建「杰閣」未果而化，其徒承其志，鳩工庀材，建成「杰閣」，靡白金三千六百兩，歷三年而成。住壇道士，清修之外，並讀書寫字，作畫調琴，往來多文墨之士，門無雜賓，花木清幽，為濠北一清涼勝地。雖逼近城市而有山林意趣。庵中有「倚石居」，奇石當窗，老梅繞屋，為名流過訪觴詠之地。

勝蓮庵

在昆山許墓塘北。順治間，無歇恒禪師在其外祖舊亭榭基礎上所建。堂樓弘敞，界以荷池。其法嗣密照廉復加葺治，增建「韋天殿」。其景為「隔岸柳絲猶裊裊，出池荷葉正田田」、「曲沼危峰幽勝足」等。

妙喜園

在昆山西關外金童橋北，初爲嚴氏園，後爲徐坦齋先生別墅。康熙年間，鑑青禪師由靈岩退而居此。荷池竹圃，左映玉峰，踞西郊之勝。鑑青禪師有《妙喜園三十詠》，時人亦多題詠。其中詠園景的詩句如：「數畝檀欒香閣杳，四圍菡萏碧池秋」、「危橋屬徑波偏好，老樹垂藤意已秋」、「竹風莫莫景悠悠」、「灌木修篁翠一叢」、「四色蓮輪信意栽」、「徑竹木中枝轉密，池荷葉底蕊猶新」等等。

通濟庵

在白馬澗月伴橋，道光初僧祖觀建。祖觀能詩文，工書畫。庵中種桑栽梅，頗多幽致，巨卿碩彥，時集於此。

折蘆庵

在吳江盛澤，弘覺國師居此。占地數畝，在水之中，自成一區。小橋、叢竹、荷池，境絕優雅。

城隍廟後花園

在常熟城內西門大街，現市政府大院內，建於清朝中期，已廢。

圓通寺

在闍家頭巷。光緒時重建。園在寺東部，有方池、水榭及少量黃石假山。住宅部分有殿宇四進。現保存基本完好。

濟園

又名「虎嘯橋放生池園」，建於光緒年間。後由中國佛教濟

生會蘇州分會捐贈爲靈岩山寺下院。園占地近十畝，有「放生池」、「湖心亭」、曲橋等。園已毀，現爲市婦幼保健醫院所在。

瑞蓮庵

在齊門內星橋巷。園在庵後，原有荷花池、亭、廊、曲橋等，以五色蓮花著稱，爲蘇城夏日賞蓮勝地之一。現庵舍尙存，園全廢。

神農廟花園

在現藥王廟弄石路小學內，神農廟即藥王廟。園中有假山、水池、曲廊、小軒、亭子、曲橋、石舫等，現已無存。

民國時期（1911—1949）

　　1840年鴉片戰爭之後，中國淪爲半封建半殖民地社會。隨之，西方資產階級民主思想漸次轉入。一批批志士仁人在不斷摸索、尋找拯救國家的道路。至1911年，孫中山領導的辛亥革命告成，推翻了滿清王朝，建立了中華民國，從而結束了中國兩千多年的封建社會制度。但是由於中國民族資產階級軟弱無力，辛亥革命雖然勝利，卻沒有使中國走向富強。中國依然處於國弱民窮的境況之中。

　　蘇州，雖然向爲富庶之區，但也不能不受國勢制約。因之，私家園林的興建，日漸衰微。雖然鑑於「天堂」仍然富有的吸引力和歷史形成的興建園林傳統，私園亦有所建，然其規模和繁盛之狀，遠遜於前。

　　另一方面，民國建立前後，提出了「民族、民權、民生」的治國綱領和「自由、平等、博愛」的口號，於是，闢建公園之舉便應運而生。這是我國園林史上的一個重大發展。一九六八年，上海英美租界當局在黃浦江、蘇州河匯流的漲灘上修建了時人稱之爲「公家花園」的「外灘公園」。但僅向外僑開放，華人不得入內。旋經國人抗議，才於一八九〇年在四川路、博物院路的漲灘上修建了向中國人開放的「華人公園」。民國之後，在上海又次第興建了「昆山公園」、「虹口公園」、「龍華公園」等；在北京闢建了「中央公園」（1928年改爲「中山公園」）、「先農壇公園」、「頤和園公園」、「北海公園」、「景山公園」等；

在南京興建了「五洲公園」（今之「玄武湖公園」）、「莫愁湖公園」、「白鷺洲公園」等。在公園之建出現熱潮同時，一些私家園林也紛紛向社會開放，以求營利。蘇州，地處滬寧之間，經濟文化都比較發達，對興建公園之變遷，十分敏感。繼上海之後，公園也漸次出現，不僅在城市，而且在鄉鎮也有建立。

春在樓（雕花樓）

在吳縣東山鎮光明村，爲金錫之、金植之兄弟所建私人宅園。現爲省級文保單位。金錫之早年受雇於上海某資本家，後入贅爲婿，包攬上海崇明地區的棉花，賺了大錢。金妻爲獨女，金錫之在岳丈死後，繼承了大批遺產，成爲東山富豪，便由其弟金植之營造了這座宅園。園始建於一九二二年，歷三年而成，耗去黃金三千七百四十一兩。因門面朝東，取「向陽門第春常在」、「春天永在，萬年長青」之意而取名爲「春在樓」。

「春在樓」占地五千多平方米，建築布局井然有序，在中軸線上，從東到西依次是照牆、門樓、前樓、中樓、後樓、附房雜間。前中兩樓的底層分別爲兩個廳堂，並有廂樓連接，組成一個整體，樓面前後溝通，俗稱「走馬樓」，又叫「轉樓」。門樓之前是院落，南面和老宅「親德堂」（明代建築）相連，兩端爲附房雜屋，北邊是庭園，典雅秀麗。樓四周是風火牆，二十多米高，掩映於果樹林木之中，幽深而淡雅。「春在樓」的建築集江南磚、木、石雕傳統藝術而成，故以雕刻馳名於世，又名「雕花樓」。

由東門進入，迎面照牆嵌磚刻「鴻禧」字額。門樓規模宏偉，細磚雕刻，圖案多達六層，內容有「八仙慶壽」、「文王訪賢」、「堯舜禪讓」、「郭子儀上壽」、「子孫滿堂」，還有「鹿十景」等。雕工精細秀逸，是具有東方藝術獨特風格之珍品。前樓兩層，

梁、桁、椽木、樓檻上全部浮雕各種花卉圖案，廳前長短窗裙板上，也全施雕刻，圖案爲傳統題材，有「二十四孝」故事等。外梁刻《三國演義》舞臺場景「桃園結義」、「三顧茅廬」等。這些雕刻體現了吳縣香山藝人簡潔渾厚、大刀闊斧的雕刻風格。欄板爲生鐵鑄造，圖爲「蝙蝠捧壽」。二樓柱刻成竹節狀。重沿板亦雕「萬福流雲」圖案。過石板鋪地的天井，便是中樓，其外貌與前樓相同。樓下大廳的梁、夾堂板、掛落、窗格等也都施以雕刻，但技藝稍遜前樓。

「春在樓」北面的庭園，東西長南北狹，面積約三百平方米。其構造吸收了江南古典園林精華，有假山、水池、曲橋、亭榭、回廊等園藝設施，山道盤旋，洞藏岩井，幽靜深邃，又植以翠竹、紫藤、金桂、臘梅等四時花木，布局錯落有致，無壅塞堆砌之感。爲克服地域狹窄，擴大視野，又因地因物制宜，採取借景的處理方法，樓北設廊，亭上加閣，借壁爲紙，以窗爲畫，在高低起伏的圍牆上，開有用蝴蝶瓦組成的十三扇花窗，使牆內牆外景色互相溝通，融爲一體。只上一層樓，就可越過高牆盡覽東山風光。樓後曬臺寬廣，外加單檐方亭一座，翹角飛揚，平添了整座宅園的園林氣氛。

鄒宅花園

在人民路，爲蘇州電加工研究所使用。原爲鄒氏律師的私人花園住宅，建於一九二四年。本有磚木混合建築羅馬式洋房一幢和中式花園。現花園已廢，樓房尚存。

闕園

又名「曲石精廬」，在葑門內十全街，爲李根源一九二三年

定居蘇州之後所建宅園。大門北向，入內依次有門屋、起居樓、書房等建築，分別題爲「葑上草堂」、「彝香堂」等。有湖石及花木等園景。張一麟有詩詠道：「城南綠水敞名園，瑤草琪花繚短垣」；金松岑詠道：「愛此南園勝」、「花藥媚春陽」、「梅萼舒清麗」、「鳴禽上園柳」等。現水池假山仍存，在蘇州飯店內，爲市級文保單位。

樸園

在高長橋。一九三二年，上海商人汪某所建，占地十五畝。園建成之後，汪氏曾請德國駐上海領事人員到園遊玩。抗戰時被日軍占用。抗戰勝利後，又爲軍隊駐地，花園受到破壞。一九四九年以後「樸園」歸公，先後爲一些單位占用，現爲市衛生防疫站所在，一九八五年整修園中假山。

「樸園」是近代仿古園林，採用傳統布局，以山水爲主景，配置琉璃瓦仿古四面廳、花廳、亭廊等園林建築，水池架以曲橋，路畔點以石筍。園中花木茂盛，樹種豐富，有白皮松、羅漢松、廣玉蘭、櫻花、杜鵑、五針松等。此園布置疏朗，建築物比較小巧，綠化面積大，環境較爲幽靜。現舊貌尚存。

闕塋村舍

這是一處墓園，占地一百多畝，在蘇州城西南四十餘里小王山。爲辛亥革命元老李根源於一九二七年至一九三六年息影蘇州期間安葬其母闕太夫人之地。墓旁建祠堂「闕塋村舍」。李根源廬墓十年，疏泉鑿石，植竹栽松，闢建「松海」林園；又先後建造「萬松亭」、「湖山堂」、「孝經臺」等十景；並在「松海」中築「小隆中」。後來，李根源的夫人馬樹蘭及一九六五年逝世

於北京的李根源亦葬於此。

此處形勝地美，四周群山拱護，翥鳳驚鴻。「闕塋村舍」建成，更增人文景觀。當時社會名流，各界高士，前來謁墓拜訪。善詩者必惠高吟，善書者皆留大筆。如范煙橋詩「春氣融殘雪，入山意快然。壯懷容松海，極目接湖天。俊侶題多石，餘情引遠泉。何須聞理亂，頤養不知年。」王賽詩：「寒雲松海月中遊，東道來逢李鄈侯。萬壑龍吟勝梁父，隆中各自有千秋。」李根源將之鐫刻石崖，計數百條，蔚爲摩崖石刻大觀。

一九八五年，在李根源逝世二十周年之際，曾對「闕塋村舍」進行整修，現在的摩崖石刻，闕塋部分，從李根源墓後一大塊石壁開始，上刻於右任書「與穹窿不朽」，後刻鄭守業書「一代偉人」，嚴慶祥書「母範」、「師表」等；往上桃園林內大石壁上刻李根源一九二八年自書小王山闕塋題字；桃園北刻鄭孝胥、吳昌碩手跡及章太炎篆書「孝經」（即「孝經臺」，惜已殘破）；再北，爲王人文、李根源、章士釗、譚延闓等人書法及黎元洪書「克綏永福」；由此下行，石壁上有李根源書「吳秀」，竹林附近，有李根源的老師趙端禮書「禮義廉恥」四個大字。

松海部分，在山頂「霽月嶺」的「萬松亭」遺址，有於右任草書「松海」和章太炎篆書「霽月」石刻；往北「湖山堂」遺址，刻於右任書「湖山堂」及跋文；稍上，刻陳衍書「松海」二字及「松海歌」；前行幾十步爲范煙橋及湯國梨留題；在「小隆中」處石臺上，刻馬相伯書「枕濤」及章奇書「世外桃源」；再上爲於右任草書「寒碧」；北行，爲李根源書名人題記和章太炎篆書「聽松」。這一帶是小王山摩崖石刻精華所在。

小王山摩崖石刻條數之多，書法之美，鐫刻之工，使之成爲現代名人書法藝術的露天展覽館，也使它成爲「闕塋村舍」最引

人入勝的景點。

雙樹草堂

在侍其巷現新蘇師範學校內，章太炎來蘇州講學之初，曾購為宅居。據今人沈延國《記章太炎先生》稱此園有「亭樓之勝」。日軍侵華時被炸毀。

伍園

在蘇州城南，楚籍人士伍百谷私園，以種菊為特色。金松岑《伍園看菊》有「城南楚客諳菊趣，過門掉臂覺心癢」、「秋士知秋不諧媚，閉門對菊施弘獎。歸吟詩句夢靈均，冷月寒泉薦用享」句，極盡推崇之至。

羅家花園

在孔副司巷。一九三〇年當時政府大員羅馨子私園。金松岑有詩詠道：「羅家園子花照眼，丁香海棠相嫵媚。」至今仍存湖石假山，園中樹木蔭郁。

鱟廬

在滄浪亭近處，為李鄂樓園居。此園高門大戶，園中多竹，為文人雅集觴詠之地。金松岑詠道：「列戟高門萬衆看，郊居傲我竹千竿。」

翕園

在閶門外余家橋西，為張醉樵園第。園中多果木，為文人雅士聚會、效流觴曲水韻事之地。每當社集，多有題詠，如：「芰

草通地護短垣，種梅地僻似桃源……連歲花時曾蜡屐，滿堂詩客
更傾樽。」「桑麻兼果蓏，畦町似天然。繁實收梅杏，避囂隔市
塵。堂宜花萼映，座有竹林賢。好景還堪憶，園桃紅正妍。」錢
文選《遊蘇記事》稱作「翁圃」，謂爲當時蘇州名園之一。

天香小築

　　在人民路，俗名「百獸園」，爲上海「鼎盛」、「鼎元」、
「繁康」錢莊經理、東山翁巷人席啓蓀於一九三三年所建，四十
年代日僞時期，僞省長李士群占爲己有。抗戰勝利後，園歸當時
政府使用。一九四九年後爲蘇州市人民政府所在地。「文革」中
遭破壞，一九七九年進行整理修復。

　　「天香小築」占地三畝六分，爲近代中西式結合的宅園。住
宅在西部，總平面爲「回」字形，南爲「鴛鴦廳」，後面兩進三
幢二層樓房成「品」字形排列，各樓有走廊連接。各幢建築間之
隙地綴以山石修竹小景。各出入口門額分別題爲「蘊玉」、「涼
香」、「眞趣」、「滌塵」、「選勝」、「清源」、「正本」等。
窗格裙板上雕刻詩文、山石、花卉、古錢、龍、鹿、羊等，詩文
有王羲之、蔡襄、趙子昂、董其昌、翁方綱、鄭板橋、曾國藩、
翁同龢、李根源等歷代名家集字，古樸典雅。花園在住宅之東，
占地一畝五分，小巧自然，以土山爲主，繞以狹長水池，水池四
周布列曲廊、花徑、湖石、山頂築六角涼角，又散列太湖石峰，
因石峰形似動物，故名「百獸園」。園中植梧桐、廣玉蘭等，花
木蔥蘢。園北有長廊、半亭。「天香小築」以蘇州傳統第宅園林
爲基調，又吸收西方建築風格，使之融爲一體，在外觀、裝修等
方面較爲別致，有獨到之處。目前基本保留原狀。

漁莊

在蘇州市西南石湖，原為南宋范成大「石湖別墅」之「天鏡閣」遺址。係刺繡名家沈壽之夫、書畫家余覺於一九三四年所建，占地約二畝。初名「覺庵」，又稱「余莊」。莊背村面湖，南向，為屋五楹，共三進。前為門廳，中為「福壽堂」，後為內室。左廂房門上對聯為「卷簾為白水，隱幾亦青山」；右廂房為「山靜鳥談天，水清魚讀月」。庭前繚以回廊，其東西分別築有半亭，堂前臨湖處有「漁亭」。莊前花木扶疏，苔蘚侵階，極幽深之致。出門廳則近水遠山，送青獻玉。余覺對此園居非常欣賞，他在扇面上寫道：「石湖別墅中種葵九百株，高皆二丈，占地半畝，大葉遮天，本本如蓋，人行其中，清快無比，一榻一甌，手書一卷，坐臥其下，從葉縫中望山色湖光，風帆沙鳥，悉在眼前，清風拂拂，非復人間世矣。」

一九四九年以後，余覺後人將「漁莊」奉獻歸公，現為石湖景區遊覽勝地。

姜宅花園

在宜多賓巷。姜振祥建於三十年代。花園在住宅東側，原有假山、水池、亭子、曲橋，已廢。現存土山、花廳等。

啟園

在吳縣東山翁巷，抗戰勝利前夕，席啟蓀始建，又名「席家花園」。為縣級文保單位。當時主人鳩工庀材，頗費心力，鑿泥為池，填湖成岸，小橋曲檻，畫棟雕梁，然中途而止。幾年後，易園主徐子星，子星字介啟，故仍名「啟園」。徐子星續建，乃告功成。此園占地五十多畝，規制仿無錫「蠡園」，而空曠過之。

　　園內以主體建築「鏡湖廳」為最壯，此廳位於山水層林之間，四面二層，端莊雅致。廳四周空曠，東面築「五老峰」、「眞竹假筍」，鋪地用小石砌成圖案，其間花木扶疏，有含笑、山茶、牡丹、桂花、紅楓、臘梅、鐵牙松，清幽悅目。園中復廊，又稱「避陽弄」，隔漏窗隱約可見園景。復廊盡端及兩側綴以亭臺，極為古樸雅逸。

　　環繞「鏡湖廳」的寬廣水池名「轉湖」，池周砌湖石駁岸，高低參差，模擬「獨角牛頭」、「獅子頭」等動物，別見情趣，池南用湖石築造拱門，門內有臨水釣臺，環湖花木濃茂，池水引自太湖，清漪蕩漾。

　　「轉湖」外側，一條小河瀕臨太湖，河上有「挹波」、「環翠」二石橋。臨湖築成長堤。堤一端築湖石假山，雖不高大，但峰巒洞谷盤曲。山頂為平臺，俯瞰園中景色歷歷在目。回首東望，太湖風帆，盡在眼底。

　　「啓園」傍山臨湖，和湖中諸島相映對，使人倍感風光無限。園中池塘清幽，假山玲瓏，小橋連路，復廊迂回，亭臺樓閣，古色古香，是民國之際不多見優雅園林。

　　建園時，曾邀著名畫家蔡銑、范少雲、朱竹雲等議定方案，參照明代王鏊「招隱園」意境風貌而精心設計，臨三萬六千頃波濤，歷七十二峰之蒼翠，使整個園林人工、天然相映生輝。

謝氏別墅

　　在現蘇州市閶門飯店內，建於一九三六年至一九三八年間。其建築是一幢磚木混合結構的二層西式樓房，大門東向，門前有停車臺，南面設廊，廊前有露臺，有石階向下可進入花園。花園以草坪為主，中間植四株高聳挺拔的雪松，綠蔭如蓋，園內有小

徑可供人們散布其間。周圍植花卉樹木，以漏窗圍牆護衛，整個環境，平靜安逸。現房屋和花園都保存較好。

劉家花園

在金石街現金閶區醫院內，為劉振康宅園。原有水池、假山、亭子、花廳等構建，多存留至今。但假山駁岸已經危險，景觀亦受到破壞。

郭家花園

在齊門內石皮弄，為評彈藝人郭彬卿宅園，面積約一百平方米。現存花廳和一體量較大的湖石假山，原有半亭和曲廊已毀。

余宅花園

在閶門西街，為余開嘉宅園。現存花廳、亭子、廊等建築及一座體量較大的湖石假山；還有一座西式住宅樓，現狀完好。

陶宅花園

在盛家濱。園在宅前。現存水池、假山、亭子、曲橋及桂花、黃楊等花木。尤其是三塊峰石姿態玲瓏剔透，最為優美。此園保存較好。宅在園後，建有中式樓房。

范氏庭園

在廟堂巷。住宅四進，庭院在西側，有花廳三間，雕刻精美。還有「船篷軒」、青石礎、黃石假山，但均已年久失修。

第三人民醫院內小花園

現存有體量較大的湖石假山，疊法較好，保存完整。山頂原有亭子，已廢。

握瑜

在因果巷，爲李氏庭園，現已廢，殘存湖石小假山和黃楊等樹木。住宅樓前「四時讀書樂」磚雕門樓甚精。

吳氏庭園

在大石頭巷，庭院在西側。現存楠木花廳，原有湖石假山、花木等，現已毀廢。

墨園

在人民路現五二六廠內。原爲國民黨要員顧某小妾的一處西式花園。原有方亭、圓亭、湖心亭、假山、小橋、水池等，多已毀。現遺存小水池、湖石花壇和龍柏等。住宅爲西式洋房兩幢。

嚴宅花園

在東北街。原有假山、水池，已毀廢。現存花廳、旱船、廊等建築。園內還植有棕櫚、桂花、天竹等花木，現狀尚好。住宅在園東。

潘氏庭園

在史家巷，花廳及湖石假山等保存完好。

三多巷12號庭園

庭中大廳旁有黃石假山一座，樹木多株，前後有碎石走道，

東部有小型水池。

東小橋3號花園

原爲國民黨某高官花園洋房。園較大,有水池、湖石假山及銀杏、白皮松、玉蘭、含笑、桂花、紫藤、黃楊等名貴花木。園內建築均爲西式樓房,現保存較好。

紫羅蘭小築

在城東甫橋西街長河頭,又名「周家花園」,是我國現代著名作家、翻譯家、盆景藝術大師周瘦鵑的私園,也向爲文人高士雅集之地。

此園占地四畝,原是大書法家何子貞裔孫何維所構家園,高大的樹木和素心臘梅之下有一大叢紫羅蘭,名叫「默園」。「九一八」事變後,周瘦鵑從上海回故鄉蘇州,以二十年賣文積蓄買下這個園子,易名「紫羅蘭小築」,欲從此投筆毀硯,終身以花木爲事。園之取名,頗有情趣。原來周瘦鵑年輕時戀人叫周吟萍,因家庭的反對,二人戀愛未成。但周瘦鵑對吟萍傾心難忘。吟萍英文名爲Violet,意即「紫羅蘭」,以此名園,以示懷念故人。

民國三十五年,又翻建舊屋,開拓園地,新建六間平房。中爲「愛蓮堂」,是接待賓客之所,周恩來夫婦、朱德夫婦來訪時,周瘦鵑就在這裡接待他們。西爲陳列古玩之處,名「且住」,又有「寒香閣」,廂房是雜陳奇石的「紫羅蘭庵」。「愛蓮堂」東是主人臥室,名「含英咀華之室」,還有六角形的廂房「鳳來儀室」。一九五五年又在上面加蓋小樓一座,周瘦鵑在此日夜秉筆,寫出許多清新優美、富有姑蘇地方特色的散文。

「紫羅蘭小築」以「愛蓮堂」爲中界,分爲東西二區。東區

植素心臘梅、天竹、白丁香、垂絲海棠、玉桂樹、白皮松，古老的柿樹、塔柏、玉桂樹鼎足而三。六角形的小花壇中央立著捷克雕望家高奇塑造的女花神像，雙手高高捧著玫瑰花。這塑像和梅丘周圍可稱爲「小香雪海」的各種梅花；紫羅蘭臺中的一叢叢紫羅蘭花；草坪石案上象徵光福「清、奇、古、怪」的四鑑老柏；「愛蓮堂」上一對百年綠毛烏龜；五人墓碑義士梅；白居易手植槐樹枯椿，都是「紫羅蘭小築」的稀有珍品。西區有紫藤棚，棚旁小屋一間爲「魚樂園」，陳列各種金魚。屋前是露天盆景展覽館，幾百盆大大小小、富有詩情畫意、絢麗多姿的盆景疏密落地安置在這裡，蔚爲大觀。盆景館後面是五個湖石豎峰，稱之爲「五岳起方寸」。五峰之後，竹林茂密。在東西區中間，亭榭「梅屋」點綴於假山池樹之間，極爲清幽雅致。池塘裡荷花盛開，瀑布汩汩而下，柏枝像瓔珞般紛披下垂於水面。一年四季百花爭妍鬥艷，綠樹郁郁蔥蔥，爲小築增添了山林野趣。

「紫羅蘭小築」名傳海內外，一年四季門庭若市，參觀者絡繹不絕。除了國家和各地領導人以及各界人士之外，世界上先後有二十多個國家的貴賓前來參觀。

一九六六年「小築」主人周瘦鵑含冤去世，「小築」被毀。現雖餘殘跡，但已無昔日風華。

花園飯店

在廣濟路。原爲高級旅館，現部分客房樓尚存。花園面積較大，原有較多的湖石假山、水池、亭子等園林建築。現多已毀廢，僅存水池及湖石殘塊以及香樟、廣玉蘭、羅漢松、黑松等樹木。水池駁岸已坍圮，部分水面淤沒。現爲精神病醫院宿舍區。

南園

在十全街南園賓館內，是一處洋房花園。蔣緯國少年時代在蘇州讀書時曾居此。園內有較大的水池、琉璃瓦亭子、假山、石峰、樹木等。

嚴衙前48號花園

在現第一人民醫院內，原是一處封閉式園林，體現了民國建築風格。現圍牆已拆除，為醫院門診部前的休息處。現存湖石小假山、水池、小橋及大雪松三株。

魯家花園

在孔副司巷，園已廢，僅存水池，在蘇州大學光學研究所內。原址大部已建成蘇大教工宿舍。

藝園

在富郎中巷。原薛姓宅園，現已全廢。

拙園

在包衙前。傳曾為國民黨要員嚴某宅園，現已無存。

王宅花園

在廟堂巷，為一小型宅園，現已無存。

壺園

在廟堂巷。為潘姓所建，僅三百平方米。園在住宅西側，以水池為中心，池東構廊，北通一廳，南接一軒，中部築六角半亭，

池上架小橋兩座。池周散置石峰，間植海棠、白皮松、臘梅、天竹等。小園以水池爲主景者，此爲佳例，惜已堙沒無存。

雷氏別墅

在廟堂巷，爲一花園洋房，約建於三十年代中前期，據傳爲雷允上藥店業主之別墅。占地四畝左右。其建築式樣可分爲兩類，東部是西式花園洋房，西部爲中式古建庭院。現僅存西部二層西式樓房一幢。

錢園

在太倉城廂鎮「隆福寺」西，民國初築，一名「怡怡別墅」、「潛園」，又名「淡遠莊」、「寧遠莊」，沿稱「錢園」，已荒廢。

陸園

在太倉城廂痘司堂街，爲陸曾業所築，已荒廢。

亭林公園

在昆山玉山鎮馬鞍山麓，建於清末民初。背倚青山，綠樹蔥蘢。這裡原是「慧聚寺」舊址，文物古跡有明朝文華殿大學士顧鼎臣「崇功專祠」，有鐫刻著林則徐楹聯的「林跡亭」，園內荷花池中種有並蒂蓮，係自正儀移入，夏季雙萼盛開，海內罕見，爲昆山三寶之一。相傳此蓮本爲元末昆山詩人顧仲瑛家中物。顧氏因捐資助明，朱元璋賜他天竺千葉蓮，置於正儀宅中花園內東亭邊荷池中。後因年久，荷塘瀕臨堙沒。民國二十八年，葉恭綽組織「顧園遺址保管委員會」，整治荷塘，重建東亭，名「君子

亭」，從此，東亭古蓮名播四方。移入亭林公園，爲之增加一引人入勝佳景。園內有被譽爲「東風萬物競紛華，天下無雙獨此花」的瓊花樹七株。清代詩人龔自珍曾有「丹實瓊花海岸旁」的詩句歌詠之。如今公園內瓊花依然繁茂，每年五一節前後，各方遊人，前來觀賞。今日的「亭林公園」內，又重建「顧炎武紀念館」，陳列顧炎武史跡史料，爲「亭林公園」豐富了人文內涵。「亭林公園」，現在不僅是昆山的遊覽勝地，也是滬寧鐵路線上一個風光佳麗的景點。

游息山莊——太倉人民公園

　　在太倉城廂鎮，民國初年在「海寧寺」舊址興建。當時俗稱「公園」，由陸佐霖、陳大衡、李液豐三人設計布置。「海寧寺」本爲梁天監年間所建之「妙蓮庵」，爲滄江八景之一。寺左有「通海泉」，明初所鑿，泉有四眼，沿稱「四眼井」，井水深廣，久旱不竭，人謂通海。寺右有鐵釜，圓徑六尺多，相傳爲元代遺物，左右皆有石亭。寺前有香花橋，橋原有三環洞，庚申年寺毀，光緒年間重建，仍爲世人聚遊祈福之地。

　　建成公園之後，前圍以牆，西疏流水，流通北溪，東界土地廟。廣植樹木花草，開拓幽徑，中闢草坪，旁設石座。前有土山，疊以山石，蓋有涼亭；後有「師竹軒」，圍以花壇；側有「樹萱齋」，壁嵌碑石；鑿荷花池二，架以小石橋和三曲橋，池旁建亭。園內有明嘉靖時翰林院編修王錫爵所寫重修寺碑記，清代畫家董其昌所寫經碑，又有錢大昕書相葬碑。宋朝嘉祐進士郟亶墓亦在園中。

　　以後對「遊息山莊」重加修茸，改名爲「太倉人民公園」。「師竹軒」、「樹萱齋」和碑石俱在。「樹萱齋」南又移置明代

「五美園」遺物「觀音峰」，高尋丈，玲瓏剔透，百竅千靈，不
易多見。另闢動物園、鹿苑、孔雀軒等。小池成半月形，護以石
欄，係學宮泮池舊物。出「師竹軒」，沿花牆往北進六角洞門，
增設茶室，頗具雅致。現園為太倉人民遊憩娛樂之所。

吳江公園

　　在吳江縣松陵鎮，占地二十八畝多。園內有被稱作松陵八景
之一的「七陽山」（人們稱為土山），此山係太平天國之後，用
碎磚瓦、垃圾和清理玉帶河時挖出的淤泥堆積而成。民國十二年
（1923年），縣中名流動議在此建造公園，因乏經費未果。民國
二十三年（1934年），縣長徐幼川決定繼續興建，共分四期施工，
築圍牆，鋪卵石路，在「七陽山」上和兩側植樹造林，建「中山
紀念堂」，在東北角建四面廳，山腳下造「息樓」，山頂建亭子，
在四面廳前建噴水池，中置假山，園後環山以竹籬，壘成假山走
廊，等等，取名「吳江公園」。民國二十六年（1937年），又為
國民黨早期黨員、已殉難的錢滌根烈士建造紀念碑。

　　日軍侵華時，公園遭破壞。抗戰勝利後，雖加整修，但依然
殘破不全。

　　一九四九年以後，大加整修。一九五三年，種植大批黑松、
松柏、羅漢松、玉蘭等名貴樹木。每年都發動群眾在公園植樹，
使公園恢復了勃勃生機。八十年代，又對公園進一步美化。吳江
籍的著名社會學家費孝通教授為「吳江公園」題額，園內新建「
兒童樂園」、造型不同的亭子，築通環山路，加修山坡，開挖噴
水池和荷花塘，塘邊建涼亭、水榭，塘面架起微型石獅和三曲橋，
小小的荷花塘被點綴得錯落有致，幾與古典園林媲美。又開闢花
圃，新植香樟、水杉、臘梅、桃樹等九千株。三十年代殘存的女

貞、龍柏、法桐、玉蘭等也重新煥發生機，整個公園郁郁蔥蔥，
濃蔭蔽日，花香鳥語，清幽宜人。

皇廢基公園——蘇州公園

現俗名「大公園」，始建於一九二七年，占地六十四畝。

公園舊址爲春秋時的「吳子城」、漢爲太守府、唐爲刺史府、
宋爲平江府、元末爲張士誠王府。元至正二十七年（1367年）「
吳子城」焚毀殆盡，後稱此地爲王府基（皇廢基）。辛亥革命後，
在此倡建公園，即名「皇廢基公園」。一九二〇年開始籌建，請
法國園藝家設計，先在中部建造一座西式二層建築的圖書館。園
門南向，南部爲中央花臺及噴水池。北部有水池，池中種蓮，建
七曲橋一座，朱欄迤曲，純以中國風趣爲主。池北壘土爲山，頂
建六角亭，山上樹木以楓、欅、櫟等紅葉樹爲主，而雜以松柏、
檜樟等常青植物。另有杏、櫻、海棠、山茶、桂、梅、玉蘭等，
使四時之景皆備。再北闢草地爲一區，周圍遍植常青樹木，幽靜
而有自然之趣。草地之東建「水禽館」及桃林，館後遍植修竹，
其北建音樂臺。臨北部水池建茶室，名「東齋」。南部爲曲圃花
房。池東南和圖書館北各有花廊，廊架上植薔薇、紫藤、葡萄、
牽牛花、常青藤等。園西南角建「西亭」和電影院。一九三二年，
張一麐先生組織「國學研究會」於公園圖書館。公園北部設立歐
式方亭花崗石紀念碑，嵌大理石碑文《贈上尉美國肖特義士傳》，
一九三七年「八一三」事變之後碑毀。一九四七年重立花崗石紀
念碑（今收藏在蘇州博物館）。日軍侵入蘇州，圖書館被炸毀。
抗戰勝利後，在園中建康樂館，名「涵社」。一九四七年改名爲
「吳縣中山公園」，荷花池東建「裕齋」，闢爲「前進圖書館」，
在園北建「葉楚傖紀念坊」，並綠化公園，造「楚傖林」。

一九四九年以後疏挖荷池，重建丘北澄虹橋，改建三曲橋爲和平橋，圖書館原址上建竹亭，「東齋」後荷花池堆砌湖石假山駁岸，「裕齋」後點綴假山石筍，安置石凳、座椅。北草坪闢幼兒樂園，後又整修噴水池，塑少女雕像。現在「蘇州公園」是市區人民休憩遊賞最爲方便的一處園林。

虞山公園

位於常熟虞山鎮旱北門大街，爲常熟最大最完整的公園。該園籌建於一九三一年，由常熟著名教育家蔣鳳梧先生發起，在當時的「半巢居」及陳家山門處，規劃闢建公園，定名「常熟公園」，因其時在縣城西南隅尚有「逍遙遊」，又稱「虞山公園」，故此園又稱「新公園」。

該園依旁虞山並沿跨山城牆構築，景觀隨地形起伏，建築物錯落層疊，間以林木泉石，使自然風景與人工點綴融爲一體。舊時主要建築有「人山廳」、「民衆教育館」、「北郭草堂」、「湖心亭」、「九曲橋」、「雙茆亭」、「挹秀山房」、「新亭」、「栗里」、「環翠小築」等。園中豎一太湖石，狀如卷雲，高三米許，上刻常熟名人張鴻題辭：「刳神胎，出靈氛，一舒一卷，爲天下云。」

一九四九年以後，更名爲「人民公園」。陸續整修了「湖心亭」、「九曲橋」、「雙茆亭」；重建了公園大門、「環翠小築」；新建「挹翠亭」、「支邊亭」、「聽松亭」、「忠王碑亭」、「夕照榭」諸景，並闢書亭、兒童樂園、少年之家等。一九六〇年建「虞紅亭」。一九七九年重建「栗里茶室」、「王石谷亭」，新建「倚晴樓」、「半山軒」，並闢花圃，建溫室，辦花木商店。一九八四年，在公園大門里甬道北側原少年之家址新闢「倚晴園」，園

內建「歸飛亭」、「晚翠亭」，並建有曲廊、荷池、假山；「半山軒」配套建爬山廊；擴建了兒童樂園，闢盆景園。園西北隅可見舊城牆一截。

該園現占地一百五十多畝，範圍較以前擴大一倍，爲市內遊憩勝地之一。

一九八四年更名爲「虞山公園」。

巴城公園

在昆山巴城，民國二十一年，汪正本和張國權在明人周禮墓處闢草平地，圍植樹藩，間植松柏。周禮墓巍然獨立，墓巔構「望湖亭」，望巴湖雲山縹緲，心眼爲開。墓下甃石成階，旁設短欄，曲折有致。四邊置石座，供人坐憩。又有人在公園中間植籃球架，設乒乓球臺，藉資公衆運動。

震澤公園

在吳江震澤鎮，一九三六年始建。原占地六十畝，主體建築爲「四面廳」，面寬五間，歇山頂，琉璃瓦。廳旁爲荷花池，池上架小橋，池中有亭臺、假山。園內有花圃、草坪，但全園隙地較廣。一九三七年日軍侵占，公園成爲禁區。一九五六年，人民政府重新修建，並在園內北偏建「烈士陵園」。「文革」中園被工廠占領。一九八二年又重新整修，清理了荷花池，修建「四面廳」、「仙鶴亭」等，池畔植樹綠化，疊石爲磯，新建水榭、小橋、方亭、長廊和盆景園。今日的震澤公園、是具有江南園林特色的一處園林，又是當地人民群衆遊覽，娛樂的活動中心。

結束語

　　和任何事物一樣，蘇州園林有其自身的發展規律。隨著社會的演進，其類別、規模、內涵等，不斷發生變化；造園技藝，亦日趨進步和完善，發展至明清，達到藝術高峰，從而奠定了它在中國、乃至世界園林史上的重要地位。

　　兩千多年來，蘇州園林逐漸形成了自己的個性特色。和全國園林相比，它的個性主要表現在：一、全國園林按其歸屬分類，主要有三大體系，即皇家園林、私家園林和寺廟園林。由於社會經濟、政治和自然環境的原因，皇家園林主要在北方，寺廟園林主要在名山風景區，私家園林則主要在江南。因之，蘇州園林的主要成就是私人宅園。二、就其構造風格而言，北方園林多闊大、嚴整、壯觀、富麗堂皇；蘇州園林為典型的江南風格，小巧、自然、幽雅、清淡秀美；嶺南園林則別是一種風貌，「每周以樓，高樹深池，陰翳生涼，水殿風來，溽暑頓消，而竹影蘭香，時盈客袖」（陳從周《說園》）。三、濃郁的地方文化色彩。蘇州為吳文化中心，吳文化的特色十分具體地體現在園林的建築、山水、花木諸要素之中；蘇州向為人文薈萃之地，許多詩人、畫家和園林關係密切，他們的文化素養自然滲透於園林之中。可以說，蘇州園林對吳文化的反映，較之其他地方園林對當地文化的反映，要系統得多，明顯得多，深刻得多。蘇州園林的這些特色，讀者從本書中當可有大致的領悟。

　　一九四九年之後的新建園林，本書暫未收錄。這四十多年來，

園林建設，成績斐然：修復、開放了滄浪亭、獅子林、留園、拙政園、網師園等多處古典園林，使之重放光彩，享譽世界；興建了一批公園，尤其是鄉村公園更有長足發展，適應了人民遊樂和文化生活的需要。但是，「大躍進」和「文革」之中，許多中小園林、私家庭園被毀，亦殊為可惜。

蘇州園林將繼續發展。在今後的城、鎮建設中，公園必定不斷增多；許多機關、學校、工廠的建設園林化，也是新的趨勢；隨著生活水平的提高，人們根據固有的民俗傳統和新的審美觀點，在自己庭院內點綴山水花木，增加園林色彩，將會逐步成為現實。園林要發展，就要有繼承、有創新。本書收錄的歷代園林實例，當可向人們提供借鑑，以吸取精華，推動對現存園林的保護和新的園林建造。

蘇州園林有繁盛的過去，有依然光輝的今天，也會有美好的未來。願蘇州園林永呈異彩，永葆盛譽！

附錄一

參 考 書 目

司馬遷《史記》

班 固《漢書》

趙 曄《吳越春秋》

陸廣微《吳地記》

袁 康、吳 平《越絕書》

龔明之《中吳紀聞》

范成大《吳郡志》

朱長文《吳郡圖經續記》

徐 崧、張大純《百城煙水》

王 謇《宋平江城坊考》

顧震濤《吳門表隱》

鄭虎臣《吳都文粹》

錢 谷《吳都文粹續集》

顧湘舟《吳郡文編》

劉義慶《世說新語》

陶宗儀《輟耕錄》

范成大《范成大遺著輯存》

任 昉《齊東野語》

戴名世《戴名世集》

周 密《齊東野語》

范文瀾《中國通史》

楊 寬《戰國史》

張墀山、葉萬忠、廖志豪《蘇州風物志》

顧頡剛《蘇州史志筆記》

董 說《七國考補訂》

黃省曾《吳風錄》

任繼愈《中國佛教史》

葉夢珠《閱世編》

葉廷琯《吹網錄》

張霞房《紅蘭逸乘》

陸友人《吳中舊事》

高德基《平江記事》

徐大焯《燼餘錄》

錢思元、錢士錡《吳門補乘》

王維德《林屋民風》

張大純《姑蘇采風類記》

顧文彬《過雲樓書畫記》

王世貞《弇山堂別集》

費善慶《垂虹識小錄》

袁宏道《袁宏道集箋校》

沈 復《浮生六記》

張　岱《陶庵夢憶》
楊循吉《蘇談》
袁學瀾《適園叢稿》
龔自珍《定盦文集》
龔自珍《定盦續集》
金松岑《天放樓文言》
金松岑《天放樓詩集》
金松岑《天放樓詩續集》
唐伯虎《唐伯虎全集》
吳偉業《吳梅村先生詩集》
高　啓《大全集》
高　啓《鳧藻集》
楊　基《眉庵集》
歸　莊《歸莊集》
況　鐘《況太守集》
文徵明《文徵明集》
祝枝山《祝枝山全集》
顧公燮《丹午筆記》
蘇舜欽《蘇舜欽集》
顧　汧《鳳池園集》
費偉齋《費偉齋集》
徐丕樹《識小錄》
金寶樹《花溪草堂文甲集》
金　蘭《碧螺山館詩鈔》
李根源《吳郡西山訪古記》
李根源《娛親集》
《起社詩鈔》
《全唐詩》
金友理《太湖備考》
鄭言紹《太湖備考續編》
許明煦《莫厘游志》
《洞庭東山旅滬同鄉會卅周年紀念特刊》
錢　選《游蘇記事》
繆荃孫、馮　煦《江蘇省通志稿》
葉承慶《鄉志類稿》
曹允源、李根源《吳縣志》（民國）
孫　珮《滸墅關志》
岳　岱《陽山志》
陳仁錫《堯峰山志》
宋　犖《滄浪小志》
殊　致《靈岩記略》
《靈岩志略》
張一騮《靈岩山志》
葉昌熾《寒山寺志》
潘曾沂《開元寺志》
釋眞鑑、志　明《竹堂寺志》
顧　沅《重印元妙觀志》
費樹蔚《蘇州府報恩塔寺記》
沈藻采《元和唯亭志》

《葑溪雜志》

李楚石《齊溪小志》

顧嘉譽《橫山志略》

徐 傳《光福志》

程錦熙《黃埭志》

張郁文《木瀆小志》

施兆林《相城小志》

徐鳴時《橫溪錄》

蔣吟秋《滄浪亭新志》

龔立本《常熟縣志》

陳三恪《海虞別乘》

陳 揆《琴川續志草》

鄧 琳《虞鄉志略》

王瑾光《蘇松太山川考》

丁祖蔭《常昭合志》

鄭鍾祥、龐鴻文《常昭合志稿》

王祖畬《太倉州志》（民國）
《太倉縣志》（民國）

趙 曜《璜涇志略》

時寶臣《直塘里志》

時寶臣《雙鳳里志》

陶炳曾《茜涇記略》

金吳瀾、汪 堃、朱成熙《昆
新兩縣續修合志》

連德英、李傳元《昆新兩縣續
補合志》

楊逢春、方 鵬《昆山縣志》
（明·嘉靖）

朱保熙《巴奚志》

陶 煦《周莊鎮志》

諸世器《菉溪志》

陳纕、倪師孟、沈 彤《吳江
縣志》（清·光緒）

金增福、熊其英《吳江縣續志
》（清·光緒）

徐達源《黎里志》（清·光緒）

蔡丙圻《黎里續志》（清·光
緒）

《黎里鄉土志》

翁廣平《平望志》

黃兆樨《平望續志》

仲時鎔《盛湖志》

紀位三、沈子綏《震澤鎮志》

周之楨《同里志》

柳樹芳《分湖小識》

葉長齡《楊舍堡城志稿》

盧思成、季念貽、夏瑋如《江
陰縣志》

葉夢得《石林詩話》

錢 泳《履園叢話》

陳 植《中國歷代名園記選注》

岡大路（日本）《中國宮苑園

　林史考》　　　　　　　　　（手抄複印本）

童　雋《江南園林志》　　　　《吳縣文物》（內部資料）

童　雋《造園史綱》　　　　　胡鏡清、王芳祿、沈重輝《蘇

《古今畫書集成·園林部》　　　州旅遊手冊》（內部資料）

《蘇州勝跡重修記》　　　　　《蘇州市文物園林古建築調查

范廣憲《吳門園墅文獻》　　　　資料匯編》（內部資料）

園林名稱筆畫索引

五　畫

六　畫

八　畫

十二畫